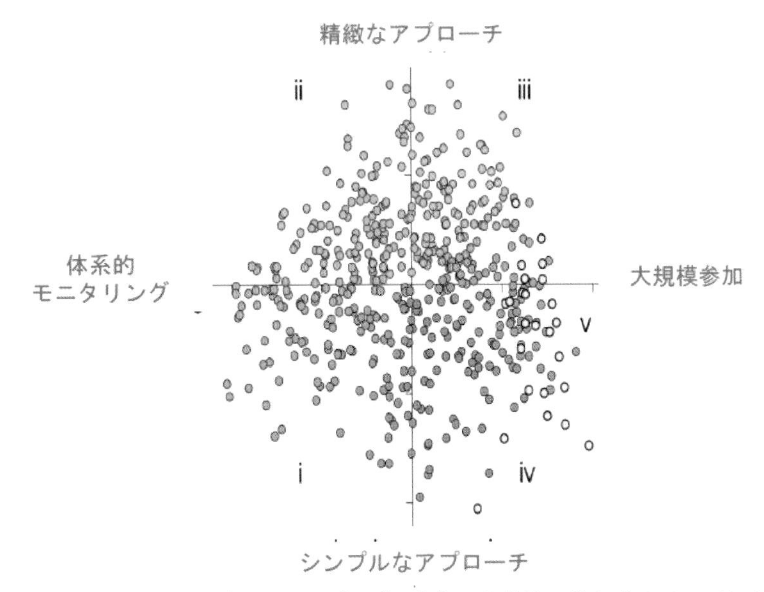

口絵 1　環境と生物多様に関するプロジェクトの多様性の分布（1950 ～ 2013）
（Pocock et al.（2017）に基づき作図）
p. 71 図 3-4 も参照。

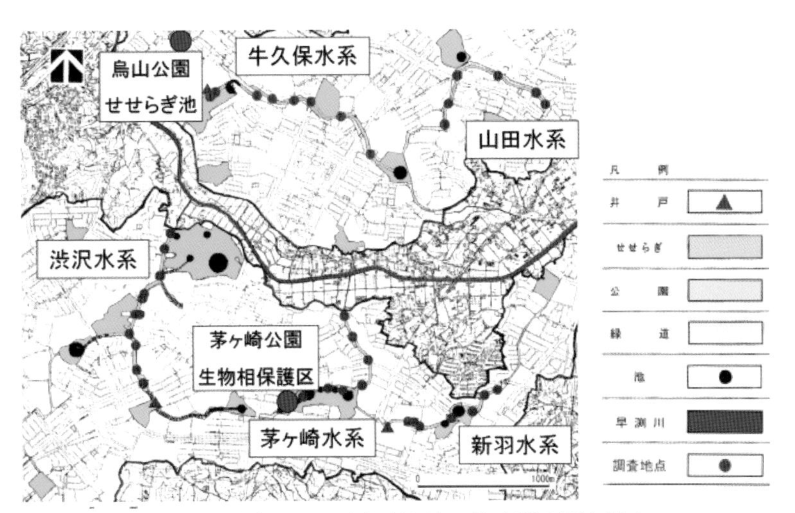

口絵 2　港北ニュータウンのせせらぎと池の外来種の調査地点（小堀（2009）に基づき作図）
p. 93 図 4-12 も参照。

口絵 3　市民科学に適したプロジェクトかを判断するための選択フローチャート
（Pockock et al., 2014 を小堀が翻訳）

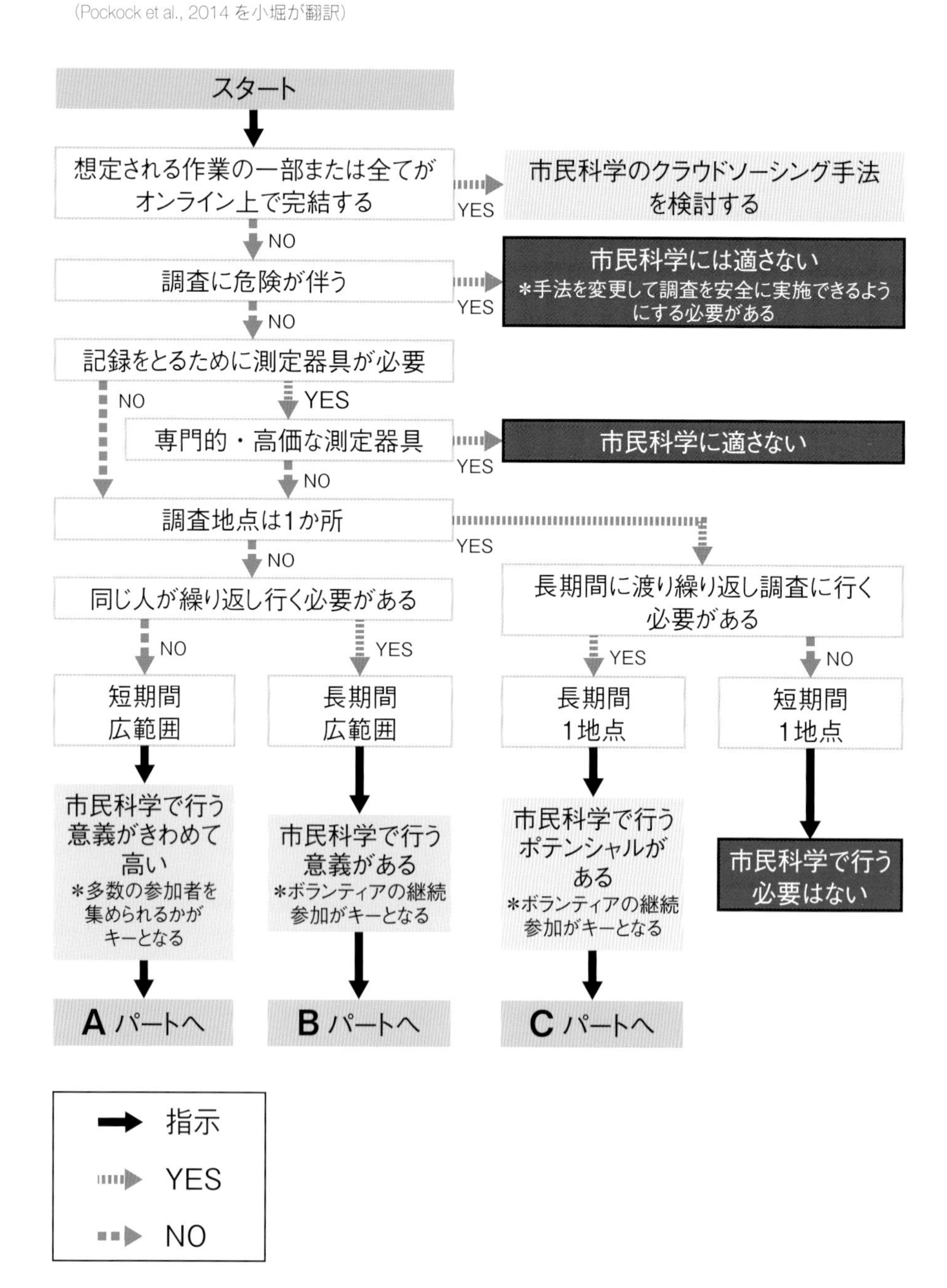

p. 196　図 7-1 も参照

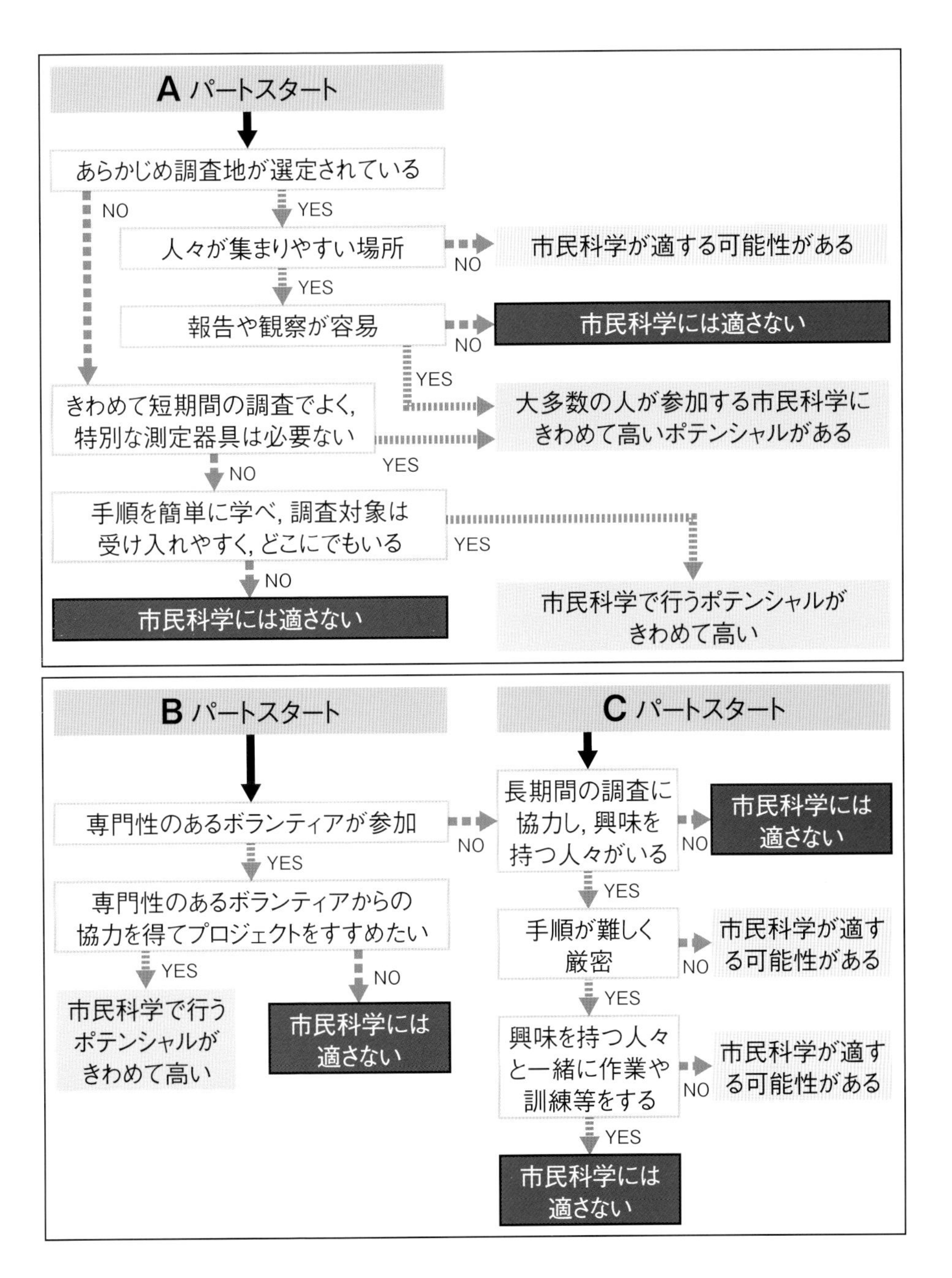
A パートスタート
あらかじめ調査地が選定されている
NO
YES
人々が集まりやすい場所
NO
市民科学が適する可能性がある
YES
報告や観察が容易
NO
市民科学には適さない
YES
大多数の人が参加する市民科学にきわめて高いポテンシャルがある
きわめて短期間の調査でよく，特別な測定器具は必要ない
YES
NO
手順を簡単に学べ，調査対象は受け入れやすく，どこにでもいる
YES
NO
市民科学には適さない
市民科学で行うポテンシャルがきわめて高い
B パートスタート
専門性のあるボランティアが参加
NO
YES
専門性のあるボランティアからの協力を得てプロジェクトをすすめたい
YES
NO
市民科学で行うポテンシャルがきわめて高い
市民科学には適さない
C パートスタート
長期間の調査に協力し，興味を持つ人々がいる
NO
市民科学には適さない
YES
手順が難しく厳密
NO
市民科学が適する可能性がある
YES
興味を持つ人々と一緒に作業や訓練等をする
NO
市民科学が適する可能性がある
YES
市民科学には適さない

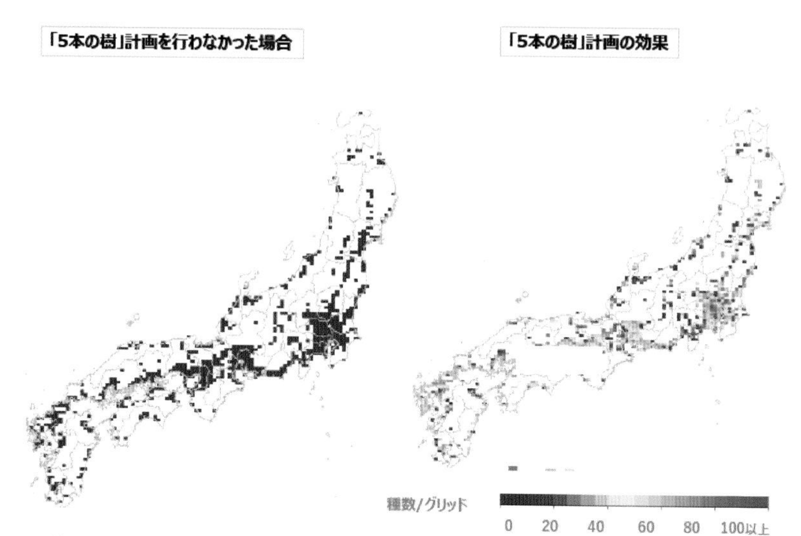

口絵 4 「5 本の木」計画の効果 (積水ハウス調べ)

「5 本の木」計画を行った場合（右）と行わなかった場合（左）の植栽樹木数を比較。口絵 5 に示す J-BMP を用いて解析した。本文 p. 169 も参照。

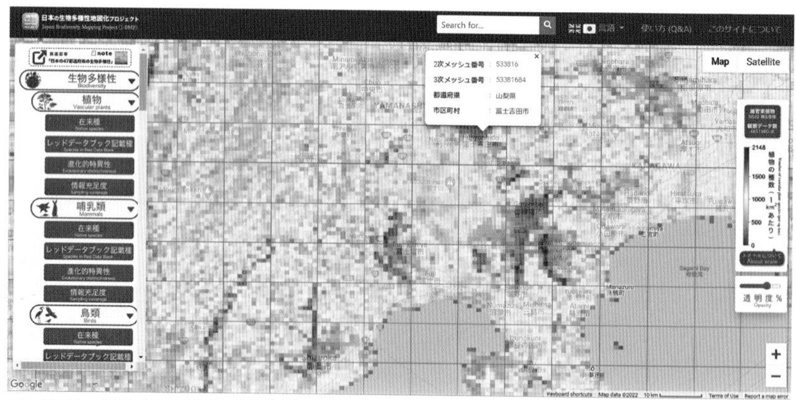

口絵 5 「日本の生物多様性地図化プロジェクト（J-BMP）」の画面 (https://biodiversity-map.thinknature-japan.com)

膨大な分布情報を集約し，さまざまな情報を地図上に表示して可視化するシステムが構築されている。画面左側のメニューから選択することで，必要な情報を任意に組み合わせた地図を作成することができる。本文 p. 248 を参照。

市民科学のすすめ

「自分ごと」「みんなごと」で科学・教育・社会を変える

小堀洋美 著

文一総合出版

はじめに

一般の人々（市民）が科学研究のプロセスに積極的にかかわり、貢献する「市民科学」は、過去 30 年間で欧米を中心に急速に進展し、その新たな時代の幕が開いた。情報技術を背景に、多くの市民が、自らの知識、技術、才能やツールを生かし、研究のプロセスに主体的に参加することで、研究者よりも長期的・広域的な調査・研究を可能にしている。また、研究者が興味を持たないローカルなテーマや苦手な分野をカバーし、科学者の弱みを補完する役割も果たしている。

市民科学は、自然科学と人文・社会科学の研究だけでなく、教育と社会変革でもイノベーションを起こしている。教育の分野では、市民が主体的に科学研究のプロセスにかかわることで、科学リテラシー（科学の知識、調査方法や技術の習得）を高め、結果として自然や社会に対する従来の価値観、態度、行動に変容をもたらした。こうした影響はさらに、正規教育や社会教育にも波及している。また、市民科学を通じて得られた科学的なデータやその成果は、地域や地球規模の課題解決、環境保全、地域の活性化、政策提言、持続可能な社会形成などの社会変革のアプローチに生かされている。

市民が自分の興味や関心に基づいて科学研究に貢献してきた歴史は長く、科学の始まりにまで遡ることができよう。特に自然現象——動植物、鉱物、天文、気象の分野での市民の貢献は、今日まで脈々と引き継がれている。しかし、19 世紀の初めに科学を職業とする研究者が誕生すると、大学、研究組織が科学研究を担うようになり、特に第 2 次世界大戦以降は、科学研究の巨大化と細分化により、市民の科学への参加は極めて限定的となった。その結果、一般の人々にとって、科学は難解で見えにくく、科学は象牙の塔の産物ともなった。

しかし、近年の社会環境の変化、情報社会の進展、地球規模の環境問題への緊要な対応などが、新たな市民科学の進展を後押しした。「Citizen Science：市民科学」という新たな言葉は、奇しくも、同じ時期に英国と米国で提案された。1995 年、英国の社会学者が科学研究のプロセスに一般の人々がかかわる「科学の社会化」の重要性を主張した。1996 年には米国の鳥類学者が、市民が観察データを収集し、共有することで「科学の見える化」を促進する手法を提案した。この 2 つの初期の市民科学の目標は、現在の市民科学の広がりの中で実現されている。

市民科学の大きな特徴は、その多様性である。市民科学の「市民」には、科学を職業とする研究者以外のすべての年齢層、すべての職業の人が含まれる。生徒や大学生、行政、企業、一次産業（農業、水産業、林業者）などに携わる人々、主婦（夫）、定年退職者などすべての人が市民である。

また参加の方法も多様である。例えば、個人で国際的な生き物しらべのプロジェクトに登録し、スマホのアプリから動植物の写真を送信し、楽しみながら世界の生物多様性の情報集積に貢献する人もいる。DIYで測定装置を自作し、大気中の汚染物質の濃度を測定し、地域活動に貢献する人もいる。また、市民科学のイベントに申し込み、家族や友人と楽しみながらイベントのミッションに協力する人もある。地域の防災・減災や自然共生のまちづくりなどの協議会に市民科学を取り入れ、科学的なエビデンスに基づいたボトムアップの合意形成にも生かされている。さらに、自分の職場の本業に市民科学を導入し、組織の課題解決や新たな事業計画を市民と協働で実施する事例も多数ある。本書では、大学、博物館、自治体、企業、国立公園などが企画し、市民とともに実践している優れた国内外のプロジェクトなどを紹介している。

日本では、市民参加型の市民科学（研究者や行政などの依頼により市民がデータや情報の収集のみに参加する）の歴史は長く、優れた事例も蓄積されてきた。しかし、協働型の市民科学（市民が科学研究の多くのプロセスにかかわる）や共創型の市民科学（市民が多様な組織と連携し、すべての科学研究のプロセスに主体的にかかわる）はあまり見られない。また、情報ツールを用いた市民科学も始まったばかりであり、市民科学が持つ高いポテンシャルはまだ社会で十分に発揮されていない。本書は、市民科学についての理解を深め、市民科学を「自分ごと」、「みんなごと」として、有意義な活動を実践してもらうことを目的としている。その結果として、市民科学が変革の時代に新たなイノベーションをもたらしてくれることを期待している。

本書は日本で初めての市民科学の包括的な図書であり、多様な市民、多様な分野の研究者を読者対象としていることから、各章では多くの国内外の具体的な事例の紹介を心がけた。市民科学の定義が初めて辞書に掲載されたのは2014年（『オックスフォード英語辞典』）と最近であり、特に企画者や参加者が、自身が実施・参加しているプロジェクトが市民科学という大きな枠組みの中に入ると思っていない場合も多い。本書では、市民が積極的にかかわってきた過去及び現在のプロジェクトを市民科学の優れた事例として位置づけて紹介した。本書を通じて、自分が実施しているプロジェクトが市民科学であると気づく読者もおられるだろう。プロジェクトを市民科学と位置づけ、プロジェクトの目的、到達点を明確にでき、得られた科学的なエビデンスや教育的な学びとその成果を客観的に評価することで、さらに有効なプログラムとすることが可能となる。本書をきっかけに、読者の皆様が市民科学の輪に加わってくださることになれば幸いである。

本書の執筆には、国内外の多くの人々に多大なご尽力と協力をいただいた。著者が主催する一般社団法人生物多様性アカデミーの「市民科学研究会」では、10年程前から市民科学を実践する市民、研究者、NGO、行政などからなるメンバーと市民科学の議論を深めてきた。科学研究費などによる市民科学の共同研究も10年間ほど継続され、厳網林氏（慶應義塾大学)、史中超氏・咸泳植氏・横田樹広氏（東京都市大学)、桜井良氏（立命館大学）とその研究・教育実践の成果を学術論文や国内外の学会で発表してきた。また、本書で紹介した研究室の市民科学プロジェクトの多くは、研究室の大学院生・学部生とともに実施し、海外や国内の多様な地域で、多くの市民や組織との連携によって可能となった。さらに市民科学の国内外の現状を把握するために、市民科学で先導的な役割を果たしている国内、主に英国と米国の大学、研究機関、NGO、行政、博物館、中間管理組織を訪問し、インタビューや現地視察の機会を与えていただいた。

本書をまとめるにあたっては、市民科学の共同研究者であり、親しい友人でもある Abraham Miller-Rushing 氏（アカディア国立公園）と Elizabeth Ellwood 氏（ロサンゼルス自然史博物館）に寄稿記事の執筆と米国の市民科学に関する情報提供をいただいた。また、岸本慧大氏・戸金大氏（慶應義塾大学)、廣瀬光子氏の諸氏と岡裕子氏、亀山豊氏（(一社）生物多様性アカデミー）には、文献の検索、プロジェクトの実施、インタビューの同行などを通じて、大変お世話になった。

最後に本書の刊行に当たり、文一総合出版編集部の菊地千尋氏には、原稿の編集と平易な内容とするために的確な助言をいただいた。

以上の関係者の皆様に心からの感謝を申し上げる。

2022年2月

小堀 洋美

市民科学のすすめ

「自分ごと」「みんなごと」で科学・教育・社会を変える

目　次

本文イラストレーション：
　一般財団法人セブン－イレブン記念財団　高尾の森自然学校　後藤　章

第１章　市民科学が新たな扉を開く

多彩な人々がそれぞれの経験や技術、才能で科学研究を実現できる時代が到来した！　市民の力を集める「市民科学」は、いまや教育・啓発の域を超え、地域から地球環境までのさまざまな問題解決に活かされるに至っている。本章ではまず、研究者だけでは達成できない成果をもたらす市民科学の可能性を紹介する。

1.「新たな科学」の時代

市民科学（Citizen Science）とは、科学を本職としない一般の人々（市民）が科学研究に参加することである。市民には、個人の興味、また職業による多様な能力、技術、才能を持つすべての人――たとえば農林水産業にかかわる人、さらに生徒・学生など――、多彩な人々が含まれている。

市民主体による「市民科学」の多様な活動は、世界中に急速に広がりつつあり、この30年間の進展は科学の在り方をも変えるイノベーションをもたらしている。科学はもはや職業としての対象ではなく、市民にとっての新たな学び、自分たちが住む町や地域や地球規模の課題解決、DIY（Do It Yourself)、趣味の対象ともなった。“科学の社会化” が生じているのである。

市民科学者の排除と復帰

科学の長い歴史の中で、古い時代には市民科学という概念は必要なかっただろう。ほとんどの科学的知見は、科学者よりもむしろ一般市民（アマチュア）によってもたらされてきたからである。市民は学ぶことをこよなく愛し、自分の周りを注意深く観察・記録することにより、新たな発見や仮説を見出し、世界をよくしたいとの情熱を持っていた。

しかし、19世紀になるとアマチュアとプロフェッショナルの差別化が進んだ。大学院は科学の博士号を生み、大学や政府の研究機関のネットワークが拡大すると、これらのネットワークが人々に仕事を提供するようなった。その結果、19世紀の初頭には、科学を職業とする科学者が誕生した。

科学の進歩が、技術革新、新たな産業や経済活動、また医療や生活の利便性など、私たちの暮らしに大きな恩恵をもたらすにつれて、皮肉なことに、科学は市民にとって疎遠な存在となっていった。特に第2次世界大戦後は巨大科学が主流となり、市民が科学的に意義のある貢献をしづらくなった。市民による貢献は極めて限定的となり、見過ごされがちになった。科学は象牙の塔の産物となり、市民が十分な科学的知識を持てず、また科学的な成果を社会の新たな価値の創造や意思決定に活かす機会も減っていった。

しかし、状況は一変しつつある。

過去30年間に世界の多くの国々で見られた市民科学の進展は、その対象分野、規模、手法、速度、量と質において、それ以前と比べて格段の飛躍が見られる。これらが、市民科学の新たな時代の幕開けとなった。

生物多様性調査、銀河系探索で明らかになった実力

市民科学プロジェクトは、多様な市民が、自身の関心と興味に基づき、研究プロセスの中のさまざまなパートにたずさわることで、研究者だけでは達成できない、新たな発見や成果をもたらしている。まず、生物学、天文学の分野の2つの事例を紹介しよう。

●●●●●●●●●●●●●●●●●●●●●●●

iNaturalist——アプリ＋人工知能を活用した生物しらべ

「iNaturalist」は世界中の人々が生物の写真を投稿する人気の高いソーシャルネットワーク（SNS）のプラットフォームで、2022年2月の時点で世界の495万人が参加している。だれでも参加が可能で、アカウント登録後、地球上のどこからでも生物の観察記録（主に生物の写真。鳴き声、足跡、抜け殻などでもよい）とその位置情報を、スマホなどの情報ツールを用いて送信する。

観察した野生生物の種名がわからないときは、AI（人工知能）が類似した種の写真リストを示してくれるので、リストから最も類似した種を選択することができる。種名を図鑑などで調べてあとから入力することも可能だし、iNaturalistのメンバーと有志のキュレーター（主に研究者、ナチュラリスト）が同定してくれる。送信された生物の情報はただちにiNaturalistの地図上に

➡ **iNaturalist**　https://www.inaturalist.org/

表示され、情報の可視化、共有化、蓄積、簡単な統計データの閲覧が可能となる。
また、種名が明らかとなったデータは国際的な種の多様性の最大のデータベースである地球規模生物多様性情報機構（GBIF: Global Biodiversity Information Facility）へも送られ、オープンデータとして公開されてだれでも利用できるようになり、学術論文にも役立てられている。**コラム 1-1** に、iNaturalist の魅力と多様な活用法について紹介した。

●●●●●●●●●●●●●●●●●●●●●●●

現在は地球規模の第 6 番目の大量絶滅の時代である。地球上の種の多様性は減少し続けている。その保全策や生態系管理手法を考えるうえで、種の基礎情報を得ることは重要である。しかし現在、地球上で確認されている生物の種の総数は約 175 万種で、まだ知られていない生物を含めた総数を 1000 万～3000 万種とすると、世界の生物の 82～96％は種名がつけられておらず、世界の生物種を同定する作業は、研究者や行政の努力だけでは限界がある。iNaturalist の参加者は、生物の写真を投稿することで楽しみながら身近な生き物の豊かさを発見し、研究者や他の参加者と情報を共有することで研究に貢献してもいる。実は、GBIF のデータの半数は、市民科学から得られている。特に市民科学のデータは、GBIF の動物の記録の 70％、鳥の記録の 87％、菌類の記録の 47％、昆虫の記録の 27％を占めている（Chandler *et al.*, 2017）。
私たちは、種の多様性から多くの恩恵（食料、エネルギー、医薬品、木材など）を受けている。地球上の多様な生態系（森林、海、河川、島など）にはどのような生物種がいて、それぞれの種がどのような役割や他の生物との関係性を持っているかを知ることは、学問上も極めて重要な研究課題である。この課題に市民科学が力を発揮している。その成果を活用した絶滅危惧種や重要な種の保全、自然資源や環境の管理、生態系の復元を通じて、種の多様性の恩恵を未来にわたって持続的に利活用することも可能となる。

●●●●●●●●●●●●●●●●●●●●●●●

オンライン市民科学による天文学

英国でオックスフォード大学とアドラー・プラネタリウムによって企画され、2007 年にスタートした Galaxy Zoo は、世界で最もよく知られ、人気も高い、オンラインによる天文学の市民科学プロジェクトである。

Galaxy Zoo の目的は、市民の力を借りて1兆枚の銀河系画像を分類・整理し、宇宙全体の過去、現在、未来について調べ、個々の銀河系の特異な歴史、他の銀河系との関係性を明らかにすることだった。画像は、ハッブル宇宙望遠鏡や米国ニューメキシコ州に設置された望遠鏡で自動撮影されスローン・デジタル・スカイサーベイ（SDSS: Sloan Degital Sky Survey）で収集される。参

コラム 1-1　iNaturalist の人気のひみつ

世界には多くの市民科学プロジェクトがある。その中で、その人気と登録者数の多さから世界1位にランクされているのが iNaturalist である。iNaturalist は、なぜ世界の人々を魅了するのだろう？　そのひみつを探ってみよう。

第1に、このプロジェクトは**すべての生物群を対象にしている**。鳥、チョウなど限られた分類群の生物を対象とした市民科学プロジェクトは多数あるが、地球上のすべての生物を対象としたプロジェクトは極めて少ない。

第2に、種の同定は、AI と世界の約 495 万人の会員（プログラムの参加者、研究者、ナチュラリスト）が参加して協働で進められる。ホームページ上では、種を同定した根拠や異なる意見などの**コメントを研究者、ナチュラリスト、投稿者が互いに気軽に交換できる**。

第3に、投稿した観察記録は、写真、位置情報、日時などの情報とともに各人の観察記録ファイルに保存されるため、**個人で整理、保管する必要がない**。また、種が特定されたすべてのデータは世界地図上に記載され、オープンアクセスデータとして、可視化、共有化される。そのため、**だれでもデータを活用できる**。アプリが入った**スマホを図鑑代わりに**活用することもできるのだ。

第4に iNaturalist はオープンソースのソフトウェアで、**だれでもプロジェクトを立ち上げ、スマホで活用できる**。たとえば、日頃、自然観察や生き物しらべを行っている地域のグループ、NPO 団体、学校、企業などが、調査範囲を設定し、希望する名前をつけたプロジェクトを立ち上げられる。こうしたプロジェクトでは、設定した時間内で、最も多くの写真や種を投稿した人などがリアルタイムで表示されるため、楽しく競い合いながら調査ができるのも魅力となっている。著者もすでに iNaturalist を活用して、国内では東京都、世田谷区、企業の屋上緑地、大学のキャンパスなど、国外ではパラオの保護区を対象とした国際プロジェクトなどを立ち上げ、市民や関係組織と協同で

加者は、そうした画像を見て、銀河系の形態を分類するための質問に答える。

プロジェクトの企画者によれば、2007年7月に運用開始されたWebサイトには100万枚以上の分類を待つ画像があり、その分類には数年間を要すると考えていたという。しかし、予想に反して、開始初日の1時間で参加者から7万枚の画像の分類結果が送られ、その後1年間で実に15万人以上の市民がプロジェクトに参加し、1億枚の銀河系の画像が分類されたという。精度は、天

都市の生き物調査 City Nature Challange 2019で、iNaturalistを活用し調査する市民

パラオ共和国で行われた自然保護区の調査で。顕微鏡の試料をスマホに連動させプランクトンを観察した

独自のプロジェクトを実践している。

第5にiNaturalistでは**絶滅危惧種は「公開しない」、「位置情報が不明瞭」の項目を選択**でき、また、本来は野生生物を対象としているため、「飼育・栽培種」を区別することも可能である。しかし、世界の生物の25%は絶滅危惧種であり、園芸種なども多く、実際にはこれらの機能を十分に活用するのは困難な状況もある。

第6に、種名が確定すると、国際的な種の多様性の最も大きなオープンソースのデータベースであるGBIFへ送られ、だれでも活用ができる。iNaturalistからGBIFに送付されるデータ数は近年急激に増加しており、特に両生類や淡水魚の世界のデータを集積するため、積極的に活用されている（天野、2017）。iNaturalistの参加者は、**世界の種の多様性の科学に貢献しているという自負を持てる**。

文学の専門家による分類と比較して遜色なかった。これは、同じ画像を複数の市民が分類することで達成された。現在では、市民によって1億2500万の銀河系が確認され、Galaxy Zooのデータから60篇以上の学術論文が生み出されている。また、このプロジェクトがきっかけとなって、市民科学プロジェクトのポータルサイトZooniverseが誕生した。

●●●●●●●●●●●●●●●●●●●●●●●

Galaxy Zooの企画者は、参加している市民を共同研究者と位置づけている。参加者は、科学研究の過程に主体的に関与し、自分たちがどのような目的で、どのような発見をし、どのように貢献しているかに関心を持っているからである。

2. なぜ今「市民科学」なのか？

市民科学が新たに注目されるようになった背景には、環境と社会の課題解決のために、市民の力、市民科学への社会の期待が大きくなったことが挙げられる。加えて、情報社会の進展と新たな社会変化が、多くの人々を市民科学に引きつける大きな原動力となっている。主な点は次の通りである。

▶激甚化する災害への対応

近年は気候変動をはじめとする地球規模の環境問題の深刻化とそれにともなう被害の大きさや頻度が増大しており、その解決や軽減に向けた社会的対応が迫られている。有効な対応策を実施するには、現状を的確に把握することが必要であるが、科学者や行政による調査や研究だけでは、人的、時間的、経費などの制約から、その要請に応えるのは困難な状況にある。そのため、多くの市民による協力が社会的に求められるようになった。

▶ビッグデータの普及

市民が市民科学を通じて、従来では不可能なビッグデータを国境や大陸を越えて収集することが可能となった。また、得られるデータの精度が上がり、市民が正確で質の高いデータを提供できるようになった。その結果、科学に占める市民科学の重要性への社会の理解が広がった。

➡ Galaxy Zoo　https://www.zooniverse.org/projects/zookeeper/galaxy-zoo/

▶教育機会向上

市民は市民科学の活動に参加することにより、科学に貢献し、また科学のプロセスへの参画を通じて科学への学びや関心を深めることにより、学校教育や社会教育の向上や課題解決にも資するようになった。

▶政策提言

市民科学により得られた成果に基づいた政策提言は社会的な合意を得やすく、政策への反映が容易であるとの認識が深まった。

整ってきたインフラ

▶情報社会化による飛躍

情報・コミュニケーション技術の急速な進展により、現代の市民は日常的に情報ツールや情報技術を利用している。このことが市民科学にイノベーションを起こした。インターネットへのアクセス、モバイル（携帯）機器、検出装置（センサー）と位置情報、情報共有ツールの普及などにより、国境や地理的な隔たりを越えて、ビッグデータを安価に、効率的に収集できるようになった結果、従来は専門家しか参加できなかったプロジェクトや科学活動に市民が参加できるようになったのである。また、AI 技術や新たなシステムの進展、SNS などにより、市民のデータの精度の向上や研究者や組織との双方向の情報交流がもたらされ、市民科学の質の向上に貢献し、その可能性をさらに広げている。

▶社会環境の変化による底上げ

社会環境の変化も市民科学の進展を後押ししている。その主な要因として、教育レベルの向上が挙げられる。先進国では労働時間の短縮、長寿命による健康で元気な高齢者の増加も市民科学への参加者を増やしている。

また、最近のオープンサイエンス化*1 の動きも市民科学の進展を促している。情報とコミュニケーション技術の普及にともない、科学が抱えてきた大

＊1：オープンサイエンス：インターネットなどを活用して、従来は専門家しか利用できなかった研究データを公開し、だれでも研究データを共有・利用できるよう、科学研究の効率化を図る動き。市民が科学者とともにデータを収集・解析するほか、市民による研究費の提供なども含む。2011 年に理論物理学者マイケル・ニールセン（Michael Nielsen）が提唱した。オープンサイエンスの詳細は第５章を参照。

きな課題「科学は科学者間でのみ情報とデータが共有され、一般の人々は共有が困難」という状況が改善されつつある。

従来の研究者の研究の多くは国などの税金で賄われていることを考えると、研究成果はオープンデータとして社会で共有されることが、本来の科学の望ましい在り方であろう。オープンサイエンスと市民科学を後押しすることにより、科学は本来の科学があるべきオープンな方向へと動きだしたとも言える。

3. 市民科学の目標

市民科学は“科学の見える化”、“科学の社会化”を促進する有効な方策である。しかし、市民科学は科学の進展だけを目指しているのではない。市民科学は**図 1-1** に示すように、研究、教育と社会変革の３つを目標としている（Kobori *et al.*, 2016）。

研究的な目標は、

①市民が科学研究の多様なステップに参加することによるユニークで多様な調査・研究の実践

②行政や研究者だけでは不十分な研究を補完する長期的、広域的な調査・研究

③市民と市民、あるいは市民と研究者（研究組織）との自由な交流による新たなアプローチや研究分野の進展

である。

第２の**「教育」の目標**は、市民科学のプロジェクトに参加する市民が、生涯学習や正規教育を通じて、自然や社会への関心を高め、自らの学びを深めることである。市民科学プロジェクトの参加者は、科学研究のプロセスを通じて、科学リテラシー（科学の知識、調査方法や技術の習得）を主体的に高めることができる。その結果、参加者の自然や社会に対する従来の価値観、態度、参加意欲に変化をもたらすことになる。

第３の目標**「社会変革」**は、プロジェクトから得た科学的なデータやその成果を地域と地球規模の課題解決、環境保全、地域の活性化、政策提言、持続可能な社会形成（SDGs）などに活かし、社会を変革することである。

これらの市民科学の目標は、従来のような、研究者による科学的な課題の

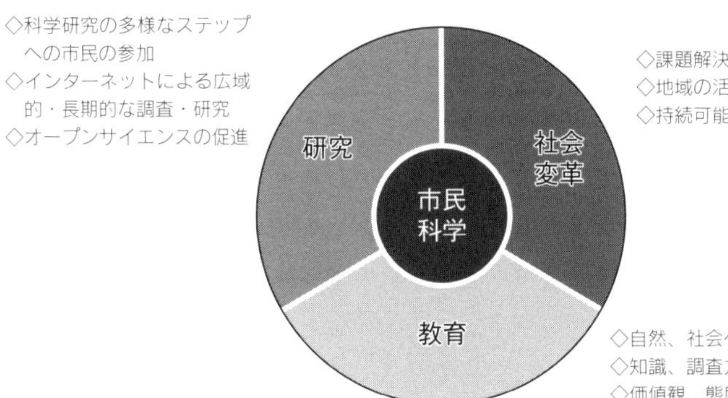

図 1-1　市民科学の 3 つの目標（小堀，2020 より改変）

みを対象とした科学とは異なる。市民科学はその３つの目標を達成することにより、科学の社会化、科学の民主化、教育（科学リテラシー）を高めることで、社会のイノベーションをもたらす大きなポテンシャルを持っている。

しかし、個々のプロジェクトで、これら３つの目標をバランスよく達成することは実際には難しい。たとえば、科学と教育はトレードオフ（あちらを立てればこちらが立たず）の関係にある場合が多い。科学的に厳密で、複雑な方法を用いるプロジェクトでは、科学的には質の高い成果が得られるが、興味を持って参加してくれる市民の数は少なくなり、教育的な効果は限定的となることが多い。一方、参加者数を増やす目的で容易な課題のプロジェクトを実践し、科学的な意義が明確でない、科学的に有効なデータの取得ができないといった、科学への取り組みとは言い難いプロジェクトとなった事例もある。したがって、プロジェクトを実施するに当たっては、３つの目標を念頭に置きながら、何を目的として、何に重点を置くのか、あらかじめプロジェクトのミッションを明確にして、活用できるリソース（労力、資材、資金）にも配慮し、参加者、企画者の両者が期待した成果を得られるようにする必要がある。

4. 市民科学による科学、教育、社会のイノベーション

市民科学は**図 1-1** に示したように、研究、教育、社会変革の３つの目的を持っている。本節では、市民科学の３つの目標の各々について解説し、市民科学の特性を活かした優れた事例を紹介する。

研究を主目的とする

市民科学は、大型の設備や機器を使用する実験、多額の費用を要する研究などには不向きである。しかし、従来の科学者、研究組織、行政では十分な成果が得にくい分野で新たな使命を果たしている。たとえば、従来よりも広域的、長期的な調査が必要な分野、医学分野の画像診断や生物の画像データの判読、安全な暮らしを脅かす身近な課題の発見とそのモニタリングを通じた地域の課題解決、研究者が見逃がしてきた分野や研究者が苦手とする分野での研究活動などが挙げられる。

市民科学の特性は、環境や生態学分野の研究への貢献が大きい。中でも、地球温暖化、外来種、感染症、生物季節（季節によって生じる生物現象の変化。フェノロジー）、都市生態学、景観生態学、マクロ生態学などの分野で目覚ましい貢献を示している。

地球温暖化が生物に与える影響を明らかにする生物季節の研究は、市民科学のアプローチが適している。最近は、日本列島および世界各地で、40℃を超える猛暑、想定を超える巨大台風やハリケーン、森林火災などが頻発している。これらの災害の原因が地球レベルの温暖化であることが明らかになりつつあるが、温暖化が地球上の生物にどのような影響を与えているかを科学的に解明することは容易ではない。

その理由の第１は、生物は多様な環境要因や他の生物による影響を受けており、その中から温暖化による影響のみを明らかにすることは難しいことである。また第２に、世界の平均気温は1880年から2012年の132年間に0.85℃上昇したが（IPCC, 2013）、その間の影響を明らかにできる長期的な生物データを得ることが困難なためである。

生物季節の研究は、温暖化が生物に与える影響のみを知るための有効な方法である。生物季節とは、桜の開花や落葉樹の紅葉、ツバメの渡りなど、季節によって生じる生物現象であり、温度上昇が生物現象に与える影響のみを明らかにできるからである。日本の市民による長期間による鳥の観察データを用いて、温暖化は日本に越冬する渡り鳥（冬鳥）の滞在期間を著しく短縮していることを明らかにした著者らの事例を紹介しよう（Kobori *et al.*, 2012）。

「横浜自然観察の森」の観察記録が明らかにした温暖化の影響

横浜市の「横浜自然観察の森」では、市の職員、日本野鳥の会の会員と市民が1986年から自然観察の森に飛来する鳥の観察を毎日記録してきた。1人の研究者が23年間、毎日飛来する鳥を観察・記録することは極めて困難なため、この観察記録は貴重なデータである。著者の研究室では、このデータの中から、1986年から2008年までの23年間連続して飛来した6種の冬鳥を対象として、温暖化が冬鳥に与える影響についての仮説を検証することを試みた（小堀, 2013）。

図1-2　横浜自然観察の森での野鳥観察風景（撮影：公益財団法人日本野鳥の会）

横浜地方気象台によれば、横浜では、この23年間で平均気温は0.9℃上昇していた（Kobori *et al.*, 2012）。**図1-3**に示すように、冬鳥は、気温の上昇によって北方の繁殖地が以前よりも暖かくなると、秋に越冬地である横浜へ飛来する時期が遅くなると考えられる。一方、繁殖地では春の訪れが早まるため、横浜からの旅立ちが早くなると考えられる。これらのことから、温暖化により

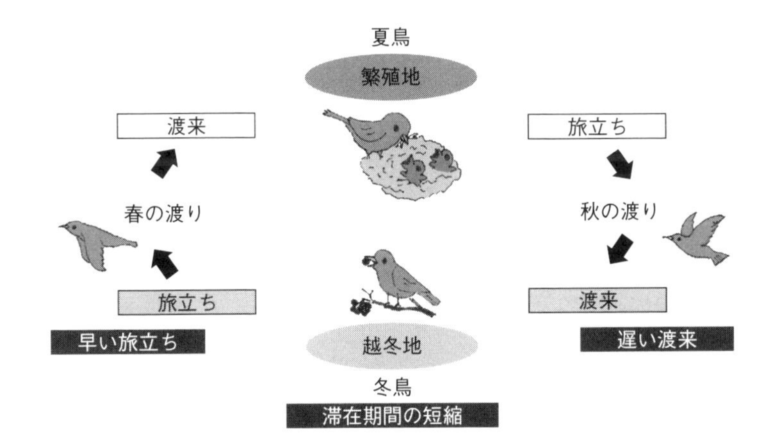

図1-3　温暖化が冬鳥に与える影響の予測

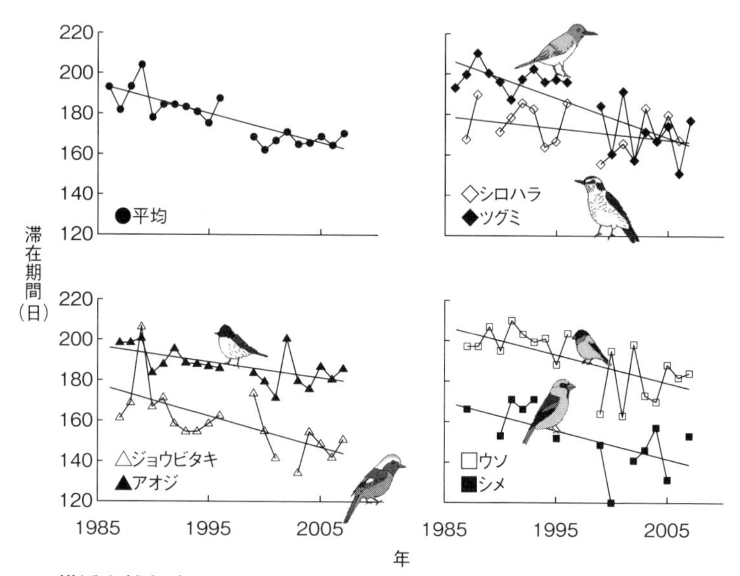

図 1-4　横浜を越冬地とする 6 種の渡り鳥の 23 年間の滞在日数の変化（Kobori *et al.*, 2012 より改変）
縦軸の滞在期間はユリウス通日（JD）で示し、1 月 1 日からの日数を示している。

冬鳥の横浜の滞在期間が短くなるとの仮説を立てた。

解析の結果、対象とした 6 種の冬鳥（ツグミ、ジョウビタキ、シロハラ、アオジ、シメ、ウソ）は、秋に自然観察の森で初めて姿が確認される初見日は 23 年間で平均で 9 日間遅くなり、春に最後に確認される終見日は 21 日間早くなっていた。その結果、横浜の滞在期間が 1 か月間短くなっているという、予測通りの結果が得られた（**図 1-4**）。このことから、1℃の気温の上昇に対して冬鳥の初見日は 2.7 日間遅くなり、終見日は 3.7 日間早くなっていたことになる。

この成果は学術的、国際的にも評価された。その理由は、以下の通りである。

①温暖化の影響を検証できる渡り鳥のデータは大陸により大きな偏りがあり、ヨーロッパと北米のデータが大部分を占め、日本を含めたアジアのデータは極めて少なかった

②春に繁殖地に飛来する夏鳥の研究は多いが、冬に越冬地で過ごす冬鳥の研究事例は少なかった

③温暖化が渡り鳥に与える影響の仮説を立証することができた

その後、同様の市民参加による冬鳥の 20 年以上の観察記録は、北海道と福

岡市にもあることがわかった。解析を行ったところ、北海道では冬鳥の滞在期間は１か月間、福岡市では半月間短縮し、温暖化による冬鳥の日本での滞在期間は日本全土で大幅に短縮するという傾向があることが明らかとなった。野鳥観察をこよなく愛する市民による弛まぬ長期にわたる観察と身近な生き物への優しい眼差しがもたらした成果といえる。

●●●●●●●●●●●●●●●●●●●●●●●●

市民による最近の情報技術の日常的な活用、データの標準化は、市民科学の研究上の可能性を広げている。プロジェクトの企画者は以前より容易に質の高いデータを収集し、整理し、公開できるようになった。また、分析用のツールや技術は市民科学者が収集した膨大な量のデータを容易にスクリーニング、処理し、データの質を保証できるようになっている（天野, 2017）。Zoonivers の一連の市民科学プロジェクト、eBird や Project FeederWatch などの鳥に特化したプロジェクト、Canada's NatureWatch が企画している生物季節のプロジェクトなどから得られた市民科学のビッグデータは、生態学研究に新たな知見をもたらし、その成果は多くの学術論文に公表されている（Kobori *et al.*, 2018）。

教育を主目的とする

市民科学は、市民の学びにも貢献する。市民科学は、科学リテラシー（科学の知識、技術、能力）や科学への興味（関心）を高めるために、市民の興味に応じた多様な分野、多様な方法で参加が可能なプロジェクト（たとえばチョウの生態学、天文学、分子生物学、医学、考古学、歴史など）を提供している。市民自らの学びや教育を重要な目標としていることは、現在の市民科学が過去の例から飛躍を遂げている点であろう。過去のプロジェクトの多くは、科学的な成果を得ることを主な目的として計画されてきた。一方、現在の多くのプロジェクトは、参加者の科学的リテラシーを高め、取り組んでいる課題を理解する手法として企画されている。

学びたいという気持ちは、プログラムへの参加の動機となることが多い。市民科学を通じての学びがユニークである点は、参加者が知識や技術を習得するだけでなく、科学研究に貢献することにある。このような自らの実践による学びは、多くの伝統的な教育モデルでは重視されてこなかった。

市民科学では､すべての世代の人が､その活動を通じて学ぶことができる（小堀, 2013)。自らの興味や関心によって自主的に行った科学的な課題から、科学の楽しさ、科学的な方法をより深く理解でき、若い参加者が科学を将来の職業とする機会ともなっている。市民科学からの主体的な学びは、従来の価値観､行動や習慣を変え､他の参加者と学びを共有化する機会にもなる。特に、大学や自然史博物館（科学博物館）のような大きな組織は、市民科学のプロジェクトを企画し、すべての年齢層の人々にその多様な興味に応じた学びの機会を支援することができる（Kobori *et al.*, 2016)。以下に、米国のチアリーダーによる市民科学の事例を紹介する。

●●●●●●●●●●●●●●●●●●●●●●●●

NBA、NFL のチアリーダーたちによる STEM 教育の推進

米国で人気のあるプロアメリカンフットボールリーグの最上位に位置する NFL やプロバスケットボール NBA の花形・チアリーダーが、「Science Cheerleaders（サイエンスチアリーダーズ)」と呼ばれる市民科学の組織を運営し人気を博している。会員は 300 名以上の NFL と NBA の現役と元チアリーダーの“リケジョ”たちである（**図 1-5**)。

この組織は、若い女性の科学と技術のキャリアを促進することを目標としており、以下の 3 つのミッションを掲げ、その支援を行っている。

①今までの科学者、技術者とチアリーダーに貼られているステレオタイプなレッテルを払拭する

②生活のあらゆる場面で科学を奨励し、市民科学プロジェクトへの参加を促す

③米国のチアリーダーを含めた 300 万～400 万人の若い女性に STEM（科

図 1-5　Science Cheerleaders（写真提供：Science Cheerleaders)

学、技術、工学、数学）の分野に興味を持ってもらうように奨励し、より多くの人が大学ではこれらの分野へ進学し、卒業後は社会でそのキャリアを活かして活躍する

これらの目標を達成するために、プロのスポーツリーグ、“NBC スポーツ”などのメディア、米国科学財団（NSF）、ユーススポーツ組織“Pop Warner”、『Why Science?』の著者であるジェイムズ・トレフィル（James Trefil）などの著名な科学者の支援を得ることによって、「Science Cheerleaders」は、オンライン及びオフラインのいずれでも“科学のヒロイン”となった。この組織の創始者であるダーリーン・キャバリエ（Darlene Cavalier）は元チアリーダーで、米国の市民科学の発展に先導的な役割を果たしている人物の一人である。

キャバリエは、「Science Cheerleaders」の Web サイトに市民科学に関するポータルを作った。その目的は、科学に興味のあるチアリーダーたちが市民科学を通じて自らの学びを深め、また科学にどのようにかかわったらよいかわからない市民への指南役となること、政策決定者に従来の市民科学の枠を超えた多様な市民科学プロジェクトについて知ってもらうことだった。そのため、ポータルには、考古学、生物学、化学、疫学、ゲーム、地理学、地学、プログラミング、動物学など多様なフィールドの市民科学プロジェクトを掲載した。

やがて、ポータルへの社会の関心が高まり、掲載プロジェクトの数が「Science Cheerleaders」では管理ができない状況となった。それを機会にキャバリエは市民科学のポータルサイト「SciStarter（サイスターター）」を立ち上げることになった。その詳細は**コラム 1-2** で紹介する。

●●●●●●●●●●●●●●●●●●●●●●●

社会貢献を主目的とする

市民科学は直接・間接的に社会の課題解決に貢献している。たとえば、大気や水質の汚染、生息地の復元、外来種の駆除など環境保全の課題などである。自然災害時には、多数の市民がリアルタイムで現場の情報を多くの場所から

➡ **Science Cheerleaders**　https://sciencecheerleaders.org/
➡ **SciStarter**　https://scistarter.org
➡ **Public Lab**　https://publiclab.org

提供することにより、避難行動や災害時対応などに貢献することも可能である。

そうした事例として、DIY 市民科学による環境問題への取り組みの事例を紹介する。

●●●●●●●●●●●●●●●●●●●●●●●●●●

原油流出事故から始まった地域の課題解決プロジェクト

「Public Lab（パブリックラボ）」は、オンラインコミュニティを通じ、オープンソースのハードウェアやソフトウェアツールの開発を市民参加で行い、地域で発生する環境問題の解決のための調査に用いることを使命として活動を展開している NPO である。

この組織は、2010 年にメキシコ湾沖で発生した世界最大の原油の流出事故を契機に設立された。この事故では、石油掘削のための海面から海底に向けた掘削パイプが折れたことで多量の原油が湾内に流出した。しかし、その当時地域住民には、汚染とその影響についての情報はほとんど伝えられなかっ

コラム 1-2　SciStarter—市民科学プロジェクトのポータルサイト—

2010 年以降、Web で閲覧できる市民科学のプロジェクトの数は欧米では膨大な数となり、対象とする分野、プロジェクトの目的、参加方法も多岐にわたるようになった。市民にとっては選択肢が増えたことは好ましいことだが、似たようなプロジェクトが乱立し、情報量も増え、関心のあるプロジェクトを的確に見出すことは難しくなった。そのため、市民科学プロジェクトのディレクトリー（ポータル）を求める声が強くなった。「Science Cheerleaders」の創始者であるキャバリエは、ペンシルベニア大学で取り組んでいた大学院のプロジェクトを基に、SciStarter.com を立ち上げた (Cavalier & Kennedy, 2016)。

このサイトは、市民科学に興味を持ち、これから市民科学に参加したい人々を対象として、市民科学プロジェクトを発見し、参画してもらうことを意図して立ち上げられた。SciStarter では、なるべく簡単に取り組めて、市民にとって面白いプロジェクトを掲載することを心がけている。現在では、2700 を超える検索可能な公式・非公式の市民科学プロジェクトについて、Web 上で

た。そこで、このプロジェクトの創設者であるシャノン・ドーゼマーゲン（Shannon Dosemagen）は、人々を集めて「コミュニティサテライト」を作り、風船、凧、デジタルカメラを使ってリアルタイムでデータを収集・記録し、事故とその影響について伝える活動を行った。

それ以来組織では、低コスト、オープンソース、使いやすいDIY用のツールの開発を行ってきた。特に「オープンエア」（大気に関するプロジェクト）、「オープンウォーター」（水に関するプロジェクト）、「オープンランド」（土壌に関するプロジェクト）、「シビックキット」（DIY用のツールの開発）の4つの分野のプロジェクトは、地球規模の市民科学に成長している。

各分野には特定のプログラム（粒子検知、水温モニタリング、空中マッピングなど）があり、Wiki（不特定多数のユーザーが共同してWebブラウザから直接コンテンツを編集するWebサイト）、Eメールリスト、その他のオンラインリソースで参加者の支援が行われる。現在ではオンラインコミュニティの参加人数は数十万人に達し、参加者はさまざまな方法で貢献している。たとえば、低コストのDIYの技術と手法の開発や改善に参加したり、初期段

の閲覧を可能にしている。市民はプラットフォームや分野を超えて複数の市民科学プロジェクトに参加することもでき、また、GISの導入により近くで開催されている市民科学のイベント情報も入手できる。さらに、メディア、政府、学術パートナーによるネットワークの形成により、現在ではプラットフォームには、世界の10万人がユーザー登録をしている。さらに、サイトは科学や技術にかかわる人のニーズを引き合わせる場としても活用されている。

SciStarterのロゴ

キャバリエは、2018年には、アリゾナ州立大学のSchool for the Future of Innovation in Society（社会の未来イノベーション学部）の教員として、同学部との協働で、参加者がプライバシーを保護されたプロファイルを作成し、興味のある人やプロジェクトを見つけることのできる「SciStarter 2.0」を立ち上げている。

階の DIY キット（「プロトタイピングキット」と呼ばれる）を現場で実際に使って技術的な問題を発見したりする。また、多くのボランティアがイベントに参加し、データ収集や科学的研究に DIY の技術と方法を利用している。さらに、トレーニングのマニュアルや情報も提供し、Web サイトではいくつかのキットの販売も行っており、学校の生徒や多くの人々が気軽に参加できる。

●●●●●●●●●●●●●●●●●●●●●●●●

科学者と一般の人々が協働して科学に貢献する市民科学は、研究者や NPO の関心を集めているだけでなく、国際的な政策立案機関も市民科学に注目している。ユネスコ（UNESCO）などの国際機関や欧州の欧州委員会（the European Commission, 2013）、欧州環境局（the European Environmental Agency）では、市民科学の促進策を検討している。EU や米国の政府は市民科学者が社会に変化をもたらす原動力となることを公認している。米国では 2016 年に市民科学に関する法律が制定された。それに先立ち、オバマ政権下のホワイトハウス科学技術政策局（OSTP）の局長であるジョン・ホルドレン（John Holdren）は、市民科学とは、「科学プロセスに公衆が自発的に参加することにより、現実社会の課題に対して、研究的な問いの明確化、科学実験の実施、データの収集と分析、結果の解釈、新しい発見、複雑な問題の解決に取り組むこと」と広く定義した（Holdren, 2015）。この定義は、2017 年に署名された米国の「Crowdsourcing and Citizen Science Act（クラウドソーシング及び市民科学法）」で採用されている。

国レベルでの政策立案団体でも、市民科学は将来の政策の方向性を決めるうえで重要であるとの認識が高まっている。日本でも、内閣府の第五期科学技術基本計画（2017）の中で、オープンサイエンスと市民科学（シチズンサイエンス）の促進の重要性については記載されたことは注目に値する。しかし、市民科学の具体的内容は記載されていない。

欧米などの政府は、市民科学やその参加を促すための奨励や助成金の支援に乗り出した。米国の大学や多くの組織では、市民科学に関する研究や教育実践は政府の助成金や補助を受けやすいとの認識も広がっている。オースト

➡**第五期科学技術基本計画**　https://www8.cao.go.jp/cstp/kihonkeikaku/index5.html

ラリアでも、政府が市民科学の新たな助成制度を開始した。

市民科学は科学研究の世界に居所を確保し、科学研究の成果を社会にもたらすことを可能にした。また、市民は科学研究のプロジェクトに主体的にかかわることで、専門職の科学者やアマチュアの仲間とつながることを可能にした。その過程を通じて、市民科学は、真の科学の実践、科学の社会化、科学の民主化、社会教育の向上、社会の課題解決にも貢献している。市民科学は従来の科学や教育の再定義を迫り、その存在価値を高めている（Cavalier and Kennedy, 2016）。

第 1 章引用文献

天野達也. 2017. 保全科学における情報のギャップと 3 つのアプローチ. 保全生態学研究 **22**: 5-20.

Cavalier, D. & Kennedy, E.B. 2016. The Rightful Place of Science: Citizen Science. Tempe, AZ: Consortium for Science, Policy & Outcomes.

Chandler, M., See, L., Copas, K., Bonde, A.M.Z, López, B.C., Danielsen, F., Legind, J.K., Masinde, S., Miller-Rushing, A.J., Newman, G., Rosemartin A. & Turak, E. 2017. Contribution of citizen science towards international biodiversity monitoring. *Biological Conservation*. **213**: 280-294.

Gordienko, Y. G. 2013. Green Paper on Citizen Science. Socientize project.

Holdren, J.P. 2015. Addressing societal and scientific challenges through citizen science and crowdsourcing. Memorandum to the heads of executive departments and agencies. White House Office of Science and Technology Policy. https://obamawhitehouse.archives.gov/sites/default/files/microsites/ostp/holdren_citizen_science_memo_092915_0.pdf（2022 年 2 月 22 日最終閲覧）

IPCC. 2013. Summary for Policymakers. Climate Change 2013: The Physical Science Basis. Contribution of Working Group I to the Fifth Assessment Report of the Intergovernmental Panel on Climate Change. Cambridge University Press.

小堀洋美. 2013. 地域をつなぐ生物多様性保全を目指した生涯学習：新たな市民科学の確立に向けて. 環境教育 **23**(1): 19-27.

小堀洋美. 2020. 今こそ、市民科学. 連載「もっと楽しく！ 市民科学」第 1 回. 月刊下水道 **43**(2): 75-78.

Kobori, H., Kamamoto, T., Nomura, H., Oka, K. & Primack, R. 2012. The effects of climate change on the phenology of winter birds in Yokohama, Japan. *Ecological Research* **27**: 173–180.

Kobori, H., Dickinson, J.L., Washitani, I., Sakurai, R., Amano, T., Komatsu, N., Kitamura, W., Takagawa, S., Koyama, K., Ogawara, T. & Miller-Rushing, A.J. 2016. Citizen science: a new approach to advance ecology, education, and conservation. *Ecological Research* **31**: 1-19.

Kobori, H., Ellwood, E.R., Miller-Rushing, A.J. & Sakurai, R. 2018. Citizen science. Encyclopedia of Ecology 2nd, Elsevier.
内閣府第五期科学技術基本計画. 2017. https://www8.cao.go.jp/cstp/kihonkeikaku/index5.html

【Webサイト】（末尾の日付は最終閲覧日）

Galaxy Zoo. https://www.zooniverse.org/projects/zookeeper/galaxy-zoo/（2021 年 6 月 30 日）
iNaturalist. https://www.inaturalist.org/（2021 年 6 月 30 日）
Public Lab. https://publiclab.org/（2021 年 6 月 30 日）
Science Cheerleaders. https://sciencecheerleaders.org/（2021 年 6 月 30 日）

第2章　プロジェクトを成功に導くカギ

つい最近まで、科学は「職業」だったが、市民科学を通じて、いまやホビーにもなってきた。このような状況のなか、市民科学プロジェクトを成功に導くカギはどこにあるのだろうか。理念や特性から考えてみよう。

1. 市民科学とは

市民科学の歴史は長く、そのルーツは近代科学の夜明けの時代にまでさかのぼる。そのため、「市民科学」の定義や内容は国や時代により異なり、現在もなお進化を続けている。はじめに、「市民科学」という言葉の登場までを概観しておこう。

Citizen Science の登場まで

▶日本の環境問題と「市民の科学」

日本の1960年代は、生活者が中心となり、公害、健康被害、開発事業、環境破壊に対して独自の調査をする「市民の、市民による、市民のための科学」が盛んであった。1970年以降は、地域の河川の水質、大気汚染、酸性雨などについて、市民や環境NPOによる調査が行われてきた。また、ナチュラリスト（自然愛好家)、動植物の愛好会や環境NPOなどは、地域の生き物のモニタリング調査を行い、これらのデータはやがて全国版の環境省のレッドデータブックの編纂に貴重な情報を提供するなど、多面的な社会的役割を果たしてきた。

しかし当時は、これらの活動の企画者や一般市民の参加者は自分たちの活動を「市民科学」とは呼んでいなかったであろう。当時はまだ、市民科学という言葉が社会に浸透していなかったためである。現在ではこれらの活動は市民科学という大きな傘の中に入れられ、重要な科学活動の1つとして位置づけられている。また、これらの活動を市民科学の視点から見直し、その価値を再評価する動きが始まっている。

▶ 2005年ころから見られるようになった「citizen science」

「citizen science（市民科学）」という言葉が最初に多くの人の目に留まったのは2005年のWikipedia（英語版）である。そこでは、市民科学とは「科学的発見や仮説を証明するためのプロジェクトもしくは科学的な目的を持って収集されたデータで、その多くの参加者は科学の特別な訓練を受けたことがない一般人である。」と記載された。

欧米では、「Citizen Science」という言葉やその情報は2000年ころからインターネット上に頻繁に登場していたが、辞書に登場したのは、つい最近のことである。2014年4月には『オックスフォード英語辞典（The Oxford

コラム 2-1　市民科学という言葉—ルーツと多様性

市民科学（Citizen Science）という言葉のルーツは2つある。奇しくも両者は英国と米国でほぼ同時に提案された。

英国の社会学者アラン・アーウィン（Alan Irwin）は、著書『Citizen Science』（1995）の中で、市民が科学研究に果たす役割とそれに基づく政策プロセスにアクセスできる必要性を論じた。アーウィンは、科学は市民の関心や必要性に応えるべきであり、一方、市民は信頼できる科学的知識を作り出すプロセスを自ら進展させ、高めるべきと考え、これらを可能にするのが「市民科学」であると唱えた（Irwin, 1995）。

一方、米国のコーネル大学鳥類学研究所（Cornell Lab of Ornithology）の鳥類学者リック・ボニー（Rick Bonney）は、バードウォッチャー（鳥類観察の愛好家）などの科学者でない一般市民が、科学的プロセスに基づいてデータを収集するプロジェクトを市民科学と定義した。ボニーはアーウィンの研究を知らず、1996年に北アメリカの全域の鳥の観察に市民が貢献したことを雑誌に掲載した際に「市民科学」の語を用いた（Bonney, 1996）。その後、コーネル大学鳥類学研究所では、同様なボランティアの努力によって支えられている組織と連携することで、市民によるモニタリング調査を意味する市民科学の用語が広まった。さらにコーネル大学鳥類学研究所のWebを用いた市民調査手法は、米国での市民科学をけん引することになった。

その後、各年代、各国により「市民科学」に代わるさまざまな語が用いられてきた。日本では、「市民科学」と「シチズンサイエンス」の両方が用いられている。自然科学分野の研究者やその関連学会は「市民科学」の言葉を主に用いている。市民科学のプロジェクトは、日本でも海外と同様に自然環境、

English Dictionary)』に「Citizen Science」の語が初めて掲載された。ここには、「Citizen Science」とは「一般市民によって行われる科学的活動で、多くの場合、科学を職業とする科学者または科学組織との共同またはその指導のもとで行われる」（The Oxford English Dictionary, 2014）と記載され、現在ではこの定義が国際的にも最も広く用いられている。しかし、時代背景、国、研究者、市民科学の対象により市民科学の定義は一律でなく、内容も進化を続けており、類似の言葉も多数ある。科学論文や書籍を発行する世界最大規模の出版社である Elsevier 社では、2018 年に『Encyclopedia of Ecology（生態学百科事典)』を改定した際に、はじめて「Citizen Science」の用語説明を記載し、著者ら

生物、生態系を対象とするプロジェクトが大半を占めるため、市民科学の言葉が用いられることが多い。一方、社会科学の分野ではシチズンサイエンスが主に用いられている。官庁でもいずれかの言葉が使用されており、統一されていない。

　最近では米国では、「Citizen Science」を「Community Science（コミュニティサイエンス)」に変更、または両方の名称を併記する組織が増えている。その理由は、米国では「citizen（市民)」を厳密に解釈すると「市民権（citizenship）を持つ住人」となり、地域に長年暮らしているにもかかわらず市民権をもたない住人、企業などの駐在員、研究者や留学生などの「自分は市民科学は対象外だ」という誤解を避けるためである。ロサンゼルス自然史博物館では、市民権を持たない地域住民が多いこともあり、2018 年から Citizen Science を Community Science に名称を変更したが、現在は過渡期でもあり、2 つの言葉を併記している。

　現在まで、市民科学を示す多様な言葉が世界で使用されてきたが、アイゼル（Eitzel）は、これらの内容はすでに述べた市民科学の 2 つのルーツに含まれており、おおむね変わらないと述べている（Eitzel *et al.*, 2017）。

　アーウィンの定義による市民科学は科学の社会化や民主化をともなうため、社会への浸透はゆっくりであったが、現在は 2 つの市民科学のルーツを包含する広義の市民科学の時代を迎えている。

　また、本文でも述べたように、市民科学の定義は欧米では政府や国際的な政策立案機関によってより厳密な内容へと進化している。しかし、市民科学はさらに領域を横断する学際的な分野へと発展してくと予測され、その言葉と内容も変遷していくであろう。その動向に注目したい。

が執筆した（Kobori *et al.*, 2018）。**コラム 2-1** にはその中で述べた「市民科学という言葉のルーツと多様性」について簡単に述べる。

日本では、英語の「Citizen Science」を日本語に訳した「市民科学」の用語が学界や社会で最も頻繁に用いられており、その定義もおおむね『オックスフォード英語辞典』の内容に沿っている（小堀, 2015）。しかし、行政の一部や社会科学の分野などで「シチズンサイエンス」や「オープンサイエンス」も用いられている。

▶公的な定義

2010 年代には、欧州連合（EU）や国の法律などでも市民科学が定義されるようになった。2013 年の EU のグリーンペーパー（欧州委員会が特定の政策分野に関して刊行する文書）では、市民科学とは、「一般市民が知的努力及び自らの知識、資源やツールを用いて科学研究に積極的にかかわり、貢献すること」と定義している（European Comission, 2013）。米国では 2016 年に「Crowdsourcing and Citizen Science Act」という連邦法が制定された。この法律は、政府機関の任務を推進し、より広範に市民がプロセスに参加できるように、米国のすべての連邦科学機関に対しクラウドソーシング（不特定多数の人の参加により、多様なサービス、アイデアなどの提供を受けること）や市民科学を使用する権限を与え、連邦機関とプロジェクトの参加者に多くの利益をもたらすことを目的としている。この法律は、市民科学には以下の利点があることを明確に述べている。

①科学研究の進展の加速
②納税者の利益を最大限に引き出すための費用対効果の向上
③社会のニーズへの対処
④ STEM（科学、技術、工学、数学）における実践的学習の機会の提供
⑤市民が連邦科学機関のミッションに直接かかわることや連邦科学機関と市民がお互いに連携する

➡ Wikipedia の「Citizen Science」解説ページ
https://en.wikipedia.org/wiki/Citizen_science

➡ Crowdsourcing and Citizen Science Act
15 USC 3742
https://www.govinfo.gov/app/details/USCODE-2016-title15/USCODE-2016-title15-chap63-sec3724

この法律には、市民科学の定義も記載されている。市民科学とは、さまざまな方法で個人または団体が自発的に科学プロセスに参加するオープンコラボレーションであるとし、その詳細についても具体的に記述されている。▶

ヨーロッパ市民科学協会による原則

市民科学は発展途上の分野で、国際的に共通する定義の大枠が定まってから日が浅い。一方で多様なプロジェクトが急速に展開しているため、市民科学や市民科学者についての十分な認識や共通な理解が浸透しておらず、企画者や企画団体と参加者の双方にとって期待した研究成果が得られず、相互の信頼感や恩恵が失われることもある。このような不本意な事態とならないために、ヨーロッパ市民科学協会（European Citizen Science Association）は2015年9月に、市民科学の定義を補足するために、「市民科学の10の原則」を公表している。**コラム2-2**で、「10の原則」の内容を紹介した。

市民科学者とは

科学を職業とはせず、科学活動に参加する人々は「市民科学者（Citizen Scientist）」と呼ばれている。市民科学者は「科学的活動に自分の時間、労力、資源を提供し、科学に貢献する個人」（Pocock *et al.*, 2014）と定義され、個人の過去の科学的な学びや経験の有無は要件に入れられていない。また、単独で自作の装置の組み立てや環境測定などを行う人もいれば、研究者や複数の研究組織・団体と共同でプロジェクトを実践する人もいる。市民科学者には、子供から高齢者まで、すべての年齢層の人が含まれ、自らの興味や関心に応じて参加が可能である。そのよい例が、渡りをするチョウ・オオカバマダラに関する市民科学プロジェクトである。

オオカバマダラは黒とオレンジの模様が人目を惹くチョウで、毎年秋になると米国中部からカリフォルニア州やメキシコ中部などの越冬地まで数百万の規模で大移動をする。多くのチョウは春から夏にかけてサナギから羽化して成虫になるが、オオカバマダラは夏終盤から初秋に羽化し、冬がやって来る前に移動する。このユニークな特徴や渡りの行動などに触発された、多くの市民科学プロジェクトがある。卵から成虫までの生態を調べたり、唯一の餌植物であるトウワタを対象としたプロジェクトなどにより、新たな発見や仮説の立証が行われてきた。個人で研究している小学生もいれば、授業として取り入れている小学校も多数ある。その代表的なプロジェクトを紹介しよう。

渡りをするチョウの不思議を探求するプロジェクト

事例1：オオカバマダラの観察（Monarch Watch）

カンザス大学の生物研究部門が開発した市民科学プロジェクト「オオカバマダラの観察」では、米国とカナダのオオカバマダラの秋の渡りのルートにある場所で、子供達や市民が飛来する蝶を捕獲してタグをつけて放し、再捕獲することにより、渡りをするチョウの生態を明らかにする調査研究を支援している。調査の結果、メキシコに到達する個体群の場所、渡りを開始するタイミングや渡りの速度、渡りの期間での死亡率、地理的分布の変化などについての知見が得られている（US Forest Service）。冬の到来の前に旅立ちを開始するオオカ

コラム2-2 市民科学の10の原則

1. 市民科学のプロジェクトは市民が科学の新たな知識を獲得し、科学への理解を深める試みである
2. 市民は貢献者、協力者またはリーダーとしてプロジェクトで有意義な役割を担うこと
3. 市民科学プロジェクトが科学的成果をもたらすこと
   たとえば、科学的な問い（疑問）に答えること、保全活動、管理の決定や環境政策に資すること
4. 研究者と市民科学者が協力することで双方にとって利益があること
   利益とは、研究の成果物の出版、学びの機会、社会的な利益、科学的な貢献を通じての満足感、政策へ影響を与える可能性など
   市民科学者が望めば科学研究の多様なステップ（ステージ）に参加ができる
5. 科学的な疑問を追求すること、調査方法を考えること、データを収集・分析し、その結果についてやり取りを行うこと
6. 市民科学者はプロジェクトからフィードバックが得られること
   たとえば、市民科学者のデータがどのような研究、政策、社会的な成果に使用されたかについて明らかにすること
   市民科学は研究アプローチの1つであり、他の研究と同様にその限界、偏りがあることを念頭

バマダラは旅立ちのタイミングが遅れると寒さで死亡する確率が高くなるため、これらについて知ることは興味深い。

事例2：幼虫モニタリングプロジェクト (Monarch Larva Monitoring Project)

ミネソタ大学の研究者が開発し、オオカバマダラの幼虫が唯一の餌植物としているトウワタの生息地に関する長期データを収集することを目的にしている。北米の繁殖期におけるトウワタの分布とその豊かさを知ることに焦点が当てられている。

事例3: 北米環境教育学会（NAAEE）でのワークショップ

オオカバマダラに関する市民科学プロジェクトは多数あり、学校の教員も授業や課外活動などに取り入れている。**図 2-1** は北米環境教育学会の大会（2013

に入れた配慮がされるべきである

しかし、市民科学は従来の伝統的科学的なアプローチと異なり、市民の参加と科学の民主化をもたらす

7. 市民科学プロジェクトから得られたデータやメタデータ（p. 204 参照）はだれでもがどこでも利用でき、その結果はオープンアクセスが可能な形で公表すること

データは、安全性やプライバシーの問題が生じない限り、プロジェクトの進行中も終了後も共有する

8. 市民科学者にはプロジェクトの結果や出版物で謝辞を記すこと
9. 市民科学のプログラムの評価は、その科学的成果、データの質、参加者の経験、広い社会的、政治的なインパクトなどの多面的な視点から行うこと。
10. 市民科学のプロジェクトリーダーは著作権、知的所有権、データ共有の合意、機密保持、帰属権、環境影響に関する法的、倫理的問題への配慮が求められる

European Citizen Science Association, 2015 年 9 月
日本語訳：小堀

➡市民科学の 10 の原則　https://ecsa.citizen-science.net/

図 2-1　北米環境教育学会でのオオカバマダラに関するワークショップの様子
a: 主催者による説明、b: 使用された教材、c: 幼虫を用いたワークショップの様子、d: 成虫を使ったワークショップの様子。翅に識別番号を記入している。

年）で、上記で紹介したミネソタ大学のオオカバマダラの幼虫モニタリングプロジェクトの研究者が開催したワークシップの様子である。最初に主催者からプロジェクトのガイドブック、多様な教材、飼育方法について説明があった。その後、参加者はグループごとにプログラムを企画し、グループ発表を行い、情報共有を行った。大部分の参加者は小学校の教員であった。

●●●●●●●●●●●●●●●●●●●●●●●●

2017 年に開催された市民科学協会（Citizen Science Association: CSA）の大会では、学校の指導者や企画団体の指導者のためのワークショップも開催された。

➡ **Monarch Watch**　https://www.fs.fed.us/wildflowers/pollinators/Monarch_Butterfly/citizenscience/index.shtml
➡ **市民科学協会**　https://citizenscience.org/

2. 市民科学の強みと弱み

市民科学の持つ重要な特徴として、米国を中心として創設された市民科学協会（CSA）では以下を挙げている。

①だれでも参加ができる

②参加者が同じプロトコルを使用し、多くのデータを集約することにより、質の高いデータを得ることができる

③データは科学者の真の科学的な探求に力を貸すことができる

④科学者と市民（ボランティア）との幅の広いコミュニティが、交流と協力を通じて、研究や調査を進め、科学者だけでなく市民がアクセスでき、データを共有できる

しかし、市民科学はすべての科学研究に適しているわけではない。その強みと弱みを十分に理解し、市民科学の特徴を活かしたプロジェクトを企画することが市民科学のプロジェクトの成功のカギと言える。しかし、市民科学には多様な人々がかかわり、多様な分野や方法があるため、どのような場合に市民科学が有効なのかを判断することは容易でない。そのため現在では、学会、行政機関などが、市民科学のプロジェクトを企画し、実践する人のための手引き（ガイドライン）を作成している。英国の複数の政府研究機関が共同で作成したガイドライン（6 章で詳しく紹介する）で述べられている市民科学の強みと弱み（Pocock *et al.*, 2014）について述べ、続いて市民科学を成功に導く要点について簡単に述べる。

8 つの強み

市民科学の強みとして、次の 8 点が挙げられる。

①地球上のさまざまな地域に住む人、また、居住地から遠く離れた場所からも多くの市民が**データを長期または一時期に集中的に収集できる**ことにある。数人の研究者が長年かけて行うよりはるかに効率がよく、広範囲の緻密なデータを得ることができる。

②研究者が行うより**安価である**。それは、多くのボランティアが無償で、余暇時間、労力、知力を提供してくれるためである。研究者が同じような研究を行うとすると多額の研究資金が必要となる。そのうえ、長

期にわたり継続的に資金を得ることは容易ではなく、常に研究の継続性についての不安がつきまとう。それに対して、市民科学では研究者が行うよりも資金がかからないため、資金の獲得の有無により**研究の継続性が左右されることが少ない**。

③市民科学で収集されたデータの質には幅があるが、適切な方法でデータが収集され、データ量が十分に多ければ、**極めて安定的なデータとなりうる**。たとえば、イギリスの国レベルの生物多様性の主要な26の指標のうち7つが市民科学の手法を用いて収集されているように、定期的にデータ収集を行う場合には、市民科学が極めて適していることが報告されている（Department for Environment Food and Rural Affairs, 2012）。また、米国で河川の健康状態を知るための水生昆虫モニタリングでも同様な結果が得られている（Nerbonne & Nelson, 2004）。

④市民科学が過去30年間の**情報技術の進展を取り入れている**ことも強みである。これらの技術は、市民科学のプロジェクトの開発と実施、データ収集を容易にしている。現在ではWebサイトやスマホを用いることは市民科学の標準的な手法となり、しかも、比較的安価に実行でき、また参加者からのフィードバックを迅速かつ容易に行うことができる。

⑤熟練のボランティアは時には**専門家よりも高いスキル**を持っている。特に自然史や種の同定にかかわる分野では、ナチュラリストの存在は貴重である。地域の鳥類、昆虫などについて熟知しており、また貴重なデータ収集に貢献している場合も多い。

⑥ナチュラリストをはじめとする熟練のボランティアは、自分たちは価値ある貢献をしているとの自負心や責任感が強く、データを集めるための方法やプロトコル（手順書）通りに実施することの意義を十分に理解しているため、**信頼性の高いデータを得る**ことができる。

⑦市民科学は、研究者や行政では実施が難しい地理的に広がりのある調査や時間を要する調査、通常は実施されていない調査地や調査方法を用いることにより、**稀にしか起こらない事象や貴重な生物の発見**に貢献している。

⑧クラウドソーシングは画像の分類などの簡単で単純な作業にも向いている。クラウドソーシングは**データセット**（一定の形式に整えられたデータのまとまりのこと）**が大量にある場合の分析に特に有効**で、少人数による作業や自動化していない場合には他の方法で成果を得るのは難しい。

8つの弱みを理解する

一方で市民科学には、次のような弱みもある。

①科学の**高い専門的な知識や技術を必要とする調査や研究には適さない。**

②市民科学は、**精密で大型な機器を用いた分析や実験室が必要な調査や研究には不向き**である。市民科学はシンプルな方法を用いる場合に最も効果を発揮する。

③**手順が複雑過ぎたり、要求事項が多い調査や研究には不向き**である。

④**何度も繰り返し記録をとる必要がある調査や、場所を変えて行うデータ収集などには適さない。**これらに参加意欲を持って取り組んでくれる人が少ないためである。

⑤ボランティアを**募集しても参加してもらえないことがある。**

　市民科学のプロジェクトやイベントを実施するには、ボランティアを募集しなければならない。募集に際しては、短時間でどこででも手軽に実施できる、簡単な手順を用いることで、多くの参加者を見込んで幅広く募集を行う場合もある。一方、しっかりした手順に従って行うプロジェクトでは、野鳥の愛好家、釣り人、ダイバー、学生、その他の特定の分野に強い興味を持つ人たちを対象として募集することもある。いずれの場合も、市民が関心や興味を持ち、参加したいとの意欲を持ってくれる魅力的なテーマやプロジェクトであることは重要である。このような配慮を欠くと、応募がないということも起こり得る。eBirdの示唆に富んだ事例を紹介する。

eBirdに見るプロジェクト戦略の重要性

eBirdは、コーネル大学鳥類学研究所が主催する、世界で最も人気のあるオンラインによる鳥類を対象とした市民科学プロジェクトである（https://ebird.org/home）。日本語をはじめ多くの言語に対応しており、2015年だけでも世界の150万人がWebサイトやモバイルデバイスを用いて参加した。日本でも、（公財）日本野鳥の会が日本語版の「eBird Japan」の運営を2021年11月より開始しており、活用しやすくなった。

しかし、プロジェクトが開始された2002〜2005年は参加者が少ないことが課題だった。当時のスローガンは「目的を持って鳥の観察をしよう」だったが、十分な参加者がなく失敗に終わった。

2006年、プロジェクトの企画者は戦略を変更し、「21世紀のために鳥を観察しよう」に改めて成功を収めた。プログラムは鳥の愛好家としての責任感に訴える方針から、鳥観察のホビーをさらに興味深いものとし、それを称賛し、そのことが将来に影響を与えることに転換したのである（Cooper & Lewenstein, 2016）。

⑥市民科学プロジェクトでは、研究者による研究とは異なり、参加者への継続的なサポートや支援が欠かせない。研修、指導、フィードバック、支援物資の提供（試薬、調査キット、調査用紙など）、Webサイトの更新を行うための資金、資源及び人力が必要となる。これらには多くのマンパワーが必要とされる。

市民科学では参加者はボランティアのため人件費はかからないが、プロジェクトを実施するに当たっては、すでに述べたように**参加者の支援のための費用が必要**となる。しかし、プロジェクトの中には、プロジェクト全体をボランティアで進めている組織もある。

➡ **eBird**　https://ebird.org/home
➡ **eBird Japan**　https://ebird.org/japan/home

⑦市民科学のデータは、市民の興味、関心に基づいて行われる場合も多く、生物調査などでは、地域による**データの偏り**や大型で観察しやすい生物のデータが収集されやすいなどの傾向がある。これらのデータの偏りをなるべく減らし、データの精度を維持する方策などを事前に検討し、計画することが求められる。

⑧市民から得られた**データの精度に疑念を持たれる**こともある。プロジェクトの企画者には、市民が得たデータの精度を保証する多様なアプローチを用いたプロジェクトの計画を立てる配慮が必要である。データの精度を保証するための具体的な方法については、第４章で詳しく述べる。

成功に導く条件

市民科学には多くの強みと弱みがあり、それが研究者による従来の研究とは異なる特徴となる。そのため、プロジェクトの主催団体、イベントの企画者や関係者は、市民科学の強みと弱みを事前によく知り、どのようなアプローチを用いることが強みを活かすことになるのか、**計画段階で考えておく**ことが重要である。市民科学のプロジェクトを成功に導くためには以下の６つの要件が求められる。

①プロジェクトの目的や課題が明確である

②参加者が多面的にかかわれる

③プロジェクトを実施するうえでは、資金、資源、マンパワーが豊富にあるほうが（少ないよりは）望ましい

④サンプル規模を大きくする（市民科学の強みを発揮できる）

⑤できるだけ単純な方法（多くの参加者に興味を持ってもらえる）

⑥参加者がプロジェクトの趣旨を理解し、明確な参加動機を持てる

3. 科学研究としてのプロセス

市民科学の定義は前述したように多様だが、いずれの定義も市民が科学研究のプロセスの一部または全部にかかわることは共通で、この点が市民科学の最も重要な要素である。ここでは、科学研究のプロセスについて詳しく紹介する。

表 2-1　科学研究の７つのステップ

ステップ	内容
1. テーマの設定	研究テーマや課題を決める
2. 情報収集	既往研究や関連情報を収集する
3. 研究計画の立案	調査方法、期間、分析法などの計画を立てる
4. データの収集	現場でのデータ収集やモニタリングを行う
5. データの整理	収集したデータを整理し、まとめる
6. データの分析	データを分析し、得られた結果を解釈する
7. 結果の公表	報告会、学会、学術雑誌などで発表する

科学研究のプロセスは、**表 2-1** に示す７つのステップからなる。研究者が新たなテーマで研究を開始する時も、これと同じ７つのステップを踏んで進められる。

第１のステップは、言わずもがな、**研究テーマを決める**ことである。研究テーマは学術的な視点から意義があり、過去に他の研究者が行っておらず、独自性や独創性があることが重要である。

第２のステップは、設定したテーマに関連する研究分野の過去の論文や情報を収集して、**研究テーマの背景を十分に知る**。その過程を通じて、課題に適した調査方法の検討、独創性や社会的な意義がある新たな研究となることを確認する。

第３のステップは、研究目的を達成するために最も適した調査方法、分析方法、調査期間などを含めた、**研究計画を立てる**。

第４は、研究計画に基づいて、野外でのモニタリング調査や**データの収集**を行う。

第５は、得られたデータは、データの収集日、データの提供者なども含めて**整理**し、表や図などにまとめ、保存する。

第６は整理された**データを分析、解釈**する。

第７は、**研究成果を社会に向けて発信**する。研究者の場合には、主に学会発表や学術雑誌に論文を投稿する。市民科学者は、目的に応じて、地域社会での会合や報告会、広報誌、ネットなどを通じて発信する。

研究者が研究を行う場合は、上記の科学研究のプロセスの７つのステップをすべて踏むことによって研究が遂行される。しかし、市民科学のプロジェクトでは、市民の関心や興味、またテーマやプロジェクトの目的、参加者の

表 2-2　市民の科学研究への関与の程度による分類：5 つの C (Shirk *et al.*, 2012 より改変)

科学研究のステップ／市民科学の分類	依頼型 Contactory	貢献型 Contributory	協働型 Collaborative	共創型 Co-created	独立型 Collegial
1. テーマの設定				■	■
2. 情報収集				■	■
3. 研究計画の立案			▒	■	■
4. データの収集		■	■	■	■
5. データの整理			■	■	■
6. データの分析			▒	■	■
7. 結果の公表			■	■	■

■：市民参加。▒：一部のプロジェクトでは市民参加

属性、教育的な意義などを考慮し、7つのステップの一部、または全部にかかわるなど、研究プロセスへの参加の程度を選択することが可能である。

4. 市民科学の分類

市民科学には、活動の目的、活動内容、対象分野、使用する技術や方法、参加者数、実施期間、アウトプットと成果などにより広範囲なプロジェクトが存在する。ここでは、市民科学の代表的な分類を紹介する。

研究プロセスへの参加の程度による分類：5 つの C

前節で述べた科学研究の7つのステップのどこに市民が参加するかによって、市民科学は**表 2-2** に示す5つに分類される（Shirk *et al.*, 2012）。これらの類型の名称は、英語の頭文字がいずれも C であることから、「5 つの C」と呼ばれている。

①依頼型：Contactory

市民や市民団体が、懸念している課題などについて、専門の科学者や研究機関へ調査を依頼する。市民は、研究プロセスのいずれのステップにも自らはかかわらず、その調査結果の報告を受ける。

②貢献型：Contributory

科学者や企画団体が研究テーマを設定し、研究計画を立案し、市民はモニタリング調査やデータの収集のステップのみに参加する。

③協働型：Collaborative

主に科学者や企画団体が研究テーマを設定、情報収集、研究計画、デ

ータの解析を行う。市民はデータの収集、デ　タのまとめ、結果の発表を行う。プロジェクトによっては市民が研究計画や調査方法の詳細を研究者と協働して検討する場合もある。市民は研究者や研究機関、NPOなどの実施団体などと協力しながら行う場合が多い。また、市民が企画団体となることもある。

④共同創生型（共創型）：Co-created

市民または研究者や実施団体が疑問や関心のあるテーマを提案し、市民は科学者や研究機関と同等のパートナーとして、**表2-2**に示す７つのすべてのステップに参画する。

⑤独立型：Collegial

市民は実施団体として、研究プロジェクトのすべてを行う。

これらの5Cの分類（類型）のうち、最も事例が多いのが、「貢献型」、次いで「協働型」、最近では地域の多様な関係者が関与する「共創型」も増えている。

▶各類型の特徴

以下に、各類型の特徴を解説する。

「**依頼型**」では、地域住人が地域で関心が高まっている疑問や課題を研究者、大学、研究機関に調査や研究を依頼する。多くの場合、無償で行ってもらう。

日本ではこの類型に属する市民科学の事例は少ないが、ヨーロッパではサイエンスショップ*1が担っていることが多い。こうした活動は、ヨーロッパではオランダが先駆的な役割を果たしてきた。オランダではほぼすべての大学が、大学の得意分野を活かしたサイエンスショップを設置しており、依頼型市民科学のオフィスとしての役割も果たし、市民やNPOなどの相談に応じている。大学では、提案された課題について検討し、取り組みを希望するボランティアの学生を募集し、その分野に精通した科学者からのアドバイスを受けながら進めるケースが多い。

＊1　サイエンスショップ（Science Shop）：大学やNPOなどが、地域社会や市民が抱える科学技術的課題の相談に対応し、調査･研究を行ったり、アドバイスを行うなど、専門性を活かして課題の解明や解決を支援する。1970年代オランダの学生運動の中から生まれ、各国に広がっている。大学院生などが、調査・研究の大きな役割を果たす形が多い。

事例としては、地域に新たに建設される化学工場の操業にともなう環境リスクの評価や新たな空港建設にともなう騒音予測などのプロジェクトが知られている。依頼型では、研究成果に重点が置かれ、市民の教育的な学びの優先度は低いプロジェクトが多い。

「貢献型」は５つの分類の中で最も多く実践されている。その歴史も長く、多様な内容が含まれる。伝統的には生物調査、生態学、天文学、考古学の分野が主流を占め、長期による継続的に調査が行われているプロジェクトも多い。日本では、貢献型プロジェクトは「市民参加型調査」と呼ばれ、これまで行われてきた市民調査の大部分はこの類型に分類される。特に1970年代以降、第３章で紹介するように、生物調査や水質調査などの分野で優れた事例が多数見られる。

貢献型ではデータの収集が主であるが、Galaxy Zooなどのプロジェクトでは、ミクロタスクと呼ばれる基礎的な分析も含まれる。研究、教育的な効果は中程度に留まる。

「協働型」はより複雑な内容を含む。科学者は科学的な疑問や検証すべき課題を設定し、計画の基本的部分をデザインする。しかし、市民は方法の改善など研究計画にもかかわる。また、市民は、データ収集だけでなく、研究者や研究組織と協働して結果のまとめ、分析、発表も行う。研究者と市民科学者の双方にとってよい相乗効果が得られることが多い。また、参加者は得られた成果から、何らかの行動をとることも期待される。

「共創型」プロジェクトではコミュニティの課題や活性化、緑のまちづくりなど、市民が主体的に地域の課題や新たな価値の創造について提案し、研究者だけでなく地域の多くの関係者が参加して実施するケースが増えている。そのため共創型プロジェクトは「コミュニティサイエンス」と称されることもある。

地域の課題解決などをテーマとしているため、得られた成果は地域の改善に活かしやすい。また、市民にとっては市民科学のプロセスに参加することにより科学的手法や考え方を学ぶ機会となる。行政にとっては、市民の発案によるボトムアップのアプローチのため、地域住民に受け入れられやすく、施策に反映しやすいなどのメリットも指摘されている。

「独立型」プロジェクトは、DIY（市民がすべてのプロセスを主導する）の

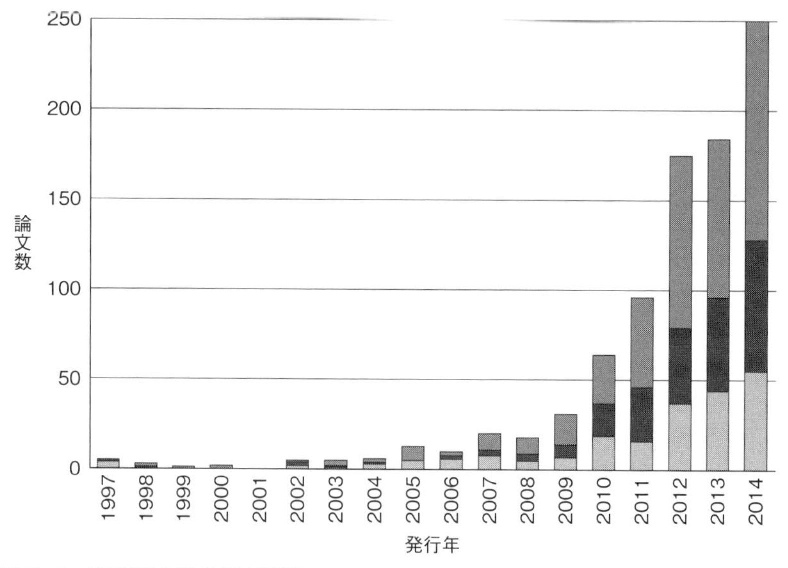

図 2-2　査読論文数の経年変化（Follett & Strezov, 2015 に基づき作図）
■ Web of Science と Scopus に記載されている論文数、■ Scopus だけに記載されている論文数、
■ Web of Science だけに記載されている論文数

プロジェクト、河川や海洋でのプラスチックゴミの実態把握などの国際プロジェクトがある。また、2011 年 3 月の福島第 1 原子力発電所事故を契機に DIY による大気中の放射能汚染測定装置の開発と測定など日本発で世界へ広がったプロジェクトなど、最近では世界規模のプロジェクトへと展開している事例も多い。

目的と対象による分類

フォレットとソトレゾフは、世界規模の抄録・引用文献データベースである Web of Science*2 と Scopus*3 を用いて、1997〜2014 年の 17 年間に掲載された査読つきの市民科学論文の中から、EU のグリーンペーパーの定義を

*2　Web of Science（ウェブオブサイエンス）：クラリベイト社による文献管理サービス。世界の学術雑誌のうち 18,000 タイトル以上を採録しており、キーワードや著者名をもとに論文を検索できる。
*3　Scopus（スコーパス）：エルゼビア社による文献管理サービス。Web of Science と同様のサービスを提供する。

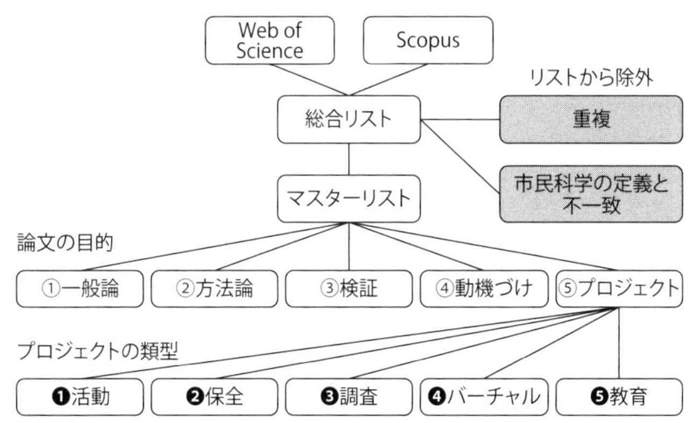

図 2-3　調査対象論文に基づく市民科学プロジェクトの類型 (Follett & Strezov, 2015 に基づき作図)

満たす 456 編の市民科学の論文を対象に市民科学の特徴について分析した (Follett & Strezov, 2015)。

査読論文数は、**図 2-2** に示すように、2010 年以降急速に増加している。論文は、**図 2-3** のチャートに示すように、内容別には、①市民科学全般（一般論）、②方法論、③検証、④参加者への動機付け / 利点、⑤プロジェクト、の 5 つのカテゴリーに分けられた。また、最も多かった⑤プロジェクトのカテゴリーの論文をさらに目的別に分けると、❶実践的な活動、❷保全、❸調査、❹バーチャル（オンライン上）の活動、❺教育、の 5 つのカテゴリーに分類された。また、論文の目的別の割合を 21 年間の平均値で見ると、最も多かったのはプロジェクトに関する論文（47%）、次いで市民科学全般（29%）、方法論（17%）、検証（3%）、動機づけ / 利点（3%）の順であった。論文数の経年変化を内容別に見ると（**図 2-4**）、2009 年～2011 年には市民科学全般、プロジェクト、方法論を扱った論文が多く、この 3 つのカテゴリーの論文が大部分を占めていたが、2012 年以降はプロジェクトを扱った論文が急速に増えている。実施されたプロジェクト数が増え、その内容を扱った論文が増えたことを反映していると考えらえる。

⑤プロジェクトのカテゴリーに分類された論文を、目的別に 17 年間の平均値で比較をすると、最も高い割合を占めたのは、調査（61%）で、次いで、保全（18%）、バーチャル（12%）、教育（7%）、行動（1%）であった。また、

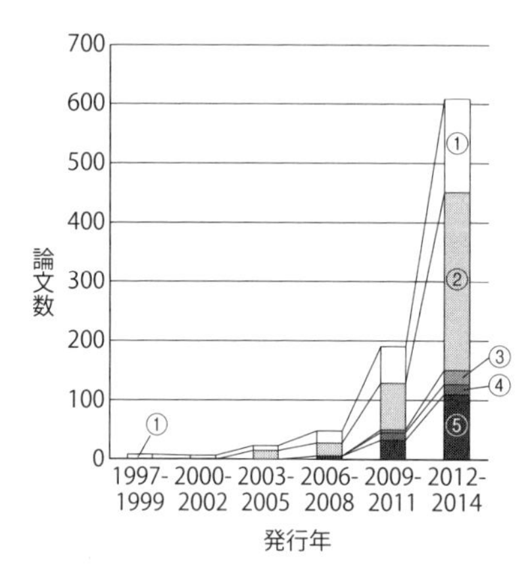

図 2-4　内容別の論文数の経年変化
(Follett & Strezov, 2015 に基づき作図)
①市民科学全般のプロジェクト
②プロジェクト
③動機づけ／利点
④検証
⑤方法論

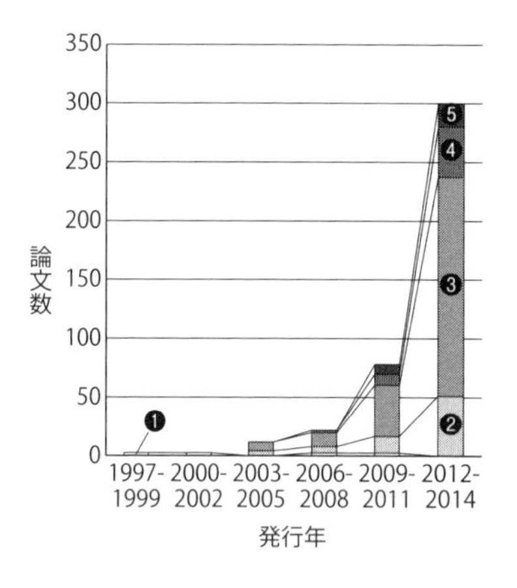

図 2-5　目的別の論文数の経年変化
(Follett & Strezov, 2015 に基づき作図)
❶活動
❷保全
❸調査
❹バーチャル
❺教育

2009 年以降、調査を目的としたプロジェクトが増え、2012 年以降、その数、割合ともに急速に増加していた（**図 2-5**）。

分野による分類

フォレットとソトレゾフ（Follett & Strezov, 2015）は、また、市民科学プロジェクトを対象とする分野により 5 つに分類している（**図 2-5**）。最も高い割合を示したのは、生物学分野（生物多様性、生態学も含む）の 70%、次いで環境の 11%、天文学 10%、医学の 2%の順であった。それ以外の分野は合わせても 5%であった。

生物学の分野はさらに 6 つの分野に分けている（**図 2-6**）。最も多かったプ

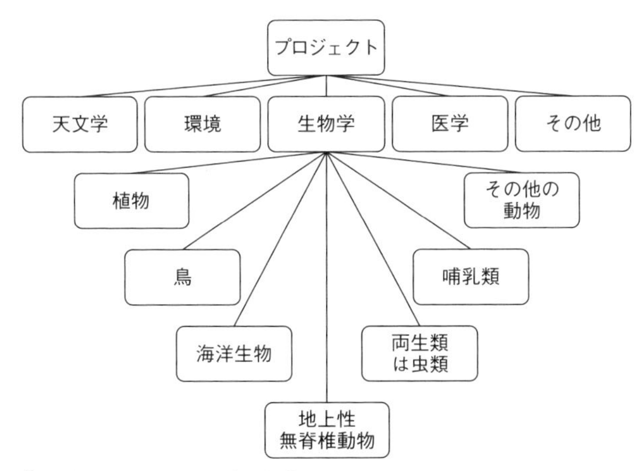

図 2-6　プロジェクトの分野別の分類（Follett & Strezov, 2015 に基づき作図）

ロジェクトは鳥類の25%、次いで陸上無脊椎動物の16.5%、海洋生物の13.8%、植物の7.7%、哺乳類の7.5%、両生類と爬虫類の2.3%などであった。市民科学の歴史の中で、生物学分野は最も人気が高く主流を占めてきた。2012年には、英国だけでも234の生物プロジェクトが報告されている。

英国では、鳥の愛好家が多く、長期間にわたって継続されている市民科学プロジェクトが多数ある。その好例の1つは野鳥保護のために英国王立協会（the Royal Society for the Protection of Birds: RSPB）が実施している「ビッグガーデン・バードウオッチ（Big Garden Birdwatch）」である。これは1979年から開始されている。毎年1月末の週末の1時間のみ、自宅の庭に飛来する野鳥を観察するイベントで、英国全土で毎年50万人以上が参加している。飛来した鳥の種類を報告するが、科学よりも参加と交流に重点が置かれている（多くの参加者は鳥についての知識を持っていない）。このプロジェクトは、参加した市民が、自宅の庭によく訪れる野鳥を知ることを通じて野鳥への関心を高めること、主催団体としては野鳥の保全に多くの支持を得ることを目的としている。調査結果はメディアでも大々的に報道され、参加者はさらに増加している（Beumer & Martens, 2015）。

サイバー市民科学

サイバー市民科学はインターネットの出現なしには誕生しなかった新たな

分野である。サイバー市民科学は、インターネットと計算機器の利用に全面的に依存している。情報技術の進展にともなってその分類も変化を遂げているが、その代表的な例を紹介する。

▶ボランティアによるコンピュータ活用（Volunteer computing）

自宅で自分のパソコンを活用してプロジェクトへ参加する。その事例として「きれいな水のためのコンピュータ操作（Computing for Clean Water)」を紹介する（Li, 2018)。

このプロジェクトは2010年に中国の科学者とジュネーブにある市民サイバーサイエンスセンター（the Citizen Cyberscience Centre in Geneva）が共同開発した。参加者は自分のパソコンにワールドコミュニティグリッドが提供するソフトをダウンロードし、研究者が取得した水情報のデータの分析に貢献する。北京の清華大学の研究者は、50,000人以上の参加者の計算能力を活用し、毎秒数センチで変化する水系の流量を計算してもらうことによって、研究者の計算時間が大幅に短縮された。その結果、シミュレーションを迅速にできるようになっただけでなく、水質浄化に用いられているナノチューブのろ過フィルターの改善を通じて水質浄化の費用の削減にもつながった（Drollette, 2012)。

▶ボランティアの知の活用（Volunteer thinking）

プロジェクトに参加した市民はインターネットを通じて送られた情報の分類や注釈をつける作業に従事する。その事例として、「Zooniverse」のプロジェクトの1つである「スナップショットセレンゲティ（Snapshot Serengeti)」のプロジェクトが挙げられる。このプロジェクトでは、「カメラトラップ」と呼ばれる動体検知カメラを野生動物の宝庫であるタンザニアのセレンゲティ国立公園に多数設置し、動物の画像を取得している。プロジェクトに参加した市民は、撮影された動物の画像から動物の種類を分類し、また興味深い行動などを記述する。

➡ワールドコミュニティグリッド　https://www.worldcommunitygrid.org/
➡スナップショットセレンゲティ
https://www.zooniverse.org/projects/zooniverse/snapshot-serengeti

コミュニティサイエンスからの分類

コミュニティサイエンスは「ボトムアップサイエンス」としても知られている。地域が抱える特定の課題に関心を寄せている市民がグループを作り、科学的な方法やツール（道具）を用いて、問題の在り処を明らかにする市民科学である。このタイプには、課題に関する情報収集、データの収集、分析などの活動が含まれる。多くは地域住民によって行われるが、科学者、実験設備が整った研究室や試験所との協働で行われることもある。

コミュニティ・サイエンスでは、参加者はプロジェクトを進めるうえで必要な多様な役割を担うため、協働型および共創型のプロジェクトが多い。

①参加型・センシング（Participatory sensing）

この事例として、ロンドンのヒースロー空港の近くの地域社会が対象となった「EveryAware」が挙げられる。空港の騒音に関心がある住民が、企画団体によって提供されたアプリを自分のスマホにダウンロードし、騒音をモニタリングするプロジェクトである。市民により寄せられた情報から騒音レベルは基準値を超えていることが明らかになった。

②シビックサイエンス（Civic science）

コミュニティ・サイエンスと同義語として用いられることも多い。その優れた事例が「パブリックラボ」である。

「パブリックラボ（The Public Lab of Open Technology and Science）」は、DIY の技術を用いて安価な測定装置を開発し、提供しているオープンコミュニティである。環境的正義（environmental justice）に関する課題への支援や、他の地域より汚染が進行している場合などに DIY を開発し、支援することを目的としている。

パブリックラボは地域の質の高い環境データを精力的に収集し、行政のデータの検証にも役立てることを目指している。そのために、ハードウェア、ソフトウェア、カリキュラムを作成し、また、研究や開発のためのスペースも提供している。自分で組み立てが可能な分光分析のキットも開発し、販売

➡EveryAware　http://www.everyaware.eu/
➡パブリックラボ　https://publiclab.org/

している。

もう一つの優れた事例として、日本発で、国際プロジェクトへと発展した「セーフキャスト（SafeCast）」を紹介する。

セーフキャスト ── 地域のニーズから世界へ

セーフキャストの活動は、福島原発事故の直後の2011年3月に日本で始まった。事故直後は、大気中の放射能濃度を簡単に測定できる装置が手に入らない状況で、テクノロジーにかかわる市民や東京ハッカースペース*4でボランティアが自主的に集まり、低コストの放射能測定装置の開発方法を模索し始めた。海外からもインターネットを通じて技術者や研究者も自主的に参加し、その結果、大気中の放射能測定が可能な測定装置が開発された。2013年には「bGeigie Nano」（**図2-7**）が開発され、オープンソースのキットとして、作り方・使い方がオンラインで公開された。自作用のキットも、連携企業からオンラインで購入可能になった。

図2-7　セーフキャストが開発した測定装置 bGeigie Nano（写真提供：セーフキャスト）

プロジェクトの参加者は、測定装置を自宅や自分の車の窓に装着して、定点及び走行中に大気中の放射能濃度を測定して報告する。現在は、測定データはオープンアクセスデータとして公開され、世界のどこからでも共有可能になっている。

この活動により、活動の前にはデータがなかった多くの国や地域の大気中の放射能レベルが明らかになった。また、大気中の自然放射能は地域によりかなり値が異なることもわかった。たとえば、香港の大気中の放射能濃度は、岩石

➡セーフキャスト　https://safecast.org/

などの影響で、多くの場所で日本よりも4倍ほど高いことも明らかになった。以前は、世界の各地の大気中の放射能濃度のベースラインの値がわかっていなかった。そのため、福島原発事故の際にも市民や地域社会で混乱や不安が広がった。その後地球上の多くの場所に簡易の測定装置が設置され、より詳細で継続的な値が得られるようになった。

●●●●●●●●●●●●●●●●●●●●●●●

セーフキャストは、福島原発の不幸な事故を契機として開始されたプロジェクトではあるが、大気中の自然放射能の値を地球レベルで測定している優れた市民科学の事例である。この事例が日本から始まったことは、日本の市民科学の歴史においても大きな意義がある。

5. 研究データから見る市民科学の現在

過去20年、特に2010年以降は、市民科学プロジェクトは急速に増加した。Webを通じて多くのプロジェクトの情報が入手可能になり、プロジェクトの全体像や特徴を把握しやすくなった。本節では、2つの重要な論文の紹介を通して市民科学の特徴を明らかにする。

生物多様性プロジェクトの定量評価

シオボルドら（2015）は、プロジェクトのWebサイト及びWeb of Scienceの文献検索でヒットした338のプロジェクトを対象として、すべてのプロジェクトの管理者を対象に、フォローアップ調査（継続的な調査）と32項目のアンケート調査を実施した（Theobald *et al.*, 2015）。この調査によれば、全プロジェクトの参加者の合計は毎年1,300万人であった。また、調査範囲は、研究者の対象地より広い地理的範囲をカバーしており、67%のプロジェクトは100～10,000 km^2 以上であった。プロジェクトの継続期間は平均7年間で、研究者による平均の継続期間（3～4年）より長期間実施され

＊4　東京ハッカースペース（Tokyo Hackerspace: THS）：オープンコミュニティラボで、テクノロジー、科学、クッキング、デジタルアート、ソーイング等、物作りが好きな人々が集まりメンバー同士で知識を共有しあう。メンバーには文系・理系を問わず、さまざまな職業・分野の人がおり、だれでも参加が可能。

ていた。また、市民がプロジェクトに費やした時間をお金に換算した経済価値は年間700〜2,500億円に相当した。この値は米国のNSF（全米科学財団）の研究助成額の11〜42％に相当し、市民科学に高い経済的価値があることが明らかになった。

プロジェクトの企画者へのアンケートに見る市民科学の実像

ウィギンズとクロウストン（2015）は、研究者やメディアで注目されている市民科学プロジェクトは必ずしも市民科学を代表するプロジェクトではなく、市民科学の多様性を反映していないと考えていた。2人は、市民科学の多様性を幅広く理解し、その現在の姿を映し出したいとの思いから研究を始めた。そのために用いた方法は、いくつかの市民科学の電子メールリストとプロジェクトのWebサイトから、プロジェクトの企画者にアンケートを送付することであった。回答を得た77のプロジェクトの大部分は中小規模で、多くは米国を拠点としており、数件がカナダと英国であった。アンケートの結果から、次のような市民科学の姿が浮き彫りにされた（Wiggins & Crowston, 2015）。

継続期間

大部分のプロジェクトは過去10年以内に開始されたが、100年以上継続されているプロジェクトが1件あった。

スタッフ

有給のフルタイムのスタッフはプロジェクトにより1〜50人と幅があった。大部分のプロジェクトは1〜1.5人と少人数で、日本の平均的なNPO団体とあまり変わらない規模であった。

年間予算

年間予算は125〜100万ドル（約1万4,000円〜1億円*5強）の範囲で、43のプロジェクトでは推定の年間予算額は約10万5,000ドル（約1,100万円）だったが、平均的には年間5万ドル（約550万円）を大きく下回った。

規模

参加人数を基準とした見積りでは、平均1,000人を超えた。しかし、多く

＊5　1ドル110円で換算。

のプロジェクトで用いられていた参加人数はオンラインアカウントの登録者数であり、すべての登録者がその後のプロジェクトに参加したわけではないため、実状を反映していない可能性が高い。

さらにウィギンズとクロウストンは、プロジェクトの企画者にプロジェクトを企画・組織する方法、どのようにプロジェクトを実践し、どのような成果があったかに関するアンケートを実施した。これらの結果を集計し、市民科学の組織的研究のために自ら開発した理論モデル（Wiggins & Crowston, 2015）を用いて、市民科学の特徴を明らかにした。その結果、市民科学プロジェクトは次の7つのカテゴリーで特徴づけられることを示した。①資金源、②プロジェクトの目標、③実践の内容、④データの質の保証の方法, ⑤コミュニケーションの手段、⑥報酬、⑦社会とのかかわり方である。

ここでは、①資金源、②プロジェクトの目標、③実践の内容について詳しく述べる。

▶①資金源

資金源は以下の4種類に分類された。

第1は、政府や所属する組織組合などの**助成金**で、ほとんどのプロジェクトの主な資金源であった。第2は、団体と個人による**寄付**で、2番目に多い資金源であった。第3は、**スポンサーシップ**、**会員の会費**、**商品販売**、**サービス料**などであるが、これらを資金源とするプロジェクトはいずれも比較的少数であった。第4は、上記の3つを組み合わせた**複数の種類**から資金を受けていた。この方法は、従来得ていた資金源が得られなくなった場合の担保ともなり、持続可能な方法と言える。

また最大5種類の資金を得ているプロジェクトがある一方、いくつかのプロジェクトは**無償**で運営されていた。また、助成金はスタートアップ資金のほうが、継続的な運営に対する支援よりも獲得しやすいと回答し、これらも日本のNPO団体への助成と同様な傾向が認められた。

▶②プロジェクトの目標

ほとんどのプロジェクトは複数の目標を掲げており、その内容は、科学、モニタリング、教育、保全、管理、活動、行動、発見、資源管理、復元作業など広範囲であった。データマイニング技術を用いて解析すると、複数の目標の組み合わせは3つのカテゴリーに集約された。

第1のカテゴリーには、**資源管理**、**行動**、**保全**、**復元**、**連携**が含まれていた。これらの目標は**資源管理と保全**に焦点を当てた市民科学プロジェクトの目標と一致しており、政府機関やNPO団体によって運営されることも多かった。このカテゴリーには、海上の油流出による被害状況の把握とその修復方法の有効性の評価のような、具体的な目標と意思決定に重点が置かれた、比較的短期的なプロジェクトが該当する。また、必ずしも科学的な仮説の検証や科学論文の出版は目指しておらず、意思決定のための科学的根拠を示すことが開始の動機となっていた。

それとは対照的に、第2のカテゴリーは科学とモニタリングとの関連性が高く、**科学的知識への貢献**に焦点を当てたプロジェクトが該当する。第2のカテゴリーの目標は、第1のカテゴリーのプロジェクトのように意思決定を支援するより、モニタリングしたデータを解析する科学的研究を中心とした長期的な学術研究プロジェクトが該当し、その結果を論文などに公表することに重点が置かれていた。特に生態学の分野では、モニタリングは特色ある方法で行われ、新たな知見を得ることに重点が置かれていた。このカテゴリーに該当するプロジェクトでは、学術出版物を生み出すことが期待されている。

最後のカテゴリーは、**教育、アウトリーチ（地域社会への貢献活動）、発見**の組み合わせからなる。発見は科学的な目標となり得るが、アンケートにより、これらのプロジェクトの企画者が科学的な発見を参加者の学習と関連づけていることが明確に示された。教育に焦点を当てたプロジェクトには、正規の学校教育の教室単位の参加も含まれていた。その目標は、人々が科学により深くかかわること、学習経験を提供すること、そしてより多くの若者を巻き込むことを目指していた。

▶③実践内容

図2-8は科学的な活動の実践内容に関する複数選択のアンケートの結果である。実践内容は大きくは、①観察、②コンテンツの処理、③特定のサイトでのデータ収集、④測定の４つに分類された。その中で、最も実践の頻度が高かったのは、**①観察**、それにともなうデータ入力、種の同定であった。それ以外の３つの活動はほぼ同頻度である。

②コンテンツの処理には、存在の確認、分類、タグづけなどの活動が含まれ、

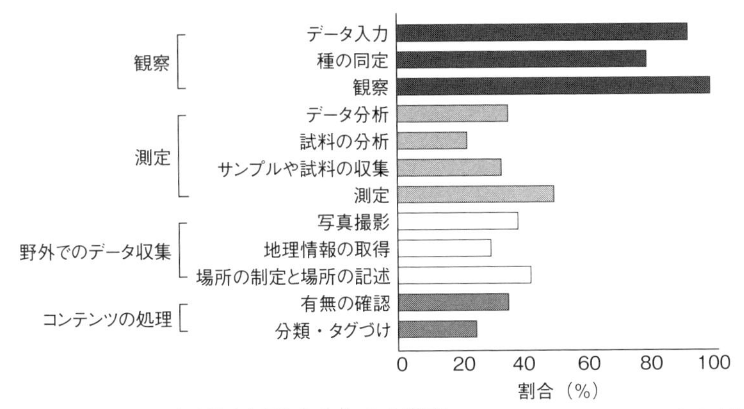

図 2-8　参加者の科学的な活動内容とその頻度（Wiggins & Crowston, 2015 より改変）

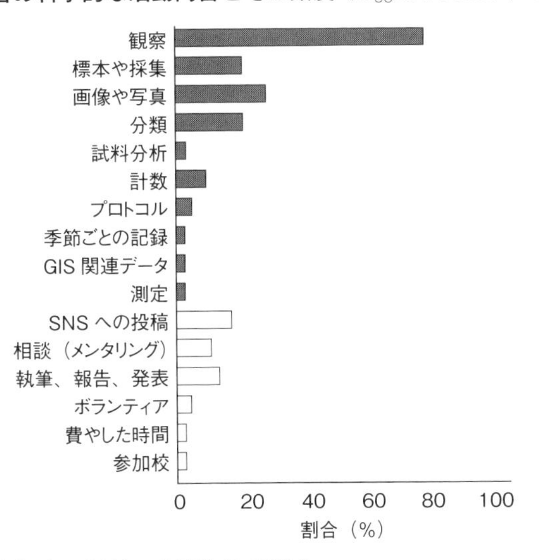

図 2-9　参加者の貢献の内容とその割合（Wiggins & Crowston, 2015 より改変）

存在の確認の作業は他の 2 つの活動頻度よりも高い。

③特定のサイトでのデータ収集には、写真撮影、地理情報の取得、場所の選定と場所の記述がほぼ同程度を占めている。

④測定には、データ分析、試料の分析、標本や資料の収集、測定が含まれ、測定に関する活動が最も多かった。

図 2-9 は市民科学プロジェクトで見られた参加者の貢献の内容とその割合を示している。

市民科学はまだ発展途上の分野であり、その分類や内容も短期間で進化し、変化することが予想される。しかし、紹介した市民科学の包括的な研究から、市民科学や市民科学者は多様な分野で多様な活動や貢献をしていることがわかる。今後は、これらの市民科学の活動についてさらに多くの人が多様な形でかかわり、その結果、市民科学の研究成果、学び、社会貢献が社会全体で共有されることが望ましい。

第２章 引用文献

Beumer, C. & Martens, P. 2015. Biodiversity in my (back) yard: towards a framework for citizen engagement in exploring biodiversity and ecosystem services in residential gardens. *Sustainability Science* **10**: 87-100.

Bonney, R. 1996. Citizen science: a lab tradition. *Living Birds* **15**(4): 7-15.

Cooper, C.B. & Lewenstein, B.V. 2016. Two Meanings of Citizen Science. *In* Cavalier, D. & Kennedy, E.B. The Rightful Place of Science: Citizen Science. Consortium for Science, Policy & Outcomes. 51-62.

Department for Environment Food and Rural Affairs. 2012. UK Biodiversity Indicators in Your Pocket 2012.

Drollette, D. 2012. Citizen Science Enters a New Era. BBC. http://www.bbc.com/future/story/20120329-citizen-science-enters-a-new-era.（2021 年 6 月 30 日最終閲覧）

Eitzel, M.V., Cappadonna, J.L., Santos-Lang, C., Duerr, R.E., Virapongse, A., West, S.E., Kyba, C., Bowser, A., Cooper, C.B., Sforzi, A., Metcalfe, A.N., Harris, E.S., Thiel, M., Haklay, M., Ponciano, L., Roche, J., Ceccaroni, L., Shilling, F.M., Dörler, D., Heigl, F., Kiessling, T., Davis, B.Y. & Jiang, Q. 2017. Citizen science terminology matters: exploring key terms. *Citizen Science: Theory and Practice*, **2**(1): 1-20.

Follett, R. & Strezov, V. 2015. An analysis of citizen science based research: usage and publication patterns. *PLoS ONE* **10**: e0143687.

Gordienko, Y. G. 2013. Green Paper on Citizen Science. Socientize project.

Irwin, A. 1995. Citizen Science: A Study of People, Expertise and Sustainable Development. Routledge.

小堀洋美. 2015. 市民科学用語解説. ランドスケープ研究 **78**(4): 398.

Kobori, H., Ellwood, E.R., Miller-Rushing, A.J. & Sakurai, R. 2018. citizen science. Encyclopedia of Ecology 2nd. Elsevier.

Li, Chunming. 2018. Citizen science on the Chinese mainland *In*: Hecker, S., Haklay, M., Bowser, A., Makuch, Z., Vogel, J. & Bonn, A. Citizen Science: Innovation in Open Science, Society and Policy. UCL Press. 185-189.

Nerbonne, J.F. & Nelson, K.C. 2004. Volunteer macroinvertebrate monitoring in the United States: Resource mobilization and comparative state structures. *Society & Natural Resources* **17**: 817-839.

Pocock, M.J.O., Chapman, D.S., Sheppard, L.J. & Roy, H.E. 2014. Choosing and Using Citizen Science: a guide to when and how to use citizen science to monitor biodiversity and the environment. Centre for Ecology & Hydrology.

Shirk, J.L., Ballard, H.L., Wilderman, C.C., Phillips, T., Wiggins, A., Jordan, R., McCallie, E., Minarchek, M., Lewenstein, B. V., Krasny, M.E. & Bonney, R. 2012. Public participation in scientific research: a framework for deliberate design. *Ecology and Society* **17**: 29.

The European Citizen Science Association. 2015. Ten principles of Citizen Science. http://ecsa.citizescience.net/sites/default/files/ecsa_ten_principles_of_citizen_science.pdf.

The Oxford English Dictionary 2014. citizen science.

Theobald, E.J., Ettinger, A.K., Burgess, H.K., DeBey, L.B., Schmidt, N.R., Froehlich, H.E., Wagner, C., HilleRisLambers, J., Tewksbury, J., Harsch, M.A. & Parrish, J.K. 2015. Global change and local solutions: tapping the unrealized potential of citizen science for biodiversity research. *Biological Conservation* **181**: 236–244.

U.S. Forest Service. Monarch butterfly: what is citizen science. https://www.fs.fed.us/wildflowers/pollinators/Monarch_Butterfly/citizenscience/index.html.（2021 年 6 月 30 日最終閲覧）

Wiggins, A. & Crowston, K. 2015. Surveying the citizen science landscape. *First Monday* **20(**1-5).

【Web サイト】（末尾の日付は最終閲覧日）

Citizen science. https://en.wikipedia.org/wiki/Citizen_science.（2021 年 12 月 23 日）

Citizen science Association. https://www.citizenscience.org.（2021 年 6 月 30 日）

e-bird. https://ebird.org/home.（2021 年 6 月 29 日）

European Citizen Science Association. https://ecsa.citizen-science.net/.（2021 年 6 月 30 日）

EVERYAWARE. http://www.everyaware.eu/.（2021 年 6 月 29 日）

Public Lab. https://publiclab.org/.（2021 年 6 月 29 日）

SAFECAST. http://blog.safecast.org/.（2021 年 6 月 29 日）

Snapshot Serengeti. https://www.snapshotserengeti.org/.（2021 年 6 月 29 日）

第3章　市民科学の展開とその背景

「市民科学」という言葉の登場以前から、一般の人々による科学活動は連綿と行われてきた。市民科学は目新しいものではなく、すでに根づいたものでもある。本章ではその歴史を概観し、現在の展開をかえりみる。

1. 市民科学の歴史

市民科学以前の「市民科学者」の遺産

市民科学という用語は比較的新しいが、市民による科学活動は、科学の歴史とともに始まり、長い歴史がある（Kobori *et al.*, 2018）。特に、生物などの自然を対象とした自然史、天文学、気象学、考古学などの分野への一般の人々の貢献は、科学の誕生から現在まで消えることなく続いている。人々により記録に残された生物や自然現象の観察の一部は、現在でもその足跡をたどることができる。

▶長期的な記録

世界各地には、市民、ナチュラリスト、農民、ハンターなどによる自然界の長期の観察記録やデータが残されている（Miller-Rushing *et al.*, 2012）。たとえば、中国では、過去3,500年間にわたって、市民や役人によってイナゴの大発生が記録されてきた（Tian *et al.*, 2011）。日本では、過去1,200年に及ぶ京都の花見の記録が、天皇、宮廷、修道士、商人などによる日記や年代記に記載されている（Primack & Higuchi, 2007）。また、フランスのワイン生産者は過去640年間にわたり、ブドウの収穫日を記録してきた（Chuine *et al.*, 2004）。これらの多くは、科学研究を意図して記録したわけではない。しかし現在では、これらの市民によって記録された過去の長期的なデータの重要性が認識され、気候変動、生物季節や土地利用の変化を知る研究のために用いられている。

▶近代科学への貢献

19世紀の後半に科学研究を職業とする科学者が登場する以前は、すべての科学研究は、他の職業で生計を立てていたアマチュアの研究者によって行われてきた。これらの人々は、自らの興味・関心と科学的な疑問や課題に応えるために研究を行い、その分野のエキスパートとして認知されていた。大部分の人は無名であったが、優れた研究により、歴史的にその名を刻まれた研究者も少なからずいる（Silvertown, 2009）。

たとえば、米国の18世紀の数学者であったベンジャミン・フランクリン（Benjamin Franklin, 1706～1790年）は印刷業者、外交官、政治家であった。英国のチャールズ・ダーウィン（Charles Darwin, 1809～1888年）は1831年から5年間を費やしてビーグル号で地球一周の航海を行った。その時の体験を基に自然選択による進化理論を唱えたが、航海には、研究者としてではなく、船長の無給の話し相手として参加していた。

この時代に活躍した個々人は、市民なのか研究者なのか一律に線引きすることは困難である。しかし、これらの多くの人々は、上流階層に属していたため、“ジェントルマン科学者”と呼ばれ、社会の中で極めて限られた人々であった。欧米とは対照的に、日本では、江戸時代に“町人科学者”が活躍した。

組織的な取り組みの始まり

▶ボランティア・ネットワークの原型

17世紀の初め頃から、アマチュアのエキスパートや社会で指導的な立場にあった人々の一部は、一般の人々を無償または有償で雇用して、「市民科学プロジェクト」を行ってきた。

ノルウェー人の司教は、18世紀の半ばに、聖職者のネットワークを作り、聖職者にノルウェー全土の自然物に対する観察や収集に協力するように依頼し、研究進展の支援を求めた（Brenna, 2011）。米国の独立宣言の起草者であり、第3代アメリカ大統領を務めたトマス・ジェファーソン（Tomas Jefferson, 1743～1826年）は、弁護士、建築家、哲学者としても有名であった。ジェファーソンは1776年にバージニア州全域の気象データを収集するための計画案を作成したが、その計画は今日の貢献型の市民科学と類似している（Cooper & Lewenstein, 2016）。英国の科学史家、科学哲学者、神学者ウィリアム・ウィーウィル（William Whewell, 1794～1866年）は、1835年に大西洋の両岸に住む市民を組織し、潮流の観察を両岸で同時に行い、100万におよぶ観察記録を得た。その業績により、後に「自然界についての知識の発展に最も重要な貢献をした」として英国王立協会のロイヤルメダルを授与された。

ボランティアのネットワークを組織する方法は、17～18世紀の初期の生態学者が、世界中の動植物の観察記録や標本を収集するために用いた一般的な方法でもあった。その代表的な研究者として、ジョン・レイ（John Ray, 1627～1705年）とカール・リンネ（Carl Linné, 1707～1778年）が挙げられる。

ジョン・レイは、「イングランドの博物学の父」とも呼ばれ、植物学、動物学などに関する著作がある。生物学的な語彙として「種（species）」をはじめて定義した人物でもある。カール・リンネは、スウェーデンの博物学者、植物学者で、「分類学の父」と称される。生物の学名として、ラテン語で属名のあとに種名を記す二命名法を体系づけた。

レイとリンネが行ったボランティアのネットワークを組織する方法は一般的となり、世界各地で動物植物の標本や鉱物、化石などが収集され、世界でも最も貴重なコレクションを構築するのに貢献した。このような組織的なデータの収集方法は、現在の大規模な生物データの収集を目的としているeBird、iNaturalist、iSpotなどのWebを用いた市民科学プロジェクトで用いられているデータ収集システムの原型といえる。

▶職業化する科学の下でも

150年ほど前から、科学のプロフェッショナル化が始まった。科学研究を職業とする多くの科学者が参入することにより、科学の文化が変わり始めた。特定の分野に特化した科学者が研究を行う現在の科学の方法が主流となった。しかし、この時代にもアマチュアも多くの科学分野で研究を続けていた。しかしこれらのアマチュアの科学者の成果は多くの学問分野では注目されることがほとんどなかった。

また、多くのアマチュア科学者は自然史クラブや同好会、自然史博物館などの支援を受け、現在まで継続されている事例もある。その成果は米国マサチューセッツ州の「New England Botanical Club」、「ロンドン自然史博物館誌」、「London Natural History Society」などの学術誌に掲載された。これらの組織や学術誌は、1800年代の末から1900年代の初期に組織化され、専門の研究者とアマチュア、ナチュラリストなどから構成されていた（Miller-Rushing *et. al.*, 2012）。

1950～60 年代は日本と同様に世界の各国でも健康や公衆衛生に関する深刻な状況が生じ、市民が地域社会や研究者と共同してその原因や現状を明らかにする市民科学活動が開始された時期でもあった。その事例の１つとして、「子供の歯調査（Baby Tooth Survey）」のプロジェクトを紹介する。

●●●●●●●●●●●●●●●●●●●●●●●●

核実験廃止条約に貢献した子供の歯調査

米国のセントルイスでは、1950 年代から、大気中核実験による放射性降下物の風による拡散が子供たちの健康に及ぼす影響が懸念されていた。放射性降下物は放射性同位元素のストロンチウム 90 を含む。この元素は、人間の骨や歯、特にミルクを飲む成長期の子供たちに取り込まれることが知られていた。そこで 1959 年、子供を持つ親、教育者、医療専門家、科学者らが市民委員会（The Greater St. Louis Citizen's Committee for Nuclear Information）を結成し、子供の歯調査（Baby Tooth Survey）プロジェクトがスタートした。保護者をはじめとする地域住民は、セントルイス地域とその他の地域で、10 年以上をかけ、約 32 万人の子供たちの歯を集め、研究者によってその分析が行われた。その結果、冷戦のピークに生まれた子供たちの歯のストロンチウム 90 は、その 15 年前に生まれた子供と比較して 50 倍高いことが証明された。この結果はのちに核実験の廃止条約に貢献することとなった（Nevelle, 1998）。

●●●●●●●●●●●●●●●●●●●●●●●●

20 世紀における飛躍

19 世紀末、科学の歴史の中で、市民科学が新たな役割を担う変革の時代を迎えた。

第１の変化は、市民科学が、専門の科学者だけではできない、**大規模なスケールでのデータの収集**を容易にしたことである。その結果、科学者とボランティアが得たデータを管理し、分析する国レベルの市民科学が開始された。

これらのプログラムの例として、The US National Weather Service Cooperative Observer Program（1890）、Christmas Bird Count（1900）、Bird Life Australia（1901）を挙げることができる。その後開発されたプログラムでは、国境を越えた大陸レベルの生物と自然に関するデータ収集も可能となり、やがて地球規模のスケールに拡大した。たとえば、ボランティアによって集められた気象データは、世界の気象機関へ送られ、気候に関する最も長期的なデータセットを提供しており、これらのデータは農業、計画立案、最近の気候変動の評価にとって不可欠となっている。

第2の変化は、市民科学の活動に、特権的な少数の人ではなく、**すべての人が参加できる**ようになったことである（Silvertown, 2009）。この初期の市民科学プロジェクトの例として、1900年に開始され、現在も継続されている米国の全米オーデュボン協会によって毎年実施されているクリスマスバードカウント（Christmas Bird Count）がある。

米国とカナダで最も歴史が長い市民科学プロジェクト、クリスマスバードカウント

1900年、米国の鳥類学者であり、全米オーデュボン協会の創始者であったフランク・チャップマン（Frank Chapman）は、北米でクリスマスの恒例行事として行われていた、殺した鳥の数を競うハンティングイベントに代わって、観察した鳥の数を競うイベントの開催を提案した。その年のクリスマスには、米国とカナダの25か所で鳥の観察が開始され、90種、1万8,500羽が観察された。プロジェクトはその後も多くの人の支持を得、101回目の開催となった2012～2013年の冬には、17か国から7万人以上の参加があり、約400か所で観察された。

参加を希望するボランティアは5ドル（2012年からは無料）を支払い、あらかじめ協会が設定した場所を協会のWebサイトから探して申し込みを行う。調査は、クリスマス期間中に、指定された半径15マイルの円形のサークル内で鳥の種類と数をチームで観察して報告する。

クリスマスバードカウントは、北米の鳥類の動向を明らかにするために必要な長期の科学的データの主要な情報源となっている（Silvertown, 2009）。収集されたデータは、オーデュボン協会のWebサイトからだれでも自由にダウン

➡**クリスマスバードカウント**　https://www.audubon.org/conservation/join-christmas-bird-count

ロードでき、集計や分析が可能である。参加者と研究者との協働により、これまでに350近い科学論文とレポートが公開されており、Webサイトでそのリストを閲覧できる。論文には、個体数の動態、群集生態学、生物地理学などの研究が含まれている。

協会では、鳥類及びその生息地の保全に関する戦略の提案も行っている。たとえば、1980年代の調査ではアメリカガモの冬季個体数が減少していることを見出し、狩猟圧の抑制を提案した。また、過去40年間で、普通種の20種の個体数が平均で68%減少したとの報告は、ニューヨーク・タイムズ紙の社説でも取り上げられ反響を呼んだ（Silvertown, 2009）。

●●●●●●●●●●●●●●●●●●●●●●●

第3の変化は、市民科学は、従来の自然史や天文学の同好会（クラブ）の枠を超え、多様な分野に**活躍の場を広げた**ことである。市民は、DIYの実験室やサイエンスコミュニケーションなどで主体的な役割を担うようになった。これらの変化を後押ししたのは、簡易な測定機器の開発、パソコンやスマホの情報ツールや情報技術の普及、膨大なデータセットの解析など、新たな革新的な手法を市民が活用できるようになったことにある。その結果、プロジェクトの数は大幅に増え、また、プロジェクトの規模は大きくなり、そのインパクトも大きくなっている。

Webを用いた最初の市民科学プロジェクトの開発と実践には、米国のコーネル大学鳥類学研究所が先導的な役割を果たした（**図3-1**）。同研究所は、2012年に市民科学のはじめての本『Citizen Science: public collaboration in environmental research（市民科学：環境研究における市民の協働）』（Dikinson & Bonney, 2012）を出版した。特にeBirdのプロジェクトは、鳥の愛好家や鳥類学者が過去数十年間もしくは数世紀にわたって用いられてきた方法を用いているが、新たなテクノロジーを用いることにより、世界の数百万人の鳥愛好家を魅了し、その観察データは鳥類生態学や保全に新たな洞察を加えている。**図3-1 c**のボンター氏は、現在は同研究所の市民科学部門の長として、市民科学を牽引している。またクーパー氏は『Citizen Science: How Orginary People are Changing the Face of Discovery（市民科学：「普通の人々」が発見のあり方を変えていく）』と題する著書もあり、米国の市民科学の進展に先

図3-1　コーネル大学鳥類学研究所（CLO）（ニューヨーク州イサカ、撮影2012年10月）
コーネル大学鳥類学研究所は、Webを用いた市民科学の開発に先導的な役割を果たしてきた。a: 研究所のエントランス、b: 研究所に隣接する鳥類観察ができる湖、c: CLOの研究員のディビッド・ボンター David Bonter氏（右、システム開発）とカレン・クーパー Caren Cooper氏（左、プロジェクト開発）。D: 研究所内のショップ。CLOで開発した5つの鳥類の市民科学プロジェクトに関連する書籍、双眼鏡、餌台など多様なグッズを購入できる。

駆的な役割を果たしている。

教育への貢献

市民科学の“市民による科学の学び”としての意義も急速に高まっている。すなわち、市民科学は、市民の科学的リテラシー（科学の知識、技術、能力）、科学への興味（関心）を高め、また特定のプロジェクト（たとえばチョウの生態学、天文学、分子生物学、気候変動など）についての情報を広範囲な市民に提供している。過去のプロジェクトの多くは科学的な目的を達成することを主な目的として計画された。しかし、現在の多くの市民参加型プロジェクト（貢献型）では、参加者の科学的リテラシーを伸ばし、取り組んでいる課題を理解する手法として企画されている。さらに、協働型や共創型の市民科学プロジェクトでは、市民が主体的に科学の多様なプロセスにかかわることにより、科学の多くの側面を学ぶ機会となっている。

2. データにみる市民科学プロジェクトの多様性とその変化

英国の生態学・水文学センター（UKCEH: UK Centre for Ecology & Hydrology、**図3-2**）は、NPOであるが、500名の科学者が環境変化の調査、モデル化を行い、英国の市民科学の先導役も果たしてきた。本センターの研究員のポコックらは、市民科学プロジェクトが最も多く実施されている、「環境」と「生物多様性」の分野を対象として、プロジェクトで用いられているアプローチの多様性を定量的に評価した（Pocock, 2017）。また過去63年間で、プログラムの多様性がどのように変化したかを明らかにした。ポコックらは、研究を始めるにあたり、2012年7月に、5つの主要な市民科学のWebサイトやGoogle検索エンジンで「市民科学」関連の4つの用語を検索し、十分な情報がある509のプロジェクトを対象として分析に着手した。

図3-3は、対象とした509のプロジェクトの63年間（1950～2013年）の累計数を対数で示している。プロジェクト数は1950年から経時的に増加し、増加速度は1965年と1990年を境に高くなっている。

図3-4は、対象とした509のプロジェクトを32の属性を多因子分析法で解析した、プロジェクトの多様性の分布を示している。プロジェクトの特徴は、2つの主成分が直交するX軸とY軸で示している。X軸は、用いた方法に基づき体系的モニタリングと大規模参加に分けられ、Y軸は用いたアプローチに基づき、単純なアプローチから精緻なアプローチに分けられている。図中には、各プロジェクトの該当する位置が●で示されている。

対象とした全プロジェクトはX軸とY軸によって分割された4つの領域(図のi～iv）のほぼ全体に分散しており、多様な方法とアプローチが用いられてきたことがわかる。なお図中の「v」に示されている○は、インターネット活用のプロジェクトを示す。

➡英国生態学・水文学センター　https://www.ceh.ac.uk

図 3-2　英国生態学・水文学センター（撮影 2017 年 7 月）
a: センター、b: ポコック Pocock 氏

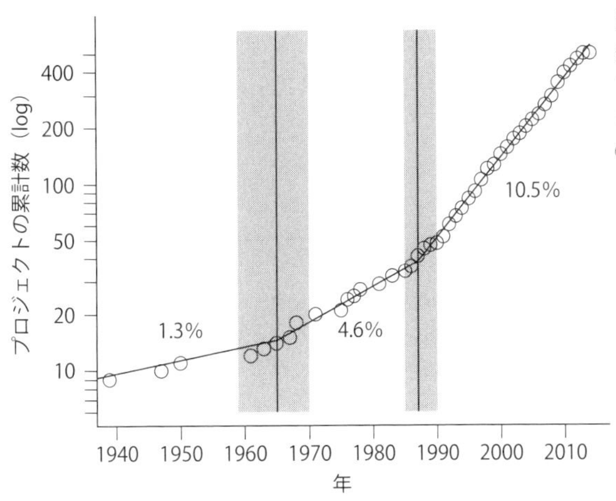

図 3-3　環境と生物多様に関する市民科学プロジェクトの累計数（1950〜2013）（Pocock *et al*., 2017 に基づき作図）

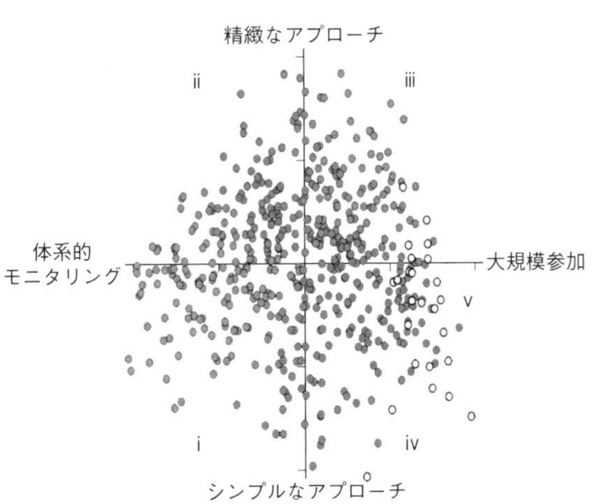

図 3-4　環境と生物多様に関するプロジェクトの多様性の分布（1950 〜 2013）
（Pocock *et al*., 2017 に基づき作図）
口絵 1 も参照。

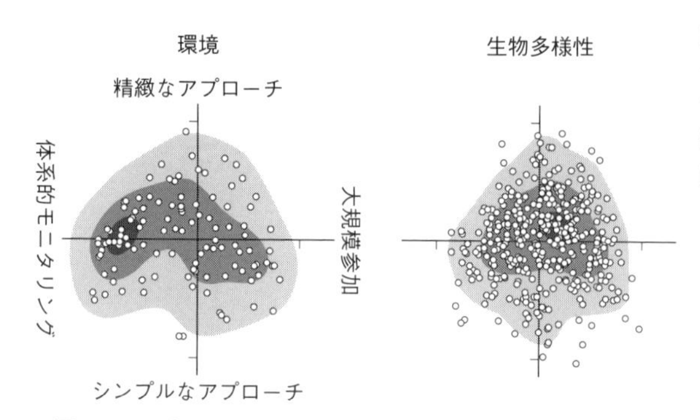

図 3-5　２つの主要テーマ別の市民科学プロジェクトの分布特性（Pocock *et al.*, 2017 に基づき作図）

図 3-5 は主要なテーマである「環境」と「生物多様性」を対象としたプロジェクトをプロットした結果である。環境を対象としたプロジェクトでは体系的なモニタリングが多い傾向があるが、生物多様性を対象としたプロジェクトでは分散的で多様なアプローチが用いられていた。

図 3-6 は市民参加の程度による分布特性を示している。貢献型プロジェクトが圧倒的に多く、共創型と協働型のプロジェクトは少ない。しかし、共創型は領域ｉ、協働型は領域 ii に多い傾向が認められた。

図 3-7 はプロジェクトの特徴の経時的な変化を示している。**図 3-7a** は分布の変化を示しており、**図 3-7b** はそれを棒グラフで表現している。過去 63 年間でプロジェクトの方法とアプローチは 10 年ごとに大きな変化が見られたことは注目に値する。同じデータを棒グラフで示している**図 3-7b** では、2000～2009 年は 225 とそれ以前と比較して大幅に増加している。2010～2013 年は 4 年間のみで 151 のプログラムが実践されており、2019 年までの累計値は 2000～2009 年よりも増加すると考えられる。また、ｉの領域に分類される体系的なモニタリングとシンプルなアプローチを用いたプロジェクトは、1990 年以前のプログラムで最も高い割合を占めたが、時間経過とともに減少している。領域 ii に分類される体系的なモニタリングと精緻なアプローチを用いたプロジェクトは、1990 年以前と 1990～1999 年は高い割合を占めたが、それ以降減少した。それとは対照的に 2000～2009 年では、iii の領域に分類される大規模参加で精緻なアプローチのプロジェクトの割合が最も高い。2010～2013 年は短期間であるが、大規模参加でシンプルなアプローチのプログラムが占める割合が最も高く、急速に拡大しているのがわかる。さらに、多因子分析法で３つ目の軸として示された、**図 3-4** の「v」

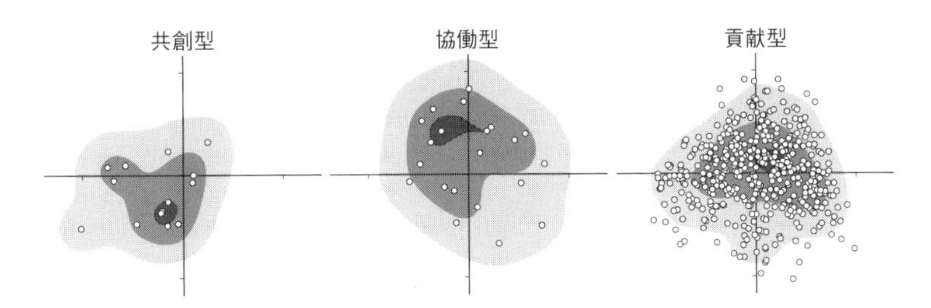

図3-6　市民参加の程度によるプロジェクトの分布特性（Pocock *et al.*（2017）に基づき作図）

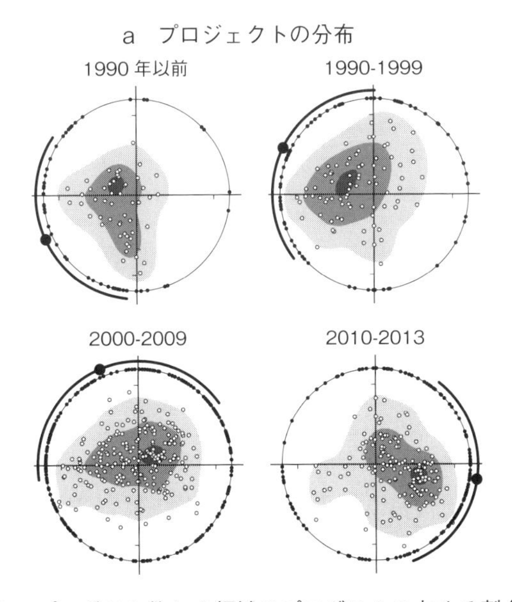

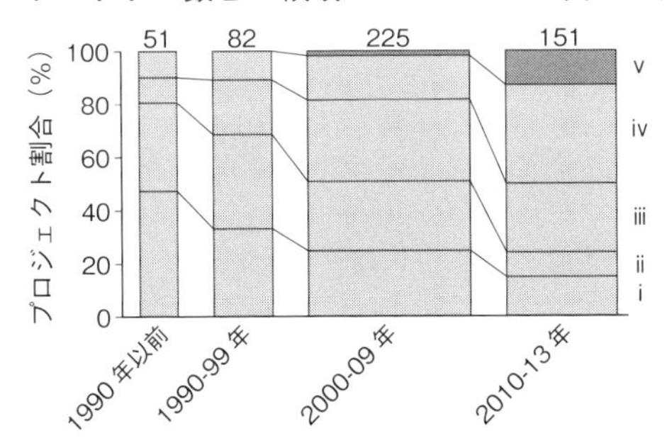

図3-7　プロジェクトの特徴の経時的変化（Pocock *et al.*, 2017に基づき作図）
a: プロジェクトの分布、b: プログラム数と4領域のプログラムの占める割合

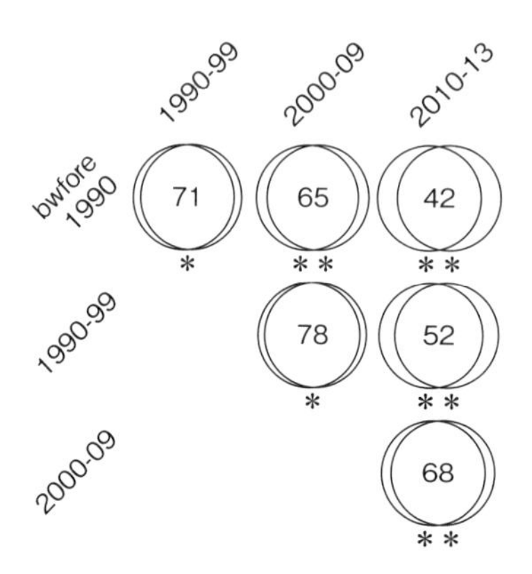

図 3-8　開始時期別にみるプロジェクトの継続率の変化（Pocock *et al*., 2017 に基づき作図）
数字は継続率を％で示す。
＊＜ 0.05、＊＊＜ 0.01。

の領域であるインターネットを活用したプロジェクトが 13％を占めたことも注目される。インターネットを活用したプロジェクトでは、大規模参加でシンプルなアプローチが、大部分を占めた。

図 3-8 は開始時期別のプロジェクトの継続率を示している。特に、1990 年以前に開始されたプロジェクトの 42％が 2010 年〜2013 年にも継続されていることは特筆すべきである。プロジェクトの多様性は経時的に変化しているにもかかわらず、継続されているプロジェクトは多い。また、研究者による研究テーマの継続期間が 3〜4 年であることを考えると、市民科学プロジェクトの長期的な活動は市民科学の際立った特徴と言える。

第 3 章 引用文献

Brenna, B. 2011. Clergymen abiding in the fields: the making of the naturalist observer in eighteenth-century Norwegian natural history. *Science in Context* **24**: 143–66.

Chuine, I., Yiou, P., Viovy, N. & Seguin, B. 2004. Historical phenology: grape ripening as a past climate indicator. *Nature* **432**: 289–90.

Cooper, C.B. & Lewenstein, B.V. 2016. Two meanings of citizen science. *In*: Cavalier, D., & Kennedy, E.B. The Rightful Place of Science: Citizen Science. Consortium for Science, Policy & Outcomes. 51-62.

Dickinson, J.L. & Bonney, R. (eds). 2012. Citizen Science: Public Participation in Environmental Research. Comstock Publishing Associates.

Kobori, H., Ellwood, E.R., Miller-Rushing, A.J. & Sakurai, R. 2018. Citizen Science. Encyclopedia of Ecology 2nd,Elsevier.

Miller-Rushing, A.J., Primack, R.B. & Bonney, R. 2012. The history of public participation in ecological research. *Frontiers in Ecology and the Environment* **10**: 285-290.

Nevelle E.C. 1998. The tooth of the matter: science meets public through operation tooth. A.B., Hornor in Hisotry and Science Harvard University.

Pocock, M.J.O., Tweddle, J.C., Savage, J., Robinson, L.D. & H.E. Roy, L.D. 2017. The diversity and evolution of ecological and environmental citizen science. *PloS ONE* **12**(4): e01 72579.

Primack, R.B. & Higuchi, H. 2007. Climate change and cherry tree blossom festivals in Japan. *Arnoldia* **65**: 14–22.

Silvertown, J. 2009. A new dawn for citizen science. *Trends in Ecology & Evolution* **24**(9): 467-471.

Tian, H., Stige, L.S., Cazelles, B., Kausrud, K.L., Svarverud, R., Stenseth, N.C. & Zhang, Z. 2011. Reconstruction of a 1910-y-long locust series reveals consistent associations with climate fluctuations in China. *Proceedings of the Natural Academy of Sciences of the USA*. **108**: 14521–14526.

広く、たくさん
得手不得手の見極めは重要
得意なことを活かして
参加者が集まらない
強みと弱みを理解しよう！

第4章　日本、英国、米国の市民科学史

市民科学はこの20年ほどの間に大きく飛躍を遂げたが、ここまで述べてきたように、その芽ははるか以前に芽吹き、市民の中に根付いていた。本章では、日本、英国、米国における市民による科学的活動の実例を紹介し、現代の市民科学へとつながる道程を追ってみよう。

1. 実例で見る日本の市民科学の歴史

長期的な記録

▶長期記録の意義

いつの時代でも、記録をとることは科学にとって最も重要なステップである。世界で最も長い記録のいくつかは日本にある。すでに述べた京都での8世紀から1200年間に及ぶサクラの開花の記録は、京都の長期間の気温変化を解析する研究に使用され、その結果、気温は20世紀の後半からが急速に上昇していることが明らかにされた（Aono & Kazui, 2008）。記録を残したのは多様な職業の人々であるが、これらの人々は科学に貢献することは意図していなかったであろう。しかし、これらの過去のデータは、現在では温暖化、生物多様性の長期的な変化を明らかにするための貴重なデータとして活用されている（Primack & Higuchi, 2009; プリマック・小堀, 2008）。産業革命以前のデータは、人為的な影響が少ない時代の環境のベースラインデータとしての意義もある。

▶農業暦と生物季節

日本の最も古い記録の多くは、祭事や農業など生活や文化に欠かせない出来事に関連している。たとえば、農業関係者によって残されてきた農業暦には、稲作における田作り、田植えや田んぼの水を抜く中干しや収穫など、農作業の開始時期を知るうえでの貴重な情報が記載されている。また、日本人が愛でてきた身近な生き物や季節の変化を示す自然現象に関する情報も多く残されている。たとえばモモやウメの開花、ツバメの初見日、セミの鳴き声、ア

表4-1 江戸時代の和暦と現在の生物季節の変化の解析に用いた動植物と温暖化による変化予測

	名称	学名	項目	予測
鳥類	ウグイス	*Cettia diphone*	初鳴き	早い
	ツバメ	*Hirundo rustica*	初認	
昆虫	モンシロチョウ	*Pieris rapae*	初見	早い
	ゲンジボタル ヘイケボタル	*Luciola crusiate* *Luciola lateralis*	初見	
	ヒグラシ	*Tanna japonensis*	初鳴き	
植物	アンズ	*Prunus mume*	開花	早い
	モモ	*Amygdalus persica*	開花	早い
	カエデ	*Acer palmatum*	紅葉	遅い

キアカネの飛来などの生物による季節的な現象は「生物季節」と呼ばれ、多くの市井の人々により記録されてきた。

日本では、9世紀に唐よりもたらされた太陽暦が長い間用いられてきたが、江戸時代には日本に適した太陽暦に改められた。江戸初期の天文暦学者であった渋川春海（しぶかわしゅんかい）（1639～1715年）は日本各地の緯度・経度を自ら測定し、「貞享暦（じょうきょうれき）」と呼ばれる和暦を完成させた。和暦では、太陽が地球を一周するのを基に1年間を24の季節に分けた「二十四節気」（一節気は15日からなる）、さらに「二十四節気」を3つの期間に分けた「七十二候」（一候は5日からなる）が用いられていた。各候には、その5日間に特徴的な自然現象、動物の生物季節と植物の生物季節の3つをセットとして作成された。江戸時代の人々は細やかな季節の変化を日々の暮らしの中で敏感に感じて生活していたのであろう。

▶和暦の生物季節観測データが示す温暖化の影響

渋川春海が編纂した貞享暦は、1685年から1755年までの70年間使用され、その後、改定された宝暦と寛政暦が89年間使用された。しかし、明治政府が西暦を導入した後は、和暦は用いられなくなった。著者の研究室では江戸時代のこれら3つの和暦（159年間）に用いられた動植物の生物季節と最近の過去59年間の気象庁の生物季節観測データ（1953～2011年）で共通に用いられていた動植物を選び出し、この間の気温の変化とそれに基づく動植物の生物季節の変化に有意な差があるかを調べた（Komatsu *et al.*, 2012a; Komatsu *et al*, 2012b; Kobori, 2013）。**表4-1** に、用いた動植物リストと温度変

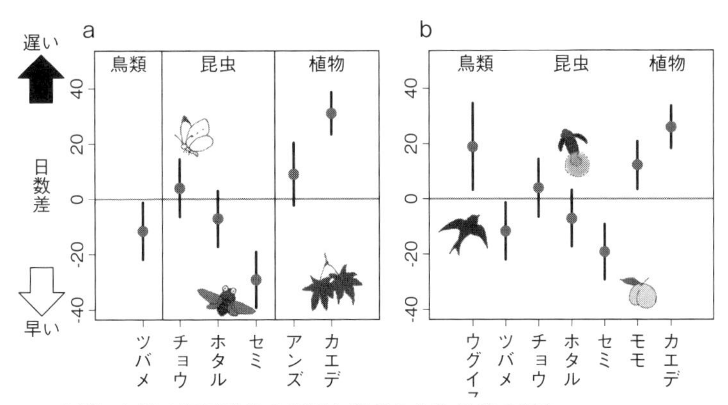

図 4-1　京都における江戸時代の和暦と現代の生物季節の変化（Komatsu *et al.*, 2012a; Kobori, 2013 に基づき作図）
a: 貞享暦と現在の変化、b: 寛政暦現在の変化。図中の線は SD（標準偏差）を示す。

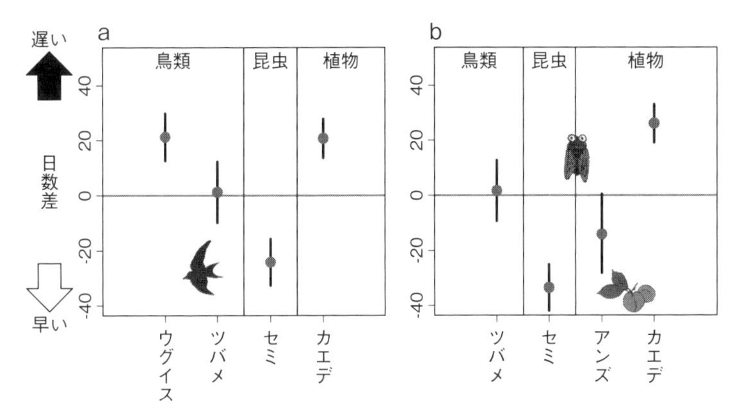

図 4-2　東京における江戸時代の和暦と現代の生物季節の変化（Komatsu *et al.*, 2012b に基づき作図）
a: 貞享暦と現在の変化、b: 寛政暦と現在の変化。図中の線は SD（標準偏差）を示す。

化による予測を示した。温暖化により、リストに挙げた春の生物季節の事象は、現在は江戸時代よりも早くなり、秋の事象（紅葉）は遅くなると予測した。**図 4-1**、**図 4-2** には、各々京都と東京の1標本 *t* 検定を用いた解析結果を示す。

現在の気温は江戸時代よりも 3.5 度上昇したと予測される。ツバメ以外は、2つの和暦と現在の生物季節の変化はいずれも有意な差が見られ、温暖化の予測結果と一致した。生物季節の変化は動物の方が植物よりも大きく、動物は、温度変化に敏感に対応していた。しかし、最も大きな差はカエデの紅葉で、現在は江戸時代より紅葉が１か月間も遅くなっていた。このような、長期の歴史的な記録と現在の記録を比較できるデータは、世界的にも貴重である。

Citizen Science 登場以前の市民科学者たち

▶江戸時代中期～後期の町人科学者

江戸初期の天文暦学者であった渋川春海について上に紹介したが、江戸時代の中期と後期にも優れた町人科学者が登場した。

平賀源内（ひらがげんない）（1728～1780年）は、江戸中期の本草学者（現在の薬学者）・科学者・戯作者であった。24歳で高松藩主に見いだされ、長崎で医学・本草学を修めたが、26歳で藩務を退役した。その後、江戸を中心に寒暖計・火浣布（かかんふ）（石綿布）の発明、欧州のエレキテル（摩擦起電機）などの機器の運用、製陶（源内焼）や鉱山の開発などの殖産事業の分野でも活躍した。29歳で日本初の全国規模の物産博覧会を開催し、全国の1,300種の動植鉱物を陳列し、全国25箇所に取次所を設けた。さらに全５回の博覧会の出品物から約2,000種を選び、その実証的な解説や挿図からなる『物類品隲（ぶつるいひんしつ）』6巻を刊行した。本書は、日本の博物学史の画期的な業績と評されている（芳賀,1981)。

伊能忠敬（いのうただたか）（1745～1818年）は、江戸時代後期の優れた町人科学者であった。千葉県佐原市の商家・伊能家の当主として、酒造業や金融業、運送業などを営み、町の名主としても人望があった。しかし、50歳の時に家督を息子に譲り、江戸にて天文学（暦学)、測量学などを学んだ。その後、55歳から71歳までの17年をかけて日本全国を実測し、日本ではじめての全国地図である「大日本沿海輿地全図（だいにほんえんかいよちぜんず）」を完成させた。測量には従来の３つの方法を組み合わせて精度を高め、当時の欧米の地図と比較しても遜色がなかった。地図は江戸時代には一般に活用されなかったが、明治維新後、新政府による軍事、教育、行政用の地図の基本図としても使われ、明治末期までの100年間にわたって活用された（保柳,1997)。

▶南方熊楠

明治から昭和初期に活躍した市民科学者として、南方熊楠（みなかたくまぐす）（1867～1941年）が挙げられる。熊楠は和歌山県生まれの世界的な博物学者、民俗学者である。大学予備門（東京大学教養課程の前身）を中途退学してアメリカ、イギリスに渡り、14年間ほとんど独学で動植物学、考古学、人類学を研究した。大英博物館の嘱託として東洋文献目録の編集にもたずさわった。33歳で帰国後は粘菌類の研究を精力的に進めるかたわら、膨大な民俗学などの著作を著した。また、明治政府による神社合祀（ごうし）によって小集落の鎮守の森が破壊されることを危惧し、神社合祀反対運動を展開し、自然保護運動のはしりとして再評価されている（http://www.minakatakumagusu-kinenkan.jp/kumagusu）。

市民科学の始まり：モニタリング調査

▶ウミガメ上陸調査

日本における市民によるモニタリング調査の先駆けは、1950年代に徳島県阿南市の日和佐（ひわさ）海岸で開始されたウミガメの上陸調査である（近藤, 1994; 中東, 1994）。同じ阿南市の蒲生田（がもうだ）海岸では、1954年より、地元の蒲生田小学校の生徒が上陸を記録している（鎌田, 1994）。この2例は、世界で最も長期に継続されている市民によるウミガメ調査である。2つの海岸で得られた記録は、アカウミガメの個体群の長期的な変動パターンを理解するために活用されている。その後、全国の産卵地では個人や団体が独自に「ウミガメの産卵地での産卵回数等の調査」を実施し、やがて全国の40以上の砂浜で調査されるようになった。

図4-3　「日本のアカウミガメの産卵と砂浜環境の現状 第2集」（写真提供：日本ウミガメ協議会）
日本ウミガメ協議会が2017年に刊行した報告書

ウミガメは世界で7種しかおらず、そのうちの6種は、IUCN（国際自然保護連合）のレッドリストにおいて絶滅危惧種に指定されているため、生息数や個体群規模の動向を知ることは保全上も重要である。しかし、ウミガメは広い海を回遊して生活するため、それらを直接目視で数えることは困難である。幸い、ウミガメは産卵時には必ず砂浜に上陸するため、上陸回数や産卵

➡ NPO法人日本ウミガメ協議会　http://www.umigame.org/index.html

回数を数えることは小中学生にとっても比較的容易であり、また個体群規模を知る貴重なデータとなる。

日本の砂浜で産卵するのは、アカウミガメ、アオウミガメ、タイマイだけである。特にアカウミガメは北太平洋では日本だけで産卵するため、長期間にわたり調査が続けられてきた。しかし、産卵地や産卵回数などのデータの多くは公表されていなかった。「NPO 法人日本ウミガメ協議会」では、1990 年に全国規模のアンケート調査を実施して全体像の把握を試みた。以後、毎年調査を継続させてきた（Kamezaki & Matsui, 1997）。また、同 NPO では、各地の調査結果を埋没させないよう資料集を出版し、公表している（**図 4-3**）。

▶ガンカモ類生息調査

ガンカモ類の生息調査も長い歴史を持ち、全国各地で、市民、環境 NPO、猟友会の会員などが調査してきた。1969 年には林野庁が各都道府県の協力を得て「ガンカモ科鳥類の生息調査」を開始した。当時は鳥獣行政は林野庁の所管で、集めたデータを参考にして湿地の保全区域や鳥獣保護区を設定することなどが目的だった。そのためにガン、カモ、ハクチョウなどの冬の生息状況、飛来傾向、生息地の状況などの基礎データが収集され、1970 年からは報告書が公表されてきた（林野庁指導部造林保護課, 1970）。調査は全国 47 都道府県を対象とし、現地調査には都道府県の職員に加え、鳥獣保護員、全国規模の自然保護団体（日本野鳥の会、日本鳥類保護連盟）、各地域の NPO 団体や日本猟友会の会員と多くの地域住民が参加した。現在は環境省がとりまとめを行っている。

現在の調査は、毎年 1 月に過去の調査結果や鳥獣保護団体等からの情報に基づいて、ガン、カモ、ハクチョウの一部の調査地で個体数を調べている。2007 年より調査名は「ガンカモ類の生息調査」と変更され、現地調査員は定められた報告用紙にデータを記入し、電子メールで環境省生物多様性センターへ送っている。集計されたデータと分析結果は報告書として公開されている。2019 年の第 50 回目の調査では、ボランティアなど約 3,600 人の協力を得て実施された。その結果、全国約 9,000 地点において、ハクチョウ類

➡生物多様性センター ガンカモ類の生息調査
http://www.biodic.go.jp/gankamo/gankamo_top.html

約7万3,000羽（4種）、ガン類約25万3,000羽（6種）、カモ類約162万2,000羽（30種）が観察された。データベースも公開されており、閲覧が可能である。

ガンカモ類の生息調査は、行政が先導的な役割を果たしたはじめての全国規模の生物モニタリング調査で、その継続性の観点からも優れた市民参加型調査である。

自然や環境保護の取り組み

1960年代には、自然を守る前提として、自然について知識を深める「自然教育」、自然の仕組みを伝える「自然保護教育」が盛んとなった。特に、東京都や神奈川県の都市的自然が豊富であった地域では、題材も豊富な場所で展開され、コミュニティ形成の場ともなった。「日本自然保護協会」や「三浦半島自然保護の会」は、1950年代から活動を開始し、現在の自然環境教育の原点となっている。日本自然保護協会の設立に当たっては、日本の生態学、環境教育の進展に主導的や役割を果たした沼田眞氏も尽力し、その後、日本を代表する環境NGOへと成長した。三浦半島自然保護の会は、1955年に地域に根差し、三浦半島全体を対象とし、「捕らずに観察する」という新しい自然観察を通じた自然保護活動を開始し、活動を次世代ににつなげる人材育成を行ってきた。

1960年後半からは、自然を守る市民活動も盛んとなった。その先駆的な事例として、千葉県市川市の「新浜を守る会」の活動が挙げられる。新浜を守る会は、自然保護の前提として自然と触れる機会を持つことを目的に「自然観察会」を開催した。その背景には、日本有数の渡り鳥の飛来地であった新浜が千葉県による京葉商工業地帯拡大の埋め立て工事によって失われる懸念があり、新浜の野鳥を守りたいとの住民の思いがあった。1967年に「新浜を守る会」が結成され、街頭署名や国会への働きかけを行うようになった。これは日本最初の干潟の保全活動と言われる（茅野, 2011）。

日本鳥類保護連盟や日本自然保護協会からの支援を受け、1967年には埋立計画地1,000 haのうち83 haが鳥獣保護区として残ることとなった。同年、行徳野鳥観察舎がつくられた（茅野, 2011）。

公害時代の市民調査

1960年代中期からの10年間は、高度経済成長により、大気汚染、水質汚濁、自然破壊、重金属汚染などの問題が日本各地で顕在化し、健康被害も報告され、公害が社会問題となった。1963年、静岡県は大規模な沼津・三島の石油コンビナート建設計画を発表した。その計画は、当時、公害病の四日市ぜんそくが問題になっていた四日市の石油コンビナートを上回ったため、三島・沼津・清水の2市1町の住民、農民らは健康被害を理由に反対運動を展開した。

▶市民調査で石油コンビナート建設計画撤回へ

この健康被害を科学的に立証したのは、三島市にある国立遺伝学研究所の松村清二氏を代表とする研究者と地元の高校教員などによる、独自の環境影響評価の事前調査報告書であった（三島市, https://www.city.mishima.shizuoka.jp/ipn001983.html）。報告書には、大気汚染物質、気象、植物、環境衛生への影響、用排水などの綿密な調査結果が記載されていた。当時、調査団のメンバーで沼津工業高校の教師であった西岡昭夫氏（気象学）は高校生とともに、鯉のぼりによる気流調査や牛乳ビンによる海流調査などを行った。地域住民からなる多様な組織による学習会は数百回以上行われた。（飯島・西岡, 1973）。民間によるこの報告書は政府が委託した大規模な総合的事前調査報告である「沼津・三島地区産業公害調査報告書」とは異なる見解を示し、その後、建設計画を撤回させることにつながった。

▶水俣再生の取り組み

四大公害の1つである水俣病（1956年）の現場となった熊本県水俣市では、その後地元学が提唱され、市民による水俣再生の取り組みとして、主に水や自然環境に関する徹底した現地調査を実践した。足元の「あるもの探し」（地域資源カード作り）を実施して、絵地図や地域資源マップを作成した。こうした地域学習を通じて、地域づくり・生活づくりが展開された（吉本, 2001）。

▶窒素酸化物モニタリング

1970年初頭には、光化学スモッグによる目への刺激やのどの痛みなどの健康被害が全国で相次いだ。1973年には、光化学スモッグ注意報の発令は21都府県で年間328日を超え、ピークに達した。光化学スモッグの主な原因は、工場や自動車の排気ガスなどに含まれる窒素酸化物と塗料や接着剤などに含まれる揮発性有機物が大気中の紫外線と反応を起こして光化学オキシダントを生じることである。窒素酸化物のうち、二酸化窒素（NO_2）は特に強い毒性を持ち、肺から吸収されると粘膜の刺激、気管支炎、肺水腫などを生ずることが知られていた。

しかし、1970年ころは国内の多くの地域で、詳細な二酸化窒素の測定は行われていなかった。1973年に天谷和夫氏（元通産省工業技術院東京工業試験所及び元群馬大学）は、小型捕集管とスポイト式比色計を組み合わせた二酸化窒素大気汚染簡易測定器を国内ではじめて開発し、大規模な市民参加による測定を可能にした。1974年の環境週間には、東京の環状7号線沿線で3日間、延べ3,700か所で市民による測定が行われたのを皮切りに、神奈川県、千葉県などでも環境週間の行事として定着していった（天谷,1981）。

その後石油ショックのために調査の規模は縮小したが、汚染の激しい12月の測定は継続され、1978年以降は、調査は全国に広がり、学校や協同組合でも行われ（朴・長屋,2000）、1992年の環境と開発に関する国連環境会議（地球サミット）では日本の優れた事例として紹介された。その後、天谷氏により大気濃度直視式の改良測定器が作成され、それを普及する国内組織「環境監視ネットワーク」によるモニタリングが行われている。さらに、資金の少ない発展途上国での測定を容易にするため、超安価な目視法や能動法による1時間値の簡易基準測定器も開発された。

2020年の夏は、東京都を中心に関東地方で光化学スモッグ注意報の発令が相次ぎ、市民による広域的な二酸化窒素の測定の重要性が再認識されている。

地域レベルでの活動の展開

1970年後半から社会の関心は公害から次第に地域の豊かな自然や生き物を知る活動やその保全活動へと変化が見られた。また、地域の特性や課題に焦点を当てた活動も活発化した。その事例として、多摩川の支流の野川で展開された「水みち」の検証とその保全活動を紹介する（水みち研究会,1998,1992）。

図 4-4　野川の水みち調査（撮影：神谷博）
水みちの調査をした井戸と調査風景

「水みち」の存在を明らかにした井戸水調査

「水みち研究会」の活動は、私たちが見ることができる川の流れと同様に、地下にも水の流れ「水みち」があるのではないかという科学的な問いから開始された。その背景には、2つの懸念があった。第1は、多摩川の支流の1つであり東京都国分寺市に源流を持つ野川における、1960年以降の都市化による水質汚濁と1970年以降の開発による湧水の減少である。第2は、国分寺市に隣接する小金井市で1975年に発生した地下工事にともなう井戸の汚染事故により、井戸を使用していた住民に健康被害が生じ、死者も出たことであった。この被害は凝固剤裁判として全国でも報道され、国側の鑑定人は地下水理論に基づいて工事との因果関係はありえないと主張した。一方、井戸を使っていた地域住民は、長年にわたる地下水の変化を体験しており、工事が原因ではないかとの疑問を持っていた。しかし、当時は地下水の湧出機構が科学的に解明されていなかった。

これら2つの懸念が契機となり、1973年には、湧水の背後には「水みち」のようなものがあり、井戸は地下の「水みち」とつながっているのではないかとの仮説が提唱され、1988年、これを検証する市民による「水みち研究会」の活動が開始された。井戸の持ち主や井戸職人に対する聞き取り調査から、「水みち」は確かにある、という確証を得るに至った（**図 4-4**）。その後、研究者によって「水みち」の存在は科学的にも明らかにされた。

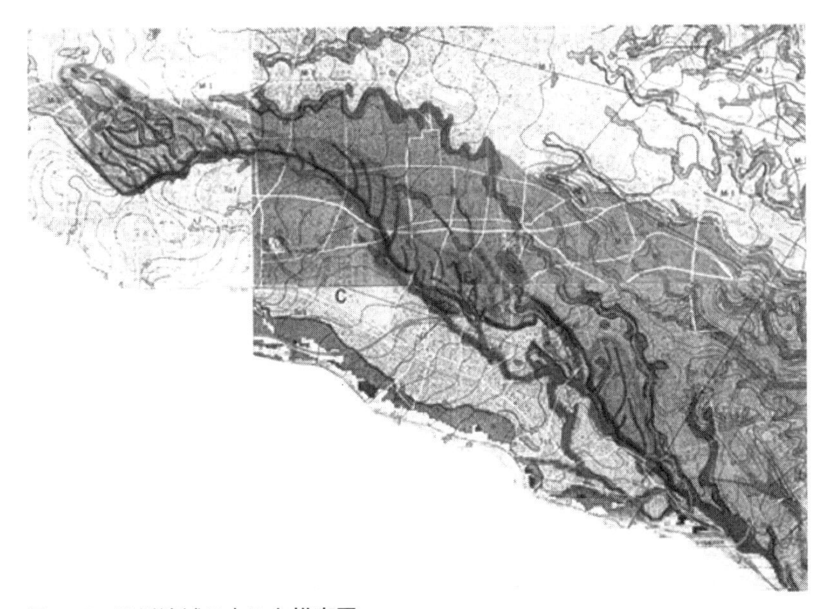

図 4-5　野川流域の水みち推定図
1/50,000 土地分類基本調査（地形分類図）「東京西北部」1998 年、「東京西南部」1987 年、「川越・青梅」1996 年を基に神谷博が編集

「水みち研究会」では、10 年をかけて野川流域の「水みちマップ」（**図 4-5**）をまとめた。現在も市民団体と住民との協働による湧水の調査と保全活動が継続されている。現在では、「水みち」という言葉は社会でも広く使われるようになり、水みちは工事に際して配慮すべき要件として社会的にも認知されている。アカデミズムの目が届かないところに科学の光を当てた優れた市民科学の事例である。

2つ目の事例は、横浜市のビオトープ（トンボ池）の創生プロジェクトである。

●●●●●●●●●●●●●●●●●●●●●●

多様な主体が地域におけるビオトープの意義を検証

横浜市では、1960 年以降、都市化により緑地と水田やため池など身近な水辺が減少の一途をたどった。そのため 1981 年、横浜市の市民、行政、開発業者が参画して「横浜市の緑の環境をつくり育てる条例」が制定され、水辺を含めた緑の創生プロジェクトが開始された。1986年には、横浜市環境創造局はエコアップ計画事業を開始し、地域と連携しながら、横浜市全域のせせらぎ、市内の公園、小学校などの130か所以上に水辺のビオトープを創生した（Primack *et al.*, 2000; Kobori, 2009; 2017a）。

トンボは環境指標性を持ち、人気のある生物のため、ビオトープは通称「トンボ池」と名づけられ、行政により**図4-6**に示す「やってみよう！トンボ池」の冊子も作成された（横浜市環境創造局環境活動事業課, 1998）。1992年には大道小学校の校庭にビオトープが作られた。地域住民、学校の教師、生徒、卒業生、PTAが一体となり、「校庭にむかしのふるさとの原風景を取り戻りもどそう」を合言葉に、活動が開始された（**図4-7**）。ビオトープはその後、学校の環境教育にも活かされた。

図4-6　トンボ池づくりの冊子「やってみよう！トンボ池」
横浜市環境創造局環境活動事業課が1998年に作成した

また、横浜市の京浜臨海部では、明治以降の広大な埋立事業によって、緑の少ない工業地帯が形成された。その後、工場立地法（1959）や都市緑地法（2004年改称）等の法令や横浜市の条例により、工場などの敷地内にも一定規模の緑地が確保されるようになった。環境マネジメントに配慮している企業、敷地内に緑を増やせない企業では次善の策として水辺のビオトープの創生が開始された。2003年には、企業、市民、行政、大学、専門家からなる「トンボはドコまで飛ぶかフォーラム」の組織が創設され、主に大企業の敷地内にトンボ池が形成された（トンボはドコまで飛ぶかフォーラム http://tomboforum.com/; 田口・田口, 2013）。また、これらのトンボ池では、生態系の飛び石としての機能や、臨海部の生物多様性の価値に寄与しているかを検証するため、トンボを対象としたモニタリング調査も開始された。毎年8月初旬の1週間、約50～150名の市民、企業、大学生、行政、専門家が、創生されたビオトープでトンボのモニタリング調査を行ってきた。

図 4-7　学校トンボ池の創生（撮影：森清和）
a: 横浜市の大道小学校の校庭でのトンボ池づくり（1992 年）。小学生、卒業生、父母、地域の住民による協働作業で行われた。b: 完成したトンボ池で遊ぶ子供達。環境教育にも活用された。

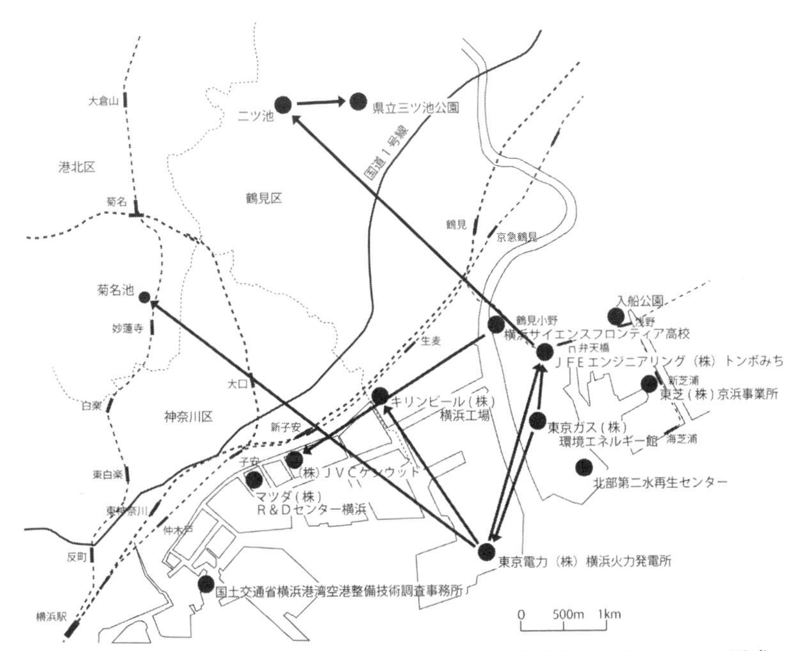

図 4-8　横浜臨海部の企業ビオトープのトンボの生態学的ネットワークの形成（トンボはドコまで飛ぶかフォーラム（2012）に基づき作図）
図中の企業名等は 2012 年時点の名称で、現在は変更されているものもある。

調査では、トンボの種数や個体数を調べるだけでなく、捕獲したトンボの後翅にマーカで番号を付け、再捕獲されたトンボがどのビオトープ間を移動しているかを確認することによって、創生したビオトープが生態学的な飛び石として機能を果たしているかを調べてきた。著者の研究室では、開始から10年間、毎年20～30名のゼミ生が夏のモニタリング調査に参加するとともに、夏期以外も継続的な調査を実施し、その成果を国内外で発表し貢献した（小堀，2013; Kobori, 2013; Kobori *et al*., 2012）。

この調査を開始した2003年には、11種の不均翅亜目のトンボが確認された。この結果から、工業地帯でもトンボが生存できるポテンシャルがあり、ビオトープはその生存や繁殖を支える機能を持つことが指摘された（トンボはドコまで飛ぶかフォーラム http://tomboforum.com/）。19年経った現在、確認された工業地帯の不均翅亜目はその倍の20種、内陸部まで含めると26種（含調査外）に増加し、この時の指摘の妥当性が検証されている（田口，2021）。また、1つのビオトープで2004年に絶滅危惧種IB類に指定されているチョウトンボが捕獲された後、確認地点は徐々に拡大し、2009年には調査対象地の6地点で確認された。2012年にはチョウトンボの減少が見られたが、その後4地点で確認され（トンボはドコまで飛ぶかフォーラム，2012）、ビオトープは希少種の保全や供給のサイトとしても機能していることが明らかとなった（田口・田口，2013）。

また、再捕獲法により、トンボは創生したビオトープ間を移動していることが確認され、臨海部の工業地帯のビオトープはトンボの生態学的なネットワークとして機能していることが明らかにされた（**図4-8**、田口・田口，2013）。**図4-8**に示すように、2012年までの初期10年間では4種10頭しか移動が確認されていなかったが、2021年現在、その確認数は累積7種28頭と驚くべき数となっている（田口，2021）。市民科学としての組織力はすでに黒いシオカラトンボ（ケンウッド型）で証明済みで、わずか1夏で659頭のサンプルを確保し、その結果は学会誌にも掲載された（田口，2020）。

●●●●●●●●●●●●●●●●●●●●●●●●

本事例の特徴は、埋め立て地の工業事業所に新たな水辺ビオトープを創生し、地域の多様な組織が各々の強みを発揮してビオトープの生態学的な意義を明らかにしたことである。

その活動は現在も継続されている。環境保全活動に熱心な市民、環境配慮に積極的な企業、市内の130か所の公園や小学校の校庭にビオトープ（トンボ池）を創生してきた実績を持つ行政、市民、市民団体、生徒や大学生、教員と専門家など地域の多様な人々のネットワークの成果である。

第３の事例は、横浜市の創生した水辺（トンボ池）の地域連携による改善プロジェクトである。

ビオトープの維持管理と問題解決型の環境教育

人工的に創生された水辺は、その後維持管理を行わないと、悪化することが少なくない。港北ニュータウンに位置する鳥山公園に創生されたトンボ池は、当初は水質もよく、子供達が水遊びを楽しむ格好の場所となった。しかし、3年後には池の水は濁り、また、外来動植物が増えるなどの問題が顕在化してきた。鳥山公園は、著者の大学のキャンパスから徒歩10分ほどの位置にあり、研究室の学生・教員と地域連携による水辺の改善プロジェクトが開始された。プロジェクトは、問題解決型環境教育としてのアプローチを用い、以下の８つのステップを踏むように計画された。

①気づく
②現状を把握する
③調査手法を身につけ、調査する
④問題を発見する
⑤問題解決の方策を探る
⑥解決策を実行する
⑦用いた解決策の妥当性と限界を評価する
⑧成果の公表と情報交換を行う

①のステップでは、関係者全員が現場を訪問し、体験を通じた気づきを共有した。次の②と③のステップでは、**図4-9a**に示す武蔵工業大学（現東京都市大学）の学生と教員、鳥山公園愛護会の市民、横浜市の緑政局（現環境創造局）、公園管理事務所、横浜市環境科学研究所の職員が役割分担を決め、現状把握の調査を行った（**図4-9b**）。毎月、13項目の水質調査、外来種調査などを１年半継続することにより、**表4-2**に示す５つの問題点が明らかにされた。次に関係者全員が、解決策を検討し、各々の組織の強みを活かした改善策が実施された。さらに改善の有効性を評価した（**表4-2**）。外来種法の対象となっているアメリ

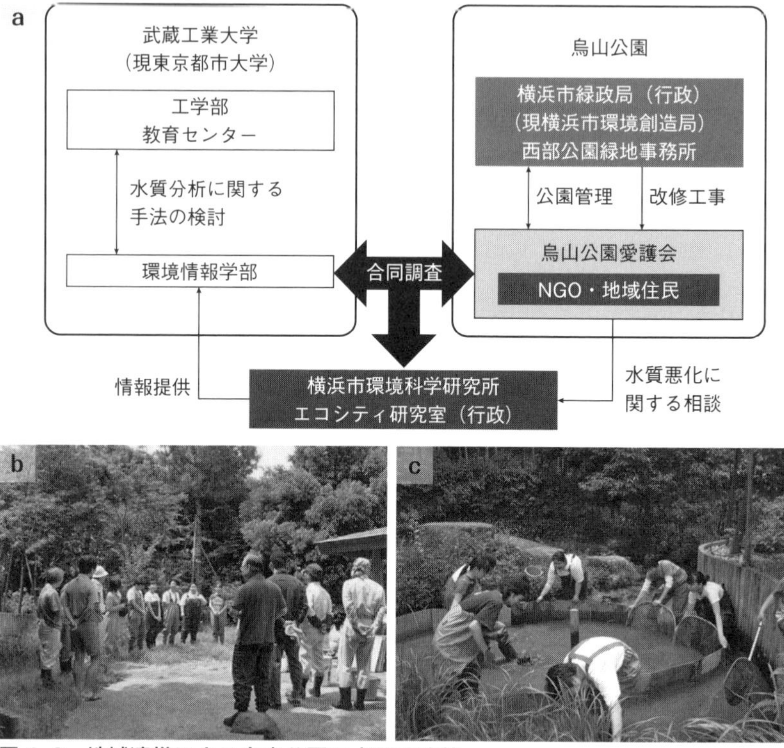

図 4-9　地域連携による烏山公園の水辺の改善
a: 調査及び改善の役割分担（小堀, 2009 に基づき作図）、b: パートナーシップによる調査の様子、c: アメリカザリガニ駆除作業の様子

カザリガニについては、大学院修士課程及び学部学生の 1 年半にわたる毎月の調査により産卵期は 5 月であることがわかり、産卵期の前に駆除活動を行った（**図 4-9 c**）。しかし、駆除後、1 か月で個体数は増加し、駆除の効果は短期であることが明らかにされた（**図 4-10**）。

その後、大学院生と学部生を中心に、港北ニュータウンの 2 水系とすべての公園内の池（**図 4-11**、**口絵 2**）を対象とし、アメリカザリガニの生息密度を測定（**図 4-12**）した結果、水系の個体密度は高く、また、調査した全ての公園内の池にアメリカザリガニが生息していることがわかった（**図 4-13**）。これらの調査から、すでに港北ニュータウン内の全ての水辺に生息している外来種を除去することは難しく、侵入させない予防策が重要であるとの学びを共有した。

表4-2　烏山公園の水辺環境の問題点・改善策とその評価（Kobori, 2009 に基づき作図）

問題点	改善策	改善策の実施主体	評価
池の富栄養化	1. かい掘り	NGO、地域住民	△
	2. 竹炭による吸着	大学	×
	3. 植物による浄化	大学	△
外来種（アメリカザリガニ）の増殖	かい掘り	NGO、地域住民	△
人工せせらぎの水漏れ	改修工事	行政	○
水の濁り	池の湧出口から水を出す	行政	○
オランダガラシの繁茂	オランダガラシの水質浄化能力を活かした管理	大学	○

評価の基準
○：長期的効果（1年以上）あり、△：短期的効果（数か月）、×：効果なしまたは再検討が必要

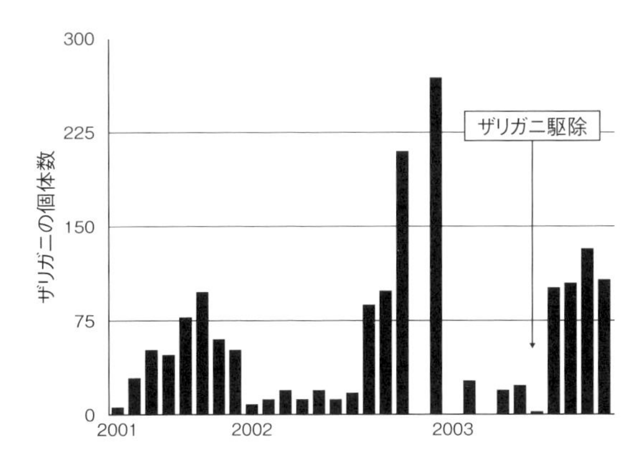

図4-10　烏山公園のアメリカザリガニの個体数調査と駆除の時期
（牧野, 2005；小堀, 2009 に基づき作図）

図4-11　港北ニュータウンのせせらぎと池の外来種の調査地点
（牧野, 2005；小堀, 2009 に基づき作図）

図 4-12　港北ニュータウン全域の池とせせらぎでのアメリカザリガニの学生による生息密度の測定調査（2017 年 7 月撮影）
a：公園内の池でのさし網による全数捕獲、b：せせらぎでの叉手網を用いたキック法による調査

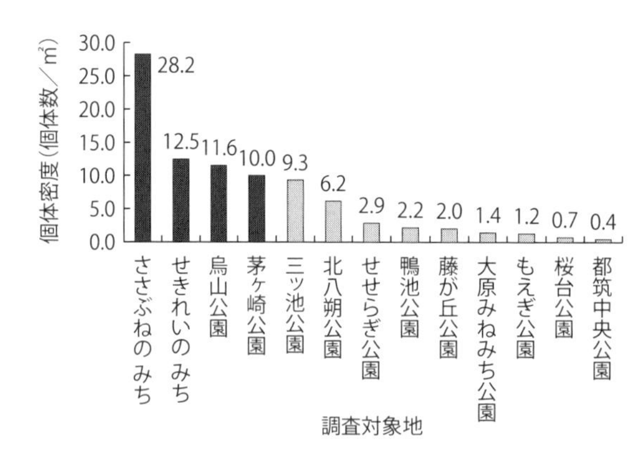

図 4-13　港北ニュータウン内の 11 の公園内の池とせせらぎ 2 水系のアメリカザリガニの個体密度（小堀, 2009 に基づき作図）

これらの地域連携の研究成果は市民は愛護会の勉強会、学生は卒論発表、行政は地域への広報などを通じて公表し、地域で共有された。

●●●●●●●●●●●●●●●●●●●●●●●

広域～全国規模のネットワーク

各地域で個別に行われてきた市民科学プロジェクトが、次第にネットワーク化され、広域的な活動へと発展した事例が見られるようになった。その先駆的な事例として、1974 年に開始された大阪での「タンポポ調査」がある。

標本採取をともなう市民調査

誰でも親しみを感じるタンポポは、在来種と外来種を調べることにより、地域ごとの自然環境への人為的影響を知ることができる指標生物でもある。タンポポ調査は大阪自然環境保全協会で開始され、5年おきに継続して実施された。しかし、2000年代には、在来種と外来種との雑種のタンポポが見出され、形態だけで外来か在来かを判別することが困難となった。そのため団体では、参加する市民が調査用紙とともに採取したタンポポの花と種子を各府県の事務局に送る、日本でもユニークな標本を調べるプロジェクトを開始した（**図4-14**）。

事務局で整理された標本は、大学、博物館、植物園などの専門家による協力や分析を経て同定される。しかし、種類の確認やデータ集約の作業は市民参加で進められた。2010年には活動は西日本の19府県に拡大し、市民から7万件を超える標本が寄せられ、在来種13種、外来種2種のタンポポの分布が明らかにされた。

著者は2016年1月に大阪自然環境保全協会の事務局を訪問し、高畠氏と木村氏にインタビューを行い、調査の明確な複数の目標を知ることができた。

① 身近に見られるタンポポの分布を明らかにする（生物多様性の調査）
② 種ごとの分布からわかることを調べる。特に環境との関係に注目する（外来種と都市化）
③ タンポポの雑種について調べる（外来種との交雑）
④ より多くの人々が身近な自然に関心を持つようになる（環境教育）
⑤ 自然保護団体・博物館・自然愛好団体・植物研究者など参加者間で交流を図り、各地域での自然保護・環境保全の課題を共有する（交流）
⑥「身近な環境の健康診断」（モニタリング）にも資する

活動は現在も継続され、調査報告書としてWebページで公開されている。

➡タンポポ調査・西日本
http://www.nature.or.jp/investigation/sihyou/tampopo.html

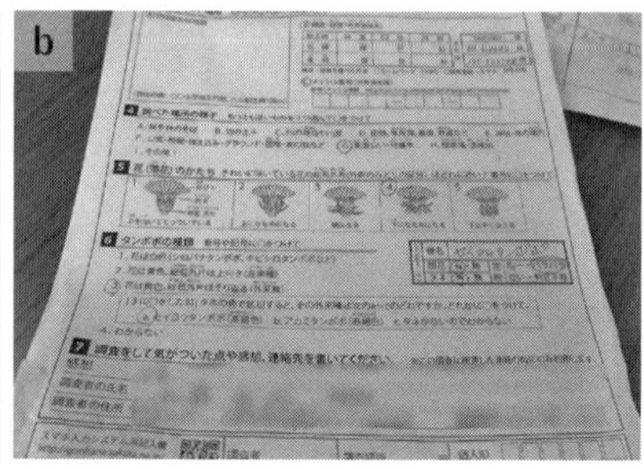

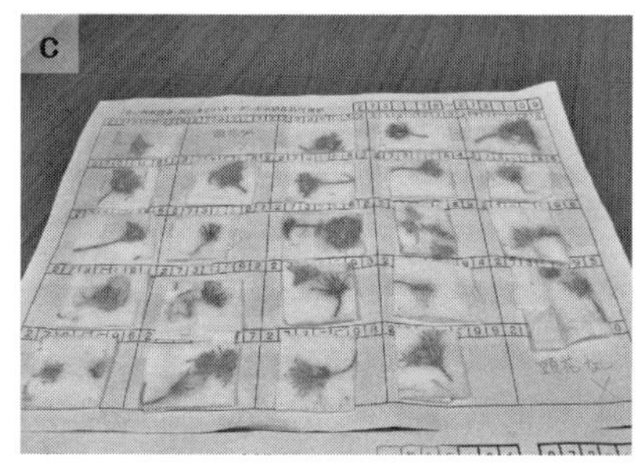

図 4-14　タンポポ調査の集計作業と調査用紙
a: 送付された調査用紙の整理作業をする大阪自然環境保全協会の高畠氏と木村氏、b: 調査用紙、c: 種の同定のため研究機関へ送付するタンポポの花と種子の標本資料

長年の活動は、市民と研究者との協力関係、個人や市民団体とのゆるいネットワークの形成を可能にした。現在ではSNSを用いた調査票の送付も可能となっている。

▶全国規模ネットワークの活動

1990年代になると全国規模によるネットワークによる活動が増加した。

その事例として、企業が主催するホタル調査と身近な水環境調査の2つの事例を紹介する。

●●●●●●●●●●●●●●●●●●●●●●●

教育関連企業によるほたる調査

一つ目は、株式会社学研ホールディングス（学研）が1997年から全国規模で行っている「学研ほたるキャンペーン」である。毎年5月に学研が幼稚園、保育所向けに販売している月刊保育絵本とWebサイトを通じて、参加者を全国から募集する。参加者は、5月から8月に観察したほたるの調査レポートをはがきやWebサイトの応募フォームで事務局へ送る。集められたレポートは事務局が集計し、生息調査地図をWebサイトに公開しており、1997年から現在までの都道府県ごとの詳細結果をPDFで見ることができる。また、過去

23年間の観察記録の経年変化を重ね合わせた地図から、ホタルは日本列島の広い範囲に生息していることがわかる。

本プロジェクトは毎年異なる参加者のレポートを元に観測データを記録しており、定点観測ではないため、実際にはホタルが生息している地域でも記録があるとは限らない。また、データベースは公開されていない。幼児も対象としているため、参加者に「ほたるレポーター」の認定シール(**図4-15**)を配布するなどして、参加する楽しみやご褒美などにより継続性を維持する工夫がされていることが注目される。

図4-15 「ほたるレポーター」認証シール (学研)

なお、このプロジェクトは2021年度から休止され、今後新たな手法での実施が検討されている。

●●●●●●●●●●●●●●●●●●●●●●●

流域をつなぐ河川の水質調査

1970年代の高度経済成長期には、大都市の河川の著しい汚染が全国的に注目された。しかし、1980年代になると、多くの住民は地元の河川の汚れやその原因に関心を持つようになり、またこの時期に簡易な水質測定機材が開発されたこともあり、全国で市民による水質調査が開始された。さらに、同じ河川で水質調査を行っている上流から下流のグループが連携し、流域単位で、多数の測定地点での調査も開始された。広域な水質調査の先駆けとなったのは、霞ヶ浦、琵琶湖の周辺と多摩川水系の活動であった。多摩川水系では1989年6月に「身近な川の一斉調査」が始まり、流域内の市民団体が連携して118地点で水質調査が行われた（小倉, 2003)。

➡学研ほたるキャンペーン　https://gakken-kyoikumirai.jp/hotaru/
➡身近な水環境の一斉調査　http://www.japan-mizumap.org/

図 4-16　全国一斉水質調査の調査風景（撮影：みずとみどり研究会）
水温と COD の簡易測定を行う様子

2003 年には、市民と国土交通省等が連携し、全国で一斉に水質調査を行うための準備会合が持たれた。その結果、調査対象は河川及び湖沼など全国各地の水辺、調査項目は、気温、水温、生活排水の汚れの指標である COD（Chemical Oxygen Demand: 化学的酸素要求量）とし、同一試料を 3 回測定することにより精度を高めることが決められた。また、調査は年に 1 回、同じ時期（6 月初旬）で実施することとなった。そして、これらの内容を盛り込んだ実施マニュアルが作成された。著者も測定法やマニュアル作成に協力した。

2004 年には、全国の市民団体等に声をかけ、全国水環境マップ実行委員会が設立された。実行委員会のモットーは「市民や子どもたちが、同一の方法を用いて、身近な水環境を簡単な方法で全国一斉に調べ、その結果をマップで発表し、身のまわりの環境に対する関心を深め、その改善に資すること」であった。同年 6 月に「第 1 回身近な水環境の全国一斉調査」が開始された（小倉ら, 2005)。その後、毎年、同じ時期に全国一斉に実施されている。調査には、幼児から高齢者まで幅広い年齢層が参加し（**図 4-16**）、過去 16 年間の登録団体数は 4000 団体を超え、参加延べ人数は約 11 万人、調査地点数は 8 万 8,000 以上となった。

●●●●●●●●●●●●●●●●●●●●●●●

この活動の特徴は、行政だけでは網羅できない、日本全国の多様な水辺調査を市民が一定の調査のマニュアルに沿って実施することにより、全国各地の水質データを COD の数値で比較し、その経年変化を市民が自ら評価することを可能にした点である。現在も多くの市民が水質調査を通じて水環境に関心を持ち、次世代によりよい水辺をつなぐことを目標として、継続的な活動が展開されている。調査のデータは、個人情報を削除した後に公開されている。

●●●●●●●●●●●●●●●●●●●●●●●

市民参加のための調査法やキットの開発

全国規模の「酸性雨研究会」は、気象・環境の専門家や環境教育に熱心な学校の先生、主婦などの一般市民が中心となり1991年に発足した。研究会の目的は、「きれいな空気をとりもどし、健康と環境を守るため、酸性雨の測定などで環境のセンスを磨くこと」であった（権上, 2005）。研究会では、「雨を通じて、地球環境を考える。自分の体を動かし、環境調査を行って、得られた結果から、地域や地球環境を考え、環境負荷の少ない生活を選択する」をモットーに、市民が行える調査法の開発に注力した。環境影響の大きい初期降水を分けて採取できるJARN雨採取キットやSPM（浮遊粒子状物質）測定用の粉じんろ紙ホルダーを開発し、その普及と環境保全の啓蒙活動を行った。また、雨や粉じんの市民による測定を可能にした。特にSPM測定は、当時市民レベルでは認識が薄かったが、研究会のメンバーは自ら測定したディーゼル排ガスの濃度の高さを目のあたりにし、2003年に施行された東京都のディーゼル規制の世論形成の一助になった。

毎年6月の環境週間には「酸性雨全国調査」を一般市民を中心に全国で実施している。すでに全国の100〜150か所で実施し、最大で全国で年間に約150名が参加した。結果は会報や報告書で公開するとともに、研究成果は学会等で発表された（権上, 2005）。現在はURLは公開されていない。

●●●●●●●●●●●●●●●●●●●●●●●

2000年代の市民科学

▶市民と科学者

2000年代には、「市民科学」の言葉を冠した書籍や活動も少数ながら見られるようになった。前述の「身近な水環境の全国一斉調査」の実行委員長を長年務める小倉紀雄氏（元東京農工大学）は、『市民環境科学への招待』（2003）を著し、その中で、市民・行政・研究者の協働による水環境の調査、保全、復元の重要さと市民による活動について紹介している。

また、2005年にNPO法人化した団体「市民科学研究室」は、市民科学とリビングサイエンスを理念に「生活者にとってよりよい科学技術とは」を考え、そのアイデアの実現を市民主体で行ってきた。

認定NPO法人高木仁三郎市民科学基金は、2001年に設立された。物理学者でシンクタンク「原子力資料情報室」元代表であった高木仁三郎氏の遺志を継ぎ、科学技術がもたらす問題や脅威に対して、科学的なデータに基づいた評価や批判できる「市民科学者」を育成・支援することを目指してきた（高木,1999）。

高木氏は、市民科学を「市民の立場に立った科学者の営み」と述べ、正しい意思決定を促す科学的活動の実現に向けて、専門性を持つ科学者が市民の立場に立つことを重視してきた（高木,1999）。現在広く受け入れられている市民科学の定義は「研究者と一般市民が異なる役割を担い、協働すること」であるため、異なる立場といえる。しかし、ICT（Information and Communication Technology、情報通信技術）の進展も手伝って市民と研究者の双方の距離は縮まっており、第7章で述べるように、広義の市民科学は両方を含む方向への進展しているとも言えよう。

▶政府による初めての長期プロジェクト

2000年代は、全国規模の市民科学のプロジェクトが急速に増加した。政府によるはじめての長期のプロジェクトである**「モニタリングサイト1000」**は、2003年に環境省がイニシアチブをとり、全国規模の生物多様性プロジェクトとして開始された。プロジェクトは、日本の生物多様性国家戦略の一環として位置づけられ、日本の代表的な8つの生態系を対象として全国の約1,000か所にモニタリングサイトを設置し、100年の長期にわたって環境の基礎情報を収集し、自然環境の質的・量的な変化を早期に把握することを目的とした。前述のウミガメの調査やガン・カモ類の調査など、このプロジェクトが開始される以前から行われていた調査も組み込まれている。また日本の特徴的な生態系である里地・里山の生態系では、全国約200か所の調査地で毎年1,000人以上の市民が、里地・里山の変化を総合的にとらえるために

➡**市民科学研究室**　https://www.shiminkagaku.org/
➡**高木仁三郎市民科学基金**　http://www.takagifund.org
➡**モニタリングサイト1000**　https://www.biodic.go.jp/moni1000/

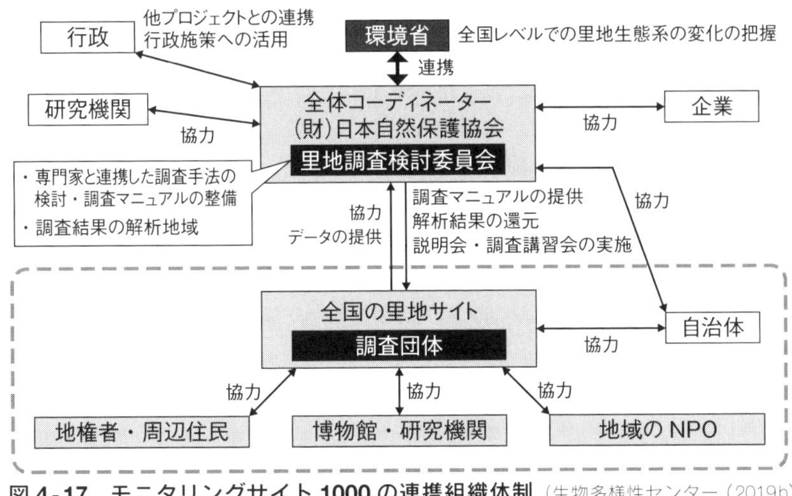

図 4-17　モニタリングサイト 1000 の連携組織体制（生物多様性センター（2019b）に基づき作図）

設定された複数の項目の調査を実施している。主な運営は公益財団法人日本自然保護協会が行い、行政、地域の NGO 団体、市民、科学者が協働して各々の役割を果たしている。**図 4-17** にその連携組織体制を示す。これらの調査は第 10 回生物多様性条約の締約国会議（2010）で定められた生物多様性目標（愛知目標）の達成に向けて、進捗状況を把握するためにも用いられている。

「モニタリングサイト 1000」は開始から 16 年を経過し新たな知見も得られている。たとえば、チョウ類のうち 3 分の 1 の種では、10 年間で個体数が 30％以上減少し、干潟に生息するシギ・チドリ類も 40％ほど減少していることが報告された。他方、特定外来種であるアライグマの分布拡大や東日本大震災による沿岸の生態系の変化も明らかとなった（環境省自然環境局生物多様性センター, 2019a）。

このプロジェクトの最大の成果は、市民の参加によって支えられた長期的な全国規模のモニタリングネットワークが日本ではじめて形成されたことにある。それに加え、プロジェクトに参加した市民は、自らの分類学的スキルを向上させることができる。2013 年度から 2017 年度の第 3 期「モニタリングサイト 1000」里地調査には、全国 192 の団体と 2532 人の市民が参加している。このプロジェクトへの市民の関心も高まっているが、今後の調査の維持発展のため調査員の高齢化や調査のマンネリ化などへの対応による持続的な調査体制が模索されている（環境省自然環境局生物多様性センター, 2019b）。

新たな市民科学の幕開け

2010 年代は新たな手法やアプローチを用いた市民科学の幕開けの時代である。これらの市民科学は、以下の 5 つに分類できる。

①**Web やインターネットを用いた市民科学プロジェクトの開発と実践**である。

②緑のまちづくりや地域の生態学的な管理に市民科学のアプローチを用いた**コミュニティサイエンス**とも呼ばれる市民科学である。横浜市の緑のまちづくりや生態管理の事例が挙げられる（小堀ら, 2014; 小松ら, 2015）。

③科学研究のすべてのステップに市民や NPO 団体などがかかわる **Web と現場でのアプローチを統合したプロジェクト**である。地域の多様な組織が協働して地域の現状把握と課題解決を目標としていることが多い。スマホを用いた多摩川の外来種しらべの事例などがある（Kobori, 2017b）。

④海外で評価の高い AI や Web を用いた市民科学の**ソーシャルネットワークのプラットフォームを活用**して、国内及び海外で独自のプロジェクトを開発し、実践する事例である。iNaturalist のプラットフォームを用いた事例などがある（Kobori, 2019）。

⑤日本発の**国際プロジェクトの開発と世界での活用**である。マイクロプラスチックの調査事例などが挙げられる（高田・大垣, 2018）。

これらの特徴を持つ市民科学は、欧米では 10〜15 年ほど前から開始され、市民科学に量的・質的な飛躍をもたらした。日本ではこうした事例はまだ少ない。しかし、日本でも情報社会の進展や社会環境の変化に呼応した新たな市民科学の時代が今まさに到来し、その新たな幕が開かれたと言える。以下、2010 年までに開発された①の分類のインターネットやスマホを用いた 2 つの事例を紹介する。なお、②〜⑤に分類される事例と 2010 年以降に実施された事例は第 6 章で述べる。

▶インターネットを用いた市民調査

まず、2010年に開始された「お庭の生きもの調査」を紹介する。

お庭の生きもの調査

「お庭の生きもの調査」は、個人宅の庭の生物を調べる、日本ではじめての全国規模の市民参加型の市民科学プロジェクトで、NPO法人生態教育センターが環境省、企業、大学などと協働して実施している。参加者は、5〜10月に自宅の庭（屋上、マンションのベランダやバルコニーも含む）で観察された生物を、定期的に事務局のWebサイトの調査表へ直接記入、またはFAXや郵送によって報告する。調査は改善を重ねながら、現在まで継続されている。

プロジェクトの目的は、個人宅で観察される生物についての情報を収集し、その分析を通じて個人宅の地域の生物多様性にとっての価値や重要性を明らかにすることである。また、地域の生物多様性の保全・回復のための施策の立案の基礎資料として活用することも目指している。

調査は参加者の能力や興味に応じて、「初心者コース」か「専門員コース」の2つのコース（過去には3コースあった）から選択する。「初心者コース」では、リストに記載されている生物が自宅の庭にいるかいないかをチェックシートに記載する。「専門員コース」では、野鳥と昆虫を対象とし、種名を記載する。いずれのコースも定期的に事務局に結果を報告する。

このプログラムの特徴は、参加者は生きもの調査と同時に、毎年庭の基礎情報、周辺環境、巣箱の有無や庭で飼っているペットの情報などをWebサイトの「お庭の履歴書」へ報告することである。そのため、庭の環境条件と生きものとの関係を明らかにでき、生物多様性豊かな庭へと改善するための具体的な方策にも活用できる。たとえば、自宅の庭に鳥類やチョウ類を招きたい場合の植栽や庭の管理に役立てられる。

2018年度の第9回調査時の参加者数は1266名であった。調査結果と分析

➡**お庭の生きもの調査**　http://www.wildlife.ne.jp/ikimono/

結果は、年に1度、Webサイト及び報告書形式で発表されている。

また、得られたデータの一部は、本プロジェクトの協力団体となっていた著者の勤務する大学の研究室と情報システムの研究室にて、参加者の意識調査やニーズとAIによる解析などに用いた。これらの詳細は第7章で紹介する。

●●●●●●●●●●●●●●●●●●●●●●●

いきモニ

スマホを用いて市民が生物の写真を投稿する、地域レベルでのプロジェクトの日本での先駆けは、2009年に開始された東京の蝶モニタリング調査であろう。このプロジェクトは「市民参加による生き物モニタリング調査（略称：いきモニ）」と名づけられ、中央大学・東京大学・パルシステム東京の協働プロジェクトとして開始され、現在も継続されている。

プロジェクトの特徴は、観察者が同定するだけでなく、写真を調査結果として報告することで、写真をもとに専門家が正しい種名を同定してくれることである。データは公開され、市民も研究者も貴重な情報源として、現状分析や研究に用いることができる「公共財」としての社会の財産となることを目指しており、市民科学の社会化にも貢献している（前角ら, 2010: Kobori et al., 2016）。

データベース及びWebサイトの立案・構築・運用は、東京大学生産技術研究所及び地球観測データ統融合連携研究機構の研究室が行った。参加者はパルシステム東京の組合員の有志で、「いきモニ・スマホアプリ」を利用して、調査データを収集するとともにプロジェクトの運営も行った。参加者から送られるデータは東京大学で収集・データベース化し、中央大学理工学部の保全生態学研究室では、チョウの専門家が個々のデータについてチェックを行い、精度の高いデータに修正した。データベースと結果はURLに公開されており、プロジェクトは現在も継続されている。

●●●●●●●●●●●●●●●●●●●●●●●

➡市民参加による生き物モニタリング調査 http://butterfly.diasjp.net/

2. 英国の市民科学の歴史

英国の市民科学の歴史は1500年代から始まり、1900年代初頭の「パーソン・ナチュラリスト」と呼ばれる聖職者のナチュラリストや「ハーベスト」と呼ばれる活動までさかのぼることができる。ハーベストとは、薬用植物を収集・育成し、時には関連する実験を行った人々である。この2つの市民科学の特徴は、自然環境の調査と文書化を行っただけでなく、ボランティアを募集して標本と観察結果を共有する大規模なネットワークが創られていた点にある。

1800年代後半から1900年代初頭に科学が専門化されるにつれて、アマチュア博物学者または市民科学者の役割は変化した。英国では、多くの博物学のクラブや団体の存在や、市民科学によるモニタリングスキームの継続などを背景として、多くの人々が市民科学に参加する伝統が維持されてきた。本節では、英国の市民科学の歴史の特徴的な段階について、事例を挙げて紹介する。これらの事例は、現在の市民科学のルーツを探るうえでも興味深い。

パーソン・ナチュラリスト

パーソン・ナチュラリストはイギリス国教会の聖職者のグループで、英国の科学に重要な貢献をした（Armstrong, 2000）。彼らは、植物、鳥、昆虫、海洋無脊椎動物及び地質学を研究し、これらの標本を収集した。また、観察、標本、アイディアを共有するソーシャルネットワークを形成し、メンバー間の交流もかなり盛んであった。

パーソン・ナチュラリストのユニークな特徴は、多くの聖職者が何十年も同じ教区で宗教活動に奉仕していたため、単一の場所で長期間観察を行い、その場所の動植物相に精通し、観察に基づいた仮説を検証するための実験などを実施していたことである。また、宗教を外国に普及するという宣教師のミッションにより、他国の動植物や鉱物の観察と標本採集が進められた。こうした活動を支えたパーソン・ナチュラリストのソーシャルネットワークは、生態学と自然史に関するデータを集めたクラウドソーシングの初期の事例と位置づけられる。

図4-18　ギルバート・ホワイトが英国セルボーンの自宅で研究に使用したデスク（写真提供：Gilbert White's House & Gardens）

▶ジョン・レイとギルバート・ホワイト

最も有名なパーソン・ナチュラリストとして、ジョン・レイ（John Ray, 1627～1705年）とギルバート・ホワイト（Gilbert White, 1720～1793年）が挙げられる。2人の足跡を辿ることによって、パーソン・ナチュラリストの具体的な活動と、科学と保全の基礎を築くために重要な貢献をしたことを知ることができる。

レイは、分類学を飛躍的に進歩させたことで知られている。彼は主に自ら収集した植物を観察し、類似点と相違点をもとに植物を分類した。彼は仕事での出張中に多くの標本を収集したが、またパーソン・ナチュラリストのネットワークを利用して、友人や同僚から寄贈または貸与された標本も活用していた。標本は現在でも分類学の一次資料として極めて重要であり、レイをはじめとした聖職者による自然主義的アプローチに基づいた標本の収集と共有は、科学研究を進展させるうえで大きな役割を果たした。

ギルバート・ホワイトは、レイとは対照的で、自分や協力者が収集した標本を用いるのではなく、生きている動植物の観察を記録することによって、重要な科学的貢献を行った（https://www.nhm.ac.uk/discover/gilbert-white.html）。彼は訓練を受けた科学者ではなかったが、自然環境について旺盛な好奇心をもつ勤勉な庭師であった。彼は自分が植え、収穫した植物、天気、気温、その他の情報を系統的に記録し（https://www.gilbertwhiteshouse.org.uk/Gilbert-White/）、「庭のカレンダー」を作成した（**図4-18**）。これは生物季節学に関する彼の初期の研究成果である。

その後、観察を野生の植動物に拡大し、鳥の移動パターン、植物の開花時期、動物の冬眠時期を記録した。また、種の相互関係についても記述している。たとえば、ミミズは土壌の健康と農作物の生産性にとって重要であることを指摘している。当時はミミズは害虫と見なされていたが、彼の観察は園芸と農業の在り方を変えた。

パーソン・ナチュラリストは、植物と動物の行動、長期的・短期的変動、種間の相互作用などを、長期間にわたって観察することで、新たな知見を得た。これらの多くの洞察は、聖職者が同一の場所で長く在任することによってもたらされ、ホワイトと同様な長期観察を行った無名なパーソン・ナチュラリストは多数に上る。

▶エドモンド・ハレーと1715年の日食観察

市民科学イベントの初期の事例として、天文学者のエドモンド・ハレー（Edmond Halley, 1656～1742年）が、日食のタイミングと経路を予測したイベントを紹介する（Highfield, 2015）。ハレーは、日食による月の影の状況と大きさを正確に知るため、同僚や一般参加者に完全な暗闇（皆既日食）の継続時間を注意深く観察してもらった。彼の同僚であったウィリアム・ウィストン（William Whiston）が市民が観察を記録するためのワークシートを作成し、そのとりまとめを行った。

ハレーは、参加者から得られた記録を用いて、日食のタイミングと経路の計算予測の精度向上を目指した。その結果、事前の予測は日食の時間では4分、日食の軌道では20マイルのわずかな誤差があることがわかった。これをもとにハレーは地図を修正し（Higgit, 2015）、改良した予測法を基に次回の日食経路も予測した（**図4-19**）。ハレーはこの結果を一般の人々に報告することで、日食に関する科学リテラシーを向上できるととらえていた（Overholt, 2017）。

その当時、多くの市民は日食について誤った知識を持ち、超自然現象と思い恐れていた人も少なからずいた。日食は、日中地球と太陽の間に月が位置することで、太陽の一部や全部が隠れる自然現象である。ハレーは、この日食のメカニズムを一般市民が理解するために、市民が自らの観察を通じて知ることを重視していた。そのため、観察する場所によって、太陽が欠ける大きさ、日食が始まる時刻、最も欠ける時刻、日食が終わる時刻などが異なることを自らの観察から学んでもらうことにした。ハレーはこの試みについて、

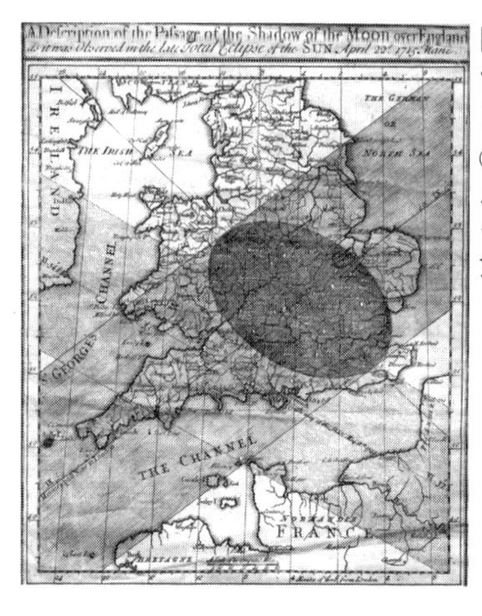

図 4-19　エドモンド・ハレーが作成した1715 年の英国の日食の観察可能な場所を示した地図 (Institute of Astronomy Library /University of Cambridge)

ハレーは、1715 年に英国で日食が見られる時間や場所の予測を行い、この地図は市民による日食観測の結果に基づき修正した地図を示す。

「イギリスの南部では長い期間、日食は見られませんでした。その理由を明らかにするために、また、太陽が見えなくなって訪れる暗闇を、超自然現象とみなしたり、人々の間で不吉なものと考えたり、主権者であるジョージ王や政府の悪い前兆と誤解しないために、必要であると思ったからです。今回の観察は一般の人が、日食は、太陽と月の動きによる自然現象であるとの理解に役立てることができました」と述べている。このようなハレーのアプローチは、市民が自ら自然環境を正しい方法で観察し学ぶことにつながり、社会の偏見や価値観に変化をもたらした。市民科学の３つの重要なミッションを達成した優れた事例であると言える。

市民科学のモニタリングスキーム

英国の博物学の伝統の強さは、動植物をモニタリングする市民科学の継続的な実践によるところが大きい。

博物学協会（Natural history society）の活動は、1700 年代半ばから 1800 年代にかけて開始され、イギリス全土で展開された。博物学協会は、アマチュア及びプロの博物学の専門家のコミュニティに多大な支援を行った。

▶初期の情報技術による植生図作成

1900 年代の初め、学術的にも影響力のある植物生態学者であったアーサー・タンズリー卿（Sir Arthur Tansley, 1871～1955 年）は、植物相を記録する際、アマチュア自然主義者（自然的なものを基盤とした世界の捉え方をする立場の人）の植物相の知識が非常に貴重であると考えていたため、彼らの参加を促した。しかし、市民科学の手法を用いたモニタリングの組織的な活動は、第一次世界大戦と第二次世界大戦により大幅に遅れた。

終戦後の1950年代、英国とアイルランドの植物学会は、第二次世界大戦後の地図で使用されていた10 kmメッシュを用いて維管束植物の種を記録し、英国の植生図を作成することを目的に、市民科学の取り組みを組織化した。データはパンチカードを使用して処理され、150万件の記録を機械的に並べ替えてマッピングできるようにした。これは、市民科学における情報技術の初期の使用事例と言える。

植生図の作成のためには、生物記録センター（Biological Records Centre）も設立された。センターは動植物の生物学的記録のサポートや推進を行っており、データの収集、利用の可能性、使用方法の改善にも役立てられている。現在、センターでは80を超える団体（組織）を支援し、モニタリング対象も顕花植物、シダ、菌類、コケ類、粘菌、鳥、淡水魚、17群の甲虫（甲虫目）、27群のハエ（双翅目）、ミミズ、軟体動物、水生昆虫、海洋生物のなどに広げられている。これらの記録によって、保全と科学研究をサポートする地図、データ、およびオンラインリソースが公開されている。

▶鳥類学の市民科学の拠点

1930年代、マックス・ニコルソン（Max Nicholson）は、市民科学に基づくバードウォッチングの情報が鳥類の保全に貢献できると考えるようになった。1933年には協力者とともに非営利団体British Trust for Ornithology（BTO）を設立した。BTOでは、野鳥の個体数がどのように、そしてなぜ変化するのかに主な焦点を当てた。当初は新聞を通じて参加者を募集し、サギの繁殖期の巣の数の調査を行い、その後も保護を検討すべき種の巣の記録、鳥の行動、生息地のモニタリングを行ってきた。1968年から1972年にかけては、英国とアイルランドで繁殖する野鳥全種がどこにいるかをマッピングし、繁殖の確認を行うという野心的な計画を実施した。この計画には膨大な時間、人手、作業が必要であるため、多くの人は計画の実行は不可能であると考えていた。

➡生物記録センター　https://www.brc.ac.uk/home
➡ British Trust for Ornithology　https://www.bto.org/about-bto/history

しかし、科学の主要な課題に取り組んできた市民科学のパワーが、この計画を成功へと導く原動力となった。

現在、BTO の Web サイトには、サギの継続調査、繁殖鳥の調査、ガーデンバードウォッチ、湿地の鳥の調査など、ボランティアが参加できる 17 の市民科学モニタリングプロジェクトがリストされている。毎年恒例の繁殖鳥調査だけでも約 3,000 人のボランティアが集まり、1 km メッシュごとに調査を実施している。この調査により、英国全体で 117 種の繁殖鳥の個体数の変化の記録がまとめられている。

3. 米国の市民科学の歴史

米国の市民科学の歴史は、英国のナチュラリストが北アメリカの自然史を記録したことから始まった。たとえば、1712 年に英国を発ち、バージニアを旅行したマーク・キャツビー（Mark Catesby）は、当時は英国の植民地であったバージニアの地域全体から、種子、植物、動物を収集し、北米で最も古い博物学コレクションを作成した。

1700 年代後半には、米国ペンシルベニア州生まれのウィリアム・バートラム（William Bartram）が東部の植民地を旅し、多数の植物や鳥を収集して記録した。これらには多数の新種が含まれ、米国の博物学に大きな貢献をした。バートラムは植物及び鳥類の精緻な描画の作家としても知られており、生物の観察眼に秀でていた（**図 4-20**）。

1800 年代から 1900 年代にかけての米国の市民科学の発展は、3 つの段階に分けることができる。この時代の研究成果は、今日でも科学者が研究で使用している美術館のコレクションや長期的データセットとなっている。また、アマチュアの自然主義者の伝統は、今日の市民科学にも活かされている。たとえば、気候、生物多様性、生物季節学に関する変化について私たちが知っていることの多くは、最近の市民科学や専門家の観察と、歴史的な市民科学データとを比較することにより得られている。以下の事例は、博物学の市民科学に焦点を当てているが、同様のアマチュア科学の伝統は他の分野、特に天文学にも活かされている。

▶ルイス・クラーク探検隊

ルイス・クラーク探検隊は、1803～1806 年の 3 年間にわたる探検活動を

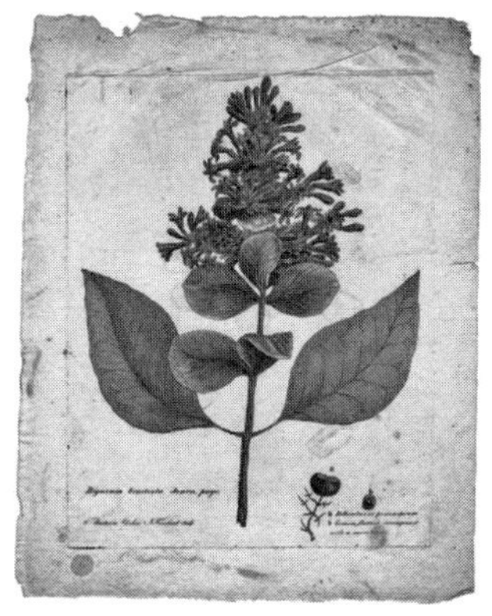

図 4-20　ウィリアム・バートラムの植物画（Bartram's Garden）

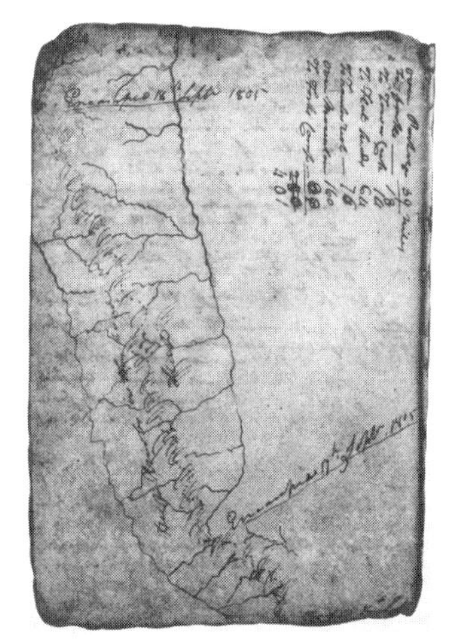

図 4-21　ルイス・クラーク探検隊によるミズリー川流域の調査記録（Missouri Historical Society 蔵）

行った。米国中西部のミズーリ州セントルイスから探検を開始し、米国に買収されたばかりの米国西部を横断し、太平洋岸のオレゴンへと向かった。遠征隊はメリウェザー・ルイス（Meriwether Lewis）大尉とウィリアム・クラーク（William Clark）少尉が率い、隊員は米陸軍の要員と民間の志願兵の混成部隊だった。遠征の主な使命は、先住民族であるネイティブアメリカンと交渉し、この地域の米国の主権を確立することだった。

この探検のユニークな点は、旅の間に詳細な科学的観察を行ったことである。当時の著名なアマチュア科学者であり、第３代米国大統領であったトマス・ジェファーソンは、科学を遠征の目的の１つとすることを要望した。そのため、多くの主要な科学者と協力して、29 歳のルイスに調査の基本的な訓練を行った。

遠征中、ルイスとクラークは、科学的な手法による測定と観察に基づいて、ミズーリ川（米国西部で最大の川）の本流と支流を含む河川の流れ、深さ、植物相、動物相、住民についてはじめて体系的な調査を行い、報告書にまとめた（**図 4-21**）。探検隊はロッキー山脈を越え、太平洋岸北西部に達するまで観測を続け、少なくとも 120 の哺乳類、鳥、爬虫類、魚の新種を見出し、182 以上の植物種について記述している。この遠征は、米国の科学に多大な貢献をした。

▶シャンプラン協会

1880 年の夏、ハーバード大学の学生グループが、メイン州のマウントデザート島に滞在し、植物、鳥、海洋無脊椎動物をはじめとする種の収集と、地質に関する写真の撮影を毎日行った（Schmitt, 2014)。彼らは観測に地元のボランティアやアマチュアの自然主義者を巻き込んだ。学生は島での活動をこよなく愛し、その後の夏季の 10 年間を島の自然史の研究に費やし、さらにシャンプラン協会を創設した。当時は学生たちが自ら長期間にわたる野外観察を行うことは珍しく、当時の科学者も同じ場所で動植物の観察を行うことも稀だった。

シャンプラン協会の学生、地元のナチュラリスト、ボランティアからなる市民科学のチームは、島の地質地図を作成するとともに、島ではじめての植物相のリストも完成させた。彼らが収集した鳥類や植物の標本は現在も保存され、研究に利用されている。最近科学者が島の植物相を再調査した結果、1880 年代に生育していた植物の約 20％が姿を消し、外来種が至るところで見られることが明らかになった。

シャンプラン協会の最大の貢献は、マウントデザート島とその周辺の島々の一部をアーカディア国立公園として保護する際に多くの科学データを提供し、多くの人々がそのために力を貸したことである。当時のハーバード大学の学長だったチャールズ・エリオ（Charles Elio)、実業家で慈善家のジョン・ロックフェラー（John Rockefeller)、地元の自然愛好家で保護主義者のジョージ・ドー（George Dor）らは、マウントデザート島の一部と周辺の島々の土地を購入し、国立公園として米国政府に寄付するよう働きかけた。1916 年には、アーカディア国立公園（元々はシューデモン国定公園として知られていた）を設立することが法律で定められた。当時の市民科学は公園を保護するうえで主要な役割を果たし、現在でもアーカディア国公園の科学と管理において主要な役割を果たしている。

▶モホンク保護区

ニューヨークのモホンク湖にある、モホンクマウンテンハウスと呼ばれた昔ながらの別荘で暮らしていたダニエル・スマイリー（Daniel Smiley）は、モホンク湖周辺の興味をそそられる自然のほとんどすべてを記録した。

彼は1920年代半ばに鳥の観察を記録し始め、後に鳥に関する観察記録を収集した。また、毎月見たシマリスの数、アメリカシャクナゲの開花時期、マイマイガの個体数、そして湖の温度に注目した。1938年には米国国立気象局が運営する大規模な市民科学プログラムにボランティア気象観測者として参加し、モホンク湖のサイトでの気象観測を開始した（https://www.mohonkpreserve.org/what-we-do/conservation-science/history-conservation-science.html：2021年6月29日閲覧）。1950年には、ジョン・バロウズ自然史協会（John Burroughs Natural History Society）の設立のために尽力し、その後、現在世界最大の自然保護のNPOの1つであるネイチャーコンサーバンシー（Nature Conservancy）の創設と活動に全面的にかかわるようになった。

彼はクエーカー教徒として人間と土地に対する責任感を持ち、人々には自然界を理解し自然地域を保護する責任があることを伝え、自ら活動することに情熱を注いだ。1963年にはモホンクトラスト（Mohonk Trust）を組織した。モホンク保護区に指定されたモホンク湖周辺の山岳生態系を保護し、自然環境を楽しむこと、保護活動、探索を推進した。

スマイリーは生涯にわたって博物学の研究を続け、生態学者との協力により、酸性雨、植物や鳥の個体数の変化、農薬DDTの乱用によって減少したハヤブサの再導入の研究などにも尽力した。

彼の記録は、北米で最も優れた生物季節学データセットの1つとして高い評価を得ている。現在でもモホンク保護区のスタッフは、彼の活動を継続し、何千人もの市民科学ボランティアとともに気候変動が植物、鳥、クマ、アライグマ、その他の種に与える影響の研究に従事している。保護区は、生態学者や保全生物学者のためのフィールドステーションとしても機能している。

▶組織的なデータ収集

米国では、1880年頃から、多数のボランティアを募集し組織的な取り組みによりデータを収集する事例が始まった。なかでも、シャンプラン協会の活動や灯台管理人によるバードストライク（鳥の灯台への衝突）の調査がよく知られている（Kobori *et al.*, 2016）。

米国の市民科学による生物季節モニタリングは、スマイリーの記録をはじめとして長い伝統がある。しかし、個人によって収集されたデータが多く、連続的ではなかった（Miller-Rushing & Primack, 2008）。1950年代後半になると広範な地理的規模の生物季節モニタリングが開始された。また、ライラックとスイカズラの開花のモニタリングなど、特定の植物に特化したネットワークも開始された（Schwartz *et al.*, 2012）。これらのネットワークは米国農務省によって組織化され、現在では何百もの動植物種の専門的及び市民科学的観察のデータを収集し、USA National Phenology Network（米国国立生物季節ネットワーク）へと統合されている（Rosemartin *et al.*, 2014）。

市民科学データは、米国の生態学の進展に大きな貢献してきた。市民科学による鳥、魚、昆虫、植物、哺乳類などの観察も、その保全に重要な情報を提供してきた（Dickinson *et al.*, 2012）。たとえば、1970年代にカナダのBird Studies Canada（当時はLong Point Bird Observatoryと呼ばれていた）による地域調査として組織された「FeederWatch（餌台調査）」は、その後コーネル大学鳥類学研究所と協働することで北米全土に広がった。FeederWatchによって収集されたデータから、アメリカ全土のメキシコマシコの死亡の原因である結膜炎を引き起こす感染症の影響が明らかにされた（Hochachka & Dhondt, 2000; Hosseini *et al.*, 2004）。

生物多様性に関する市民科学の歴史的及び最近のデータ、ナチュラリストによる雑誌や博物館のコレクションは、気候変動、乱獲、汚染、外来種、及び土地利用の変化などの地球規模の問題がもたらす影響への科学者及び市民の理解を深めるうえで、米国及び他の国々でも大きな貢献をしてきている（Zoelli ck *et al.*, 2012）。

第4章 引用文献

天谷和夫. 1981. 大気汚染簡易測定法の現状と今後の課題. 人間と環境 **7**(1): 2-26.

Aono, Y. & Kazui, K. 2008. Phenological data series of cherry tree flowering in Kyoto, Japan, and its application to reconstruction of springtime temperatures since the 9th century. *International Journal of Climatology* **28**: 905-914.

Armstrong, P. 2000. The English Parson-naturalist: A Companionship Between Science and Religion. Gracewing.

朴恵淑・長屋祐一. 2000. 私たちの学校は「町の環境測定局」. 三重県人権問題研究所.

茅野恒秀. 2011. 沿岸域管理における環境政策と環境運動― 海の自然保護をめぐる史的考察 . 総合政策 **13**(1): 1-20.

Dickinson, J.L., Shirk, J.L., Bonter, D.N., Bonny, R., Crain, R.L., Martin, J., Phillipis, T.

& Purcell, K. 2012. The current state of citizen science as a tool for ecological research and public engagement. *Frontiers in Ecology and the Environment* **10**(6): 291-297.

権上かおる. 2005. 国内外の環境問題のとりくみ. *In*: 市民シンポジウム「ディーゼル排ガスと健康」あなたは空気を選べますか？ 人間と環境. **31**(2): 78-81.

芳賀徹. 1981. 平賀源内. 朝日新聞社.

Higgit, R. 2015. Halley's eclipse: a coup for Newtonian prediction and the selling of science. The Guardian. 3 May. https://www.theguardian.com/science/the-h-word/2015/may/03/halleys-eclipse-newtonian-selling-science-history（2021年6月30日最終閲覧）

Highfield, R. 2015. Three centuries of citizen science. Science Museum. https://blog.sciencemuseum.org.uk/three-centuries-of-citizen-science/（2021年6月30日最終閲覧）

Hochachka, W.M. & Dhondt, A.A. 2000. Density-depended decline of host abundance resulting from a new infectious disease. *Proceedings of the National Academy of Sciences of the United States of America* **97**: 5303-5306.

Hosseini, P.R., Dhondt, A.A. & Dobson, A. 2004. Seasonality and wildlife disease: how seasonal birth, aggregation and variation in immunity affect the dynamics of *Mycoplasma gallisepticum* in house finches. *Proceedings of the Royal Society London B: Biological Sciences* **271**: 2569-2577.

保柳睦美. 1997. 伊能忠敬の科学的業績――日本地図作製の近代化への道. 古今書院.

飯島伸子・西岡昭夫. 1973. 公害防止運動. *In*: 岩波講座 現代都市政策Ⅵ（都市と公害・災害）. 岩波書店.

鎌田武. 1994. 蒲生田海岸のウミガメ情報. *In*: 日本のウミガメの産卵地, 59-65.

Kamezaki, N. & Matsui, M. 1997. A review of biological studies on sea turtles in Japan. *Japanese Journal of Herpetology* **17**(1): 16-32.

環境省自然環境局生物多様性センター. 2019a. モニタリングサイト1000第3期とりまとめ報告書概要版 日本の自然に何がおきている？―市民・研究者・行政が力をあわせわかってきたこと―.

環境省自然環境局生物多様性センター. 2019b. モニタリングサイト1000里地調査2005-2017年度とりまとめ報告書.

Kobori, H. 2009. Current trends in conservation education in Japan. *Biological Conservation* **142**:1950-1957.

Kobori, H. 2013. Citizen science in Japan: strength and challenges. Symposium in 42nd Annual Conference of North American Association of Environmental Education.

小堀洋美. 2013. 地域をつなぐ生物多様性保全を目指した生涯学習―新たな市民科学の確立に向けて. 環境教育 **23**(1): 19-27.

Kobori, H. 2017a. Japan: Citizen science as a mechanism for creating urban sustainability. *In*: Russ, A. & Krasny, M.E. Urban Environmental Education Review. Cornell University Press.

Kobori, H. 2017b. Application of ICT for citizen science project on invasive plant species in river bed of a major river of Tokyo Metropolitan area. Citizen Science Association Conference. Minnesota.

Kobori, H. 2019.Implication and evaluation of citizen science program "City Nature Challenge 2018-Tokyo" with collaboration of 68 cities in the world. Citizen Science Association Conference. Raleigh.

Kobori, H., Taguchi, M., Shimamura, M., Taguchi, M. & Hirota, G. 2012. Ecological significance of restore urban ponds revealed by citizen science in Yokohama, Japan. *Public Participation in Scientific Research* **1**.

小堀洋美・桜井良・北村亘. 2014. 私有地の緑を活かしたコミュニティづくり—横浜市の「みどり税」を活かした行政・地区・大学との協働による試み. 環境情報科学 **43**(1): 34-39.

Kobori, H., Dickinson, J.L., Washitani, I., Sakurai, R., Amano, T., Komatsu, N., Kitamura, W., Takagawa, S., Koyama, K., Ogawara, T. & Miller-Rushing, A.J. 2016. Citizen science: a new approach to advance ecology, education, and conservation. *Ecological Research* **31**: 1-19.

Komatsu, N., Kobori, H. & Kitamura, W. 2012a. Climate change impacts on phenology of animals and plants revealed by old documents in the 1600's. The 5th EAFES International Congress.

Komatsu, N., Kobori, H., Kitamura, W. & Primack, R.B. 2012b. Traditional calendar reveals the effects of climate change on phenology in the last 300 years in Japan. The Ecological Society of America 97th Annual Meeting.

小松直哉・小堀洋美・横田樹広. 2015. 大都市近郊の住宅地域における生態系管理のための市民科学の活用. 景観生態学 **20**(1): 49-60.

近藤康男. 1994. 徳島県日和佐海岸におけるアカウミガメの上陸頭数（1950-54年）. *In*: 日本のウミガメの産卵地, 51-53.

前角達彦・須田真一・角谷拓・鷲谷いづみ. 2010. 東京区部西縁3区におけるチョウ相の変化とその生態的要因の関係. 保全生態学研究 **15**: 241-254.

牧野優子. 2005. 横浜市港北ニュータウンにおける外来種アメリカザリガニの生息状況と駆除作の検討. 東京都市大学修士論文.

Miller-Rushing, A.J. & Primack R.B. 2008. Global warming and flowering times in Thoreau's Concord: a community perspective. *Ecology* **89**: 332–41.

水みち研究会（編）. 1992. 水みちを探る—井戸と湧泉と地下水の保全のために. けやき出版.

水みち研究会編. 1998. 井戸と水みち—地下の環境を守るために. 北斗出版.

中東覚. 1994. 日和佐大浜海岸におけるアカウミガメ (*Caretta caretta*) の産卵と保護の概要. 日本のウミガメ産卵地, 54-58.

小倉紀雄. 2003. 市民環境科学への招待—水環境を守るために. 裳華房.

小倉紀雄・宮藤秀之・吉野英夫. 2005. 第1回身近な水環境の全国一斉調査—概要とその意義—. 資源環境対策 **41**(6): 67-72.

Overholt, J. 2017. Solar eclipses and citizen science. Houghton Library Blog, Harvard University. http://blogs.harvard.edu/houghton/solar-eclipses-and-citizen-scienc.（2021年6月30日最終閲覧）

Primack, R. B., Kobori, H. & Mori, S. 2000. Dragonfly pond restoration promotes conservation awareness in Japan. *Conservation Biology* **14**:1153-1554.

Primack, R.B. & Higuchi, H. 2009. Climate change and cherry tree blossom festivals in Japan. *Arnoldia* **65**: 14–22.

プリマック リチャード, 小堀 洋美. 2008. 保全生物学のすすめ 改訂版. 文一総合出版.

林野庁指導部造林保護課. 1970. ガン・カモ科の鳥類の調査について（昭和45年1月7日調査）.

Rosemartin, A.H., Crimmins, T.M., Enquist, C.A.F., Gerst, K.L., Kellermann, J.L., Posthumus, E.E., Denny, E.G., Guertin, P., Marsh, L. & Weltzin, J.F. 2014. Organizing phenological data resources to inform natural resource conservation. *Biological Conservation* **173**: 90-97.

Schmitt, C. 2014. Visionary science of the "Harvard barbarians". *Chebacco* **15**: 17-31. Maine Sea Grant Publications.

Schwartz, M.D., Betancourt, J.L. & Weltzin, J.F. 2012. From Caprio's lilacs to the USA National Phenology Network. *Frontiers Ecology Environment* **10**: 324-327.

田口正男. 2020. 京浜臨海部におけるシオカラトンボ雄成虫の腹部背面にみられる白粉部の変異と黒色化. *TOMBO* **62**: 91-103.

田口正男. 2021. 京浜工業地帯にトンボネットワークは形成されているか（XVIII）2020年度の調査結果　及びケンウッド型の行方と多数の移動個体の出現　トンボはドコまで飛ぶかプロジェクト2011年度活動報告書 pp.11-14.　トンボはドコまで飛ぶかフォーラム

田口正男・田口方紀. 2013. 京浜工業地帯にトンボネットワークは形成されているか（IX）「トンボはドコまで飛ぶかプロジェクト」10年目の検証. トンボでつなぐ京浜の森－10年の記録　2003～2013年活動報告書 pp. 29-37. トンボはドコまで飛ぶかフォーラム.

高田秀重・大垣多恵. 2018. インターナショナルペレットウォッチの市民科学としての役割. 水資源・環境研究 **31**(1): 4-10.

高木仁三郎. 1999. 市民の科学をめざして（朝日選書617）. 朝日新聞社.

トンボはドコまで飛ぶかフォーラム. 2012. トンボはドコまで飛ぶかプロジェクト2011年度活動報告書. トンボはどこまで飛ぶかフォーラム.

トンボはドコまで飛ぶかフォーラム. 2014. トンボでつなぐ京浜の森. 2013年度報告書. トンボはどこまで飛ぶかフォーラム.

横浜市環境創造局環境活動事業課. 1998. やってみよう！トンボ池. http://www.city.yokohama.jp/me/kankyou/mamoru/eco/tonboike/index.html

吉本哲郎. 2001. 風に聞け，土に着け――風と土の地元学. 増刊現代農業 **52**: 190-255.

Zoellick, B., Nelson, S.J. & Schauffler, M. 2012. Participatory science and education: bringing both views into focus. *Frontiers in Ecology and the Environment* **10**: 310-313.

【Webサイト】（末尾の日付は最終閲覧日）

中央大学・東京大学・パルシステム東京協働プロジェクト. 市民参加による生き物モニタリング調査. http://butterfly.diasjp.net/（2021年6月29日）

環境省・生物多様性センター. https://www.biodic.go.jp/gankamo/gankamo_top.html. 2019/10/10 最終閲覧
身近な水環境の全国一斉調査. http://www.japan-mizumap.org/. 2021/6/29（2021 年 6 月 29 日）
三島市：石油コンビナート反対闘争　三島市民のたたかい. https://www.city.mishima.shizuoka.jp/ipn001983.html（2021 年 6 月 29 日）
南方熊楠記念館. http://www.minakatakumagusu-kinenkan.jp/kumagusu（2021 年 10 月 19 日）
モニタリングサイト 1000 第 3 期とりまとめ報告書概要版 https://www.env.go.jp/press/107407.html（2022 年 1 月 21 日）
NPO 法人　日本ウミガメ協議会. http://www.umigame.org/index.html.（2019 年 10 月 1 日）
お庭の生きもの調査. http://www.wildlife.ne.jp/ikimono/（2021 年 6 月 29 日）
市民科学研究室. https://www.shiminkagaku.org/whatcsijfront/（2021 年 6 月 29 日）
市民科学研究会. https://www.shiminkagaku.org/wp/wp-content/uploads/700500_total.pdf（2021 年 6 月 29 日）
高木仁三郎市民科学基金. http://www.takagifund.org/index.html（2021 年 6 月 29 日）
タンポポ調査. http://gonhana.sakura.ne.jp/tanpopo2015/index.html（2021 年 7 月 2 日）
トンボはドコまで飛ぶかフォーラム. http://tomboforum.com/（2021/6 月 29 日）
UK Centre for Ecology & Hydrology（英国生態学・水文学センター）. https://www.ceh.ac.uk/（2020 年 8 月 22 日）

第５章　情報社会がもたらしたイノベーション

科学者ではない一般市民が集めたデータは信用できるのか？　市民科学につきまとう、データの信頼性への懸念。それはどうすれば解消できるのだろうか。必要なデータは何で、どのように収集するのか、また解析方法など、データへの適切なアプローチに加え、現代の技術がもたらした多様な手法を理解することが、実効的なプロジェクト設計の鍵になる。

すでに述べてきたように、市民科学は従来の科学の在り方とは大きく異なっている。そのため、科学的な訓練を受けていない一般の人が得たデータは本当に信頼できるのか、市民科学は本当に科学と言えるのかを疑問視する研究者や市民は少なからずいる。一方で、今世紀のはじめから、米国やヨーロッパを中心に、参加者が100万人を超える巨大なプロジェクト、国境を越えた大陸レベルのプロジェクトなど、市民科学は多彩な分野への広がりを見せている。そこでどのようにしてデータの質の保証をしているのかについて知り、理解を深めることが大切である。そのためには、従来の科学の尺度から市民科学の科学的側面について判断するのではなく、**市民科学に適した科学的なアプローチ**のために模索されてきた多様な手法に目を向けることが望ましい。本章では、1）情報科学技術による新たな市民科学のスタイル、2）市民科学を“科学”にするための挑戦と手法、3）情報科学技術を用いた手法の開発について述べる。

1. 情報科学技術による新たなスタイル

データを収集することは、市民科学にとって従来の研究者による科学研究と同様に研究活動の重要なステップであり、観察したことを記録し、文書に残す作業が行われてきた。“ペンと紙”は、今なお、観察を記録し、共有するための主要なツールであり続けている。しかし現在では、自らの五感を用いて観察し、メモをとることに加えて、環境からデータを収集する方法として多様な機器を用いることが可能となった。具体的には、高画質のデジタルカメラ、光学センサー、騒音レベルを記録するためのサウンドメーター、大気中の物質濃度を測定する拡散管などが用いられている。

さらに、パソコンの性能や記憶媒体の質の向上により、市民が大量のデータを収集、管理、共有化することが可能となった。大量の画像の分類を行う市民科学プロジェクトの参加者は、ネット上の膨大な画像を自分のパソコンにダウンロードし、画像の分類や解析作業を行えるようになった。アルツハイマー患者の脳の画像の分類、南極のペンギンの個体数や性別、キリマンジャロの裾野に広がる広大なセレンゲティ国立公園で撮影された野生生物の写真から動物の種類を判別することに、多くの市民が従事している。通信速度の向上も膨大な記録の整理や分析を容易にしている。

市民科学データのデジタル化にともない、参加者のすべての観察記録やその詳細を共通のフォーマットを用いて標準化することも可能となった。参加者がオンラインでWeb上のフォームに自分のデータを直接入力する際には、紙媒体のフォーマットとは異なり、プログラムが求める記載項目や観察内容を共通のフォーマットに記載し送信する。間違えた情報を入力すると修正を求められることも多い。こうしたプロセスを通じて、データの標準化が急速に進んだのだ。標準化されたデータは蓄積や管理、共有化を効率的に行えるため、大量のデータを容易に扱える。その結果、データの解析や加工などの活用も広がっている。情報技術の進歩は市民科学のスタイルに大きな変化をもたらしたといえる。

2. 市民科学を“科学”にするための挑戦と手法

データの標準化は、市民科学のデータの質を向上させるうえで大きな一歩となった。しかし、市民科学は従来の科学の方法とは異なるため、新たなデータの質の保証が求められる。

従来の標準的な科学的研究の多くは、極めて限定的な条件で行われてきた。研究を行うためには事前に特別なスキルや訓練が必要であり、限られた実験スペース、非常に特殊な方法で使用する高価な機器などが必要である。そのため、得られたデータの精度は高いが、稀な事象を対象とする科学としての特徴も持ち合わせているため、限られた専門家のみしか研究活動に従事できなかった。一方、市民科学の条件は限定的ではなく、事前に特別なスキルや訓練は必要とされない。すでに多様な複数のスキルを持った人、多くの参加者が、自らのパソコンやスマホ、簡易な測定機器を利用し、自分の余暇時間を用いて、興味のある課題に取り組んでいる。DIY により自分たちで作製した機器を用いて、大気中の二酸化窒素や放射能の濃度測定や、酸性雨や河川の水質調査を行っている市民や市民団体も多数ある。市民は、研究者がアクセスできない自宅の庭や遠隔地など、多くの場所でも観察や測定ができる。しかし、市民科学の持つこれらの限定的でない条件、すなわち、多様なスキル、多くの人数や時間、多様な場所での研究データを活かし、そのデータの品質保証をするには、従来の科学の方法を乗り越えた新たな考え方や方法が必要となる。

市民科学のデータの精度を高める７つの手法

市民科学のデータとその精度を保証する方法として、すでに色々な方法が開発されている。ここでは、代表的な７つのアプローチについて紹介する(Goodchild & Li, 2012; Wiggins *et al.*, 2011)。

▶①クラウドソーシング（Crowdsourcing）

この方法では、不特定多数の参加者の回答や成果を集めた集合知を利用する。複数の人が同じ観察を行たり、１つの画像データを複数の人が個別に解析するなどして、データの精度を上げる。Zooniverse（p.16）は１つの画像を多くの人が観察することにより精度を上げている事例である。

▶②社会的アプローチ

情報をチェックし、データが正しいことを確認する方法として、参加者のヒエラルキーを利用する方法である。経験豊富な人に参加者のデータの確認に貢献してもらう。この方法は、生物多様性観測の多くの分野ではよく用いられている。これらをサポートするためのソーシャルネットワークも複数あり、その事例として、iSpot（Silvertown *et al.*, 2015）が挙げられる。

●●●●●●●●●●●●●●●●●●●●●●●

生物の識別を助けてもらえるSNS，iSpot

iSpot は、英国のオープンユニバーシティによって開発、運営されているソーシャルネットワーキングの Web サイトである。登録した市民は野生生物の観察画像を投稿して観察結果を共有すると、80人以上の専門家の協力により観察した生物が特定される。iSpotは、観察記録のデータベースを公開して、提供することにより科学に貢献している。

オンラインによる識別ツールは、市民の種の同定レベルの向上にも役立っている。生物に名前をつけることは、生物多様性の科学、保全、教育の基本であるが、ヨーロッパや北米をはじめとする多くの国では、初等から大学の生物学のカリキュラムではほとんど教えられていない（Tewksbury *et al.*, 2014）。日本の生物学のカリキュラムも同様である。iSpotでは、名前のない種は事実上見ることができず、保護することは不可能との認識に立っている。テュークスベリーらは、市民と専門家をつなぐクラウドソーシングと学習技術を組み合わせることが、この問題の解決に重要であることを実証した（Tewksbury *et al.*, 2014）。

●●●●●●●●●●●●●●●●●●●●●●●

シルバータウンらの研究では、iSpotに投稿された観察値の94％以上が何らかの分類レベルに識別され、種レベルまで識別された観察は80％以上と極めて高い割合を占めていた（Silvertown *et al.*, 2015）。また、ほとんどの観察記録は、投稿から1時間以内に最初の識別情報が与えられたと報告されている。

▶③地理的手法

地理的な知識を活用して、提供された情報がその場所で見られるかを確認する手法である。たとえば、通常は外洋に生息している生物が河川で報告された場合などに、その生物は河口の汽水域などを辿って川へ移動することが可能かを調べ、生存情報を地理情報から確認し、可能な場合にはデータの提供者に説明を求める。このようにして報告されたデータの妥当性を確認する。

▶④ドメイン知識によるアプローチ

ドメイン知識とは「ある専門分野に特化した専門知識」を意味する。このアプローチでは、情報が収集された分野に関連する既存の知識を活用する。たとえば、生物学的観察を含む多くの市民科学プロジェクトでは、種の分布に関する時間的、空間的な情報がすでに蓄積されている場合が多い。したがって、新たな観測が行われたとき、既存の知識と矛盾していないかを確かめ、データが正確であることを確認する。異常値（時間的、地理的）またはその他の特性を見出すためにも利用されている。

▶⑤機器観察を用いた手法

人間によるデータ収集に加え、センサーからの情報を用いることにより、情報の質と正確さの証拠を担保する手法である。様々なセンサーの性能が向上したため、位置情報、画像、音声などをだれでも手軽に収集することが可能となっている。たとえば、スマホで撮影された画像ファイルは画質が極めて高くなっているため、生物の分類群によっては、これらの電子情報の資料を一次資料*1として種の同定にも使用できるようになってきた。また、スマホの画像には、GPS座標と日時が記録されており、これらの付随情報や二次資料*2の活用はデータの質を高めるうえで、極めて有効な方法である。

▶⑥プロセスアプローチ

参加者が精度の高いデータを提供できるように、事前にデータ収集のプロセスやプロトコル（手順）に関する情報を参加者に提供しておき、収集後に標準のプロトコル通りにデータ収集が行われたかを確認する方法である。

このアプローチでは、標準化された機器の提供、オンライン・トレーニング、指示書、及び定型データ（構造化データ）の記録プロセスが含まれている。たとえば、米国の「CoCoRaHS」（降雨・雹（ひょう）・降雪ネットワーク：The Community Collaborative Rain. Hail, and Snow Network, https://www.cocorahs.org/）の参加者は、標準化された雨量、積雪量、雹の計測装置（**図5-1**）を提供され、設置方法の指示書、データ収集と報告について学ぶためのオンラインリソースを受け取り、これらに従ってデータ収集を行うことによりデータの精度が確保されている（Cifelli *et al.*, 2005）。このプロジェクトの詳細と歴史を紹介する。

*1　一次資料：資料は、一次資料、二次資料、電子情報資料に分けられる。一次資料は実物資料とも呼ばれ、生物や鉱物などの標本や独自性がある研究ノート、原典、インタビューの録音などが含まれる。
　なお、二次資料については*2で述べるが、電子情報資料は、電子媒体を用いて作成された資料を言う。その精度が上がり、最近では、標本などと同様に一次資料として扱われることもある。

*2　二次資料：二次資料は間接資料とも呼ばれ、一次資料の性質を残したまま記録・編集した模写、模型、レプリカなどが含まれる。

CoCoRaHS プログラムの歴史と強み

CoCoRaHS は、米国とカナダで展開されている降雨・雹・積雪量を計測する市民科学プロジェクトである。市民は自宅の庭や職場に簡易で安価な降雨量、積雪量、雹の特性を正確に測定できる装置を設置する。組織はそのデータをインターネットで受信し、得られた情報をリアルタイムでマッピングして提供している。

得られた雨、雪、雹の情報はだれでも利用することができ、地域の詳細な気象パターンやその予測に活用されている。このプロジェクトでは、測定のためのトレーニングと教育に重点が置かれており、CoCoRaHS の Web サイトには、学校で活用できる教材、講師の派遣、市民のためのビデオや測定法に関する情報が掲載されている。プロジェクトでは、インタラクティブな Web サイトを利用して、天然資源、教育、研究、アプリケーションの活用を可能にする高品質のデータを提供することを目指している。

プロジェクトの開発は 1997 年にさかのぼる。この年の 7 月、コロラド州のフォートコリンズで暴風雨による記録的な降雨（355 mm/h）により鉄砲水が発生した。これによりロッキー山脈の洪水ハザードマップに指定されていなかった地域でも都市洪水が起こった。人命が失われ、被害額は 200 億円に上ったことがプロジェクトの契機となった。

当時、既存の気象レーダー、衛星データ、公式気象ステーションからは詳細な地域の気象データを得ることはできなかった。そのためコロラド気候センターでは、災害直後から、降水量とその空間パターン、嵐の強度などの情報を得るため、全米気象観測ネットワーク（National Weather Service Network、全米の 8,500 人以上のボランティアが毎日行っている気象観測のネットワーク）、コロラド州立大の雨量計のデータを収集することとした。合わせて、ラジオや新聞で降雨量のデータを電子メールで提供するよう地域社会に呼びかけた。その結果、市民を中心に、330 以上の雨量計のデータ、風速、洪水に関するデータが寄せられた。これらのデータから、嵐と降雨量に関する複雑なパターンと、

➡ **CoCoRaHS** https://www.cocorahs.org

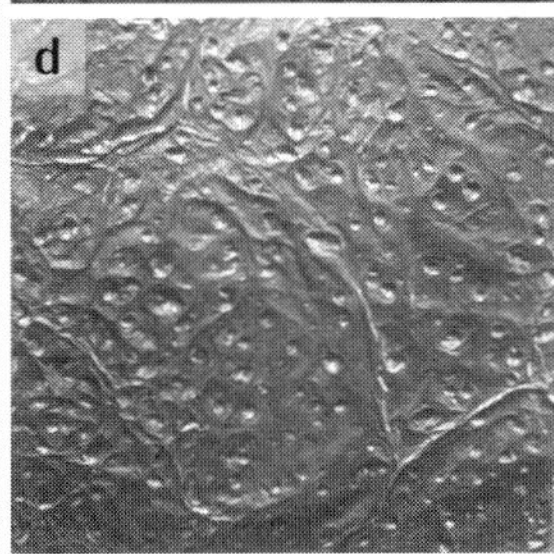

図 5-1 CoCoRaHS の測定機器（画像提供：CoCoRaHS）
a: CoCoRaHS のロゴ、b: 雨量計、c: 積雪量の計測計。雪を溶かし、水の重量を測定する、d: 雹の測定に使用している測定パッドの表面。降下した雹により写真のようなくぼみが形成され、雹のサイズ、密度がわかる。

それに続く洪水に関する詳細な報告が、わずか数週間でまとめられた（Doesken & Mckee, 1998）。このマップはその後も広く使用されている。

災害時における、地域住民との連携による市民科学のアプローチは、地域の詳細な気象データの収集に極めて有効であることが証明された。そのため、1998 年の春には、フォートコリンズ市の降雨情報担当部署（Fortcollins Rain Utility）、コロラド州緊急管理事務所、地域住民、気象サービス、地元の民間気象学者、地元の学校が協力して、新たな組織が立ち上げられた（Reges *et al.*, 2015）。組織では、雨量、雹（ひょう）、積雪量の正確な計測をするために、地元住民を募集しデータ測定のためのトレーニングを行い、またデータの空間的な偏りをなくすために、少なくとも1平方マイルあたり1人からはデータを得る体制を整えた。地元の高校生は降雨レポートの入力を行い、関係組織は①ツールの開発、②市民ボランティアによるデータのマッピングと表示、③グループミーティングと活動のセットアップ、④地域住民への情報提供などで連携した。

①の取り組みで独自に開発された雹（直径5mm 以上の氷粒）の測定法は、**図 5-1d** に示すようにユニークで面白い。測定にはホイルで包まれた発泡スチ

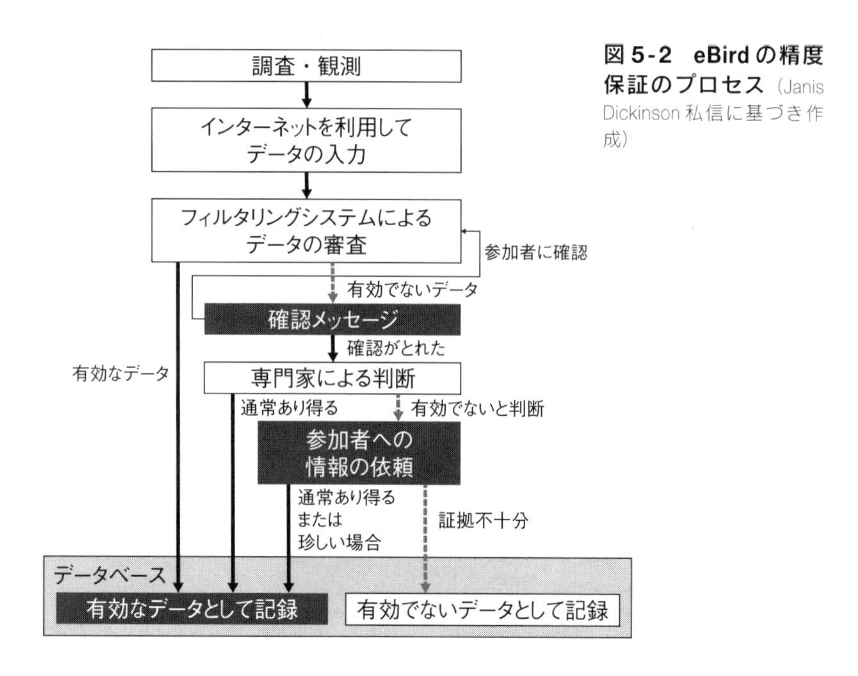

図 5-2 eBird の精度保証のプロセス（Janis Dickinson 私信に基づき作成）

ロールの雹パッドを用い、降下した雹によるパッド上のへこみから雹の数、サイズ分布、密度が可視化できる。

このプロジェクトの原動力は、市民による気象条件を継続的に監視し報告する熱意と、天候が私たちの生活にどのような影響を与えるかについてもっと知りたいという願いに支えられている。

●●●●●●●●●●●●●●●●●●●●●●●

▶⑦統合的な手法（Combination of methods）

上記の複数の手法を用いて精度を上げる方法である。実際に多くのプロジェクトの企画者は複数の多様な方法を組み合わせて用いている。その事例として、eBird のデータの精度保証のスキームを紹介する（Bonney *et al.*, 2009; Sullivan *et al.*, 2009; Sullivan *et al.*, 2014）。eBird は、第 3 章で述べたように Web を用いた最初の市民科学プロジェクトで、150 万人以上の市民が登録している最も人気のある鳥類のプロジェクトである。なお、2021 年 11 月に公

➡ **eBird** https://ebird.org
➡ **eBird 日本語版** https://www.wbsj.org/activity/conservation/ebird/

益社団法人日本野鳥の会が eBird の日本語版を立ち上げた。

図 5-2 に eBird の精度保証のプロセスの概要を示す。プロジェクトの参加者は、鳥の目撃情報や調査記録のデータを eBird の Web サイトに直接入力する。入力されたデータは、データ入力システムに組み込まれた 5,000 を超えるフィルターにより審査される。その結果、有効と判断されたデータはデータベースに記録される。有効でないと判定されたデータについては、インタラクティブな Web 機能を用いて参加者への確認を行う。参加者の確認が取れ、専門家が通常にあり得るデータと判断した場合は有効なデータとしてデータベースに記録する。専門家が有効でないと判断した場合は、さらに参加者へ追加の情報提供を依頼する。その情報に基づき、専門家が通常または稀にあり得ると判断した場合は、有効なデータとする。証拠が不十分な場合は、有効でないデータとして、データベースに記録する。

eBird には、毎年 1 億を超える世界の鳥の観察が記録され、2018 年には、北米では 600 種を超える鳥類の基本的な生態学的情報が提供されている。情報はデータベース化され、さまざまな形式で利用できる。たとえば、AKN（鳥類知識ネットワーク : Avian Knowledge Network）のデータソースとして収録されている。AKN は西半球の鳥類のデータを統合する画期的な取り組みで、6,650 万を超える記録が含まれている。また、米国とカナダの鳥類の包括的百科事典である Birds of North America や地球規模生物多様性情報機構（GBIF）などの国際的な生物多様性データシステムにも収録されている。

▶人材育成

市民科学のデータとその品質を保証する方法は、上記の代表的な 7 つの方法以外にも開発されている。その 1 つは、市民の人材育成である。市民の能力を高めることにより、データの精度を上げる試みである。すでに述べたように、生物の種を同定することは日本をはじめ多くの国で正規な教育ではほとんどなされていない。そのため、博物館などでは学術標本・サンプルを正しく同定し整理できる能力をもつパラタキソノミスト（準分類学者）を養成する試みがされている。準分類学者は、生物学分野、地球科学分野、考古学

➡ **ANK**　https://avianknowledge.net
➡ **Birds of North America**　https://birdsofnorthamerica.com

表 5-1　プロジェクトに使用された精度保証の手法とその使用頻度

（wiggins *et al*., 2011 に基づき作成）

手法	n	割合（%）
専門家による検証	46	77
写真の投稿	24	40
オンラインでの投稿と記録用紙の提出	20	33
複数の参加者による反復や評価	14	23
品質管理・保証のための教育プログラム	13	22
まれな報告への自動フィルタリング	11	18
統一した機器の使用	9	15
検証は計画しているが実施していない	5	8
同じ参加者による反復や評価	2	3
確立された管理項目に評価	2	3
なし	2	3
わからない	2	3

分野等の専門家の研究を支援すると共に、環境調査・環境教育の現場でも貴重な人材となっている。北海道大学総合博物館では、一般の人を対象とした昆虫、キノコ、海藻、鉱物などの多様なパラタキソノミストの講座が開講されてきた（Ohara, 2005）。

企画者へのアンケートにみるデータの精度保証の実際

市民科学におけるデータの品質を保証するための手法として、上に挙げた代表的なアプローチだけでなく、多くのメカニズムを含むフレームワークが報告されている（Wiggins *et al*., 2011）。

ウィギンズらは、データ保証にどのようなフレームワークを用いているかを知るために、主にプロジェクトの企画者へのアンケートとインタビューを行った。対象としたプロジェクトは、コーネル大学鳥類学研究所と現在は廃止された Canadian Citizen Science Network にリストされていた 280 のプロジェクト、またそれに関係する個人 560 人だった。この中から、アンケートとインタビューに応じた 63 のプロジェクトを対象とした。これら大部分は、中規模の、米国に拠点を置くプロジェクトであった。

表 5-1 にプロジェクトに使用している精度保証の方法の複数回答の結果を示す。最も多かったのは専門家による検証で、77％と高い割合を示した。次

表 5-2　プロジェクトに使用された手法の組み合わせとその頻度

（Wiggins *et al.*, 2011）

手法	n	割合（%）
単一の手法	10	17
複数の手法（5種以内、平均 2.5）	45	75
専門家による検証＋自動フィルタリング	11	18
専門家による検証＋記録用紙	10	17
専門家による検証＋写真	14	23
専門家による検証＋写真＋記録用紙	6	10
専門家による検証＋反復、複数	10	17

に投稿された写真による検証（40%）、オンラインでの投稿と記録用紙の提出（33%）であった。オンラインでの投稿と記録用紙の両方の提出を求める割合が高かったことは興味深い。おそらく、紙媒体の記録の弱点である誤記とデータの消失を避け、またオンラインの投稿の弱点であった運営者、管理者や投稿者による改変や削除が容易であったことを補うためであったと思われる。

ウィギンズらはさらに、プロジェクトに使用されている手法の数と複数の手法を使用している場合の手法の組み合わせを調査した。その結果を**表 5-2**に示す。回答のあったプロジェクトのうち単一の手法を用いているプロジェクトは17%のみで、複数の手法を用いているプロジェクトの割合は75%と高かった。複数の手法を用いているプロジェクトで最多は5つの手法、平均は2.5種の手法を用いていた。さらに、手法の組み合わせで最も高い割合は、専門家による検証と写真判定で（23%）、次いで専門家による検証と自動フィルタリングがいずれも18%、専門家による検証と記録用紙（17%）と専門家による検証と反復･複数による調査（17%）の順であった。これらの結果から、多くの市民科学プロジェクトでは、複数の検証の手法を用いるとともに、専門家との協働でデータの精度を保証していることが明らかとなった。これらの多くの挑戦と努力により、市民科学で得られたデータの質は向上しており、市民科学データの質について評価した論文も多数報告されている。

市民科学データの質を調べる最も一般的な方法の1つは、市民によって収集されたデータと専門家によって収集されたデータとを比較することである。ノースカロライナ大学カレン・クーパー（Caren Cooper）教授によると、市民科学データと専門家が収集したデータを比較した約50の論文について検討した結果、市民による観察データは、数論文を除き、専門家による観察とほぼ同じ結果を示した（Cooper, 私信）。また、市民による観察データが専門家によるデータと一致しなかった数例は、市民科学のプロジェクトの設計に問題があることがわかった。

したがって、市民科学の弱点を補完し、強みを活かしたプログラムをデザインすることにより、市民科学プロジェクトが高品質のデータを提供できる時代となったと言える。過去数年間で急速な広がりをみせているAIなどの新たな情報技術は、市民科学をさらに新たな地平へと導いており、市民科学のデータの精度の向上に貢献している。新たな情報技術を取り入れ、その精度を上げていくことは、市民科学の今後の進展にとって欠かせない。一方、情報科学技術を活用した市民科学は誕生して間がなく、8章で述べるように解決すべき課題も多くある。これらの課題を克服することは、市民科学を新たな科学としてさらに社会で定着させる上で重要である。

3. 情報科学技術を用いた手法の開発

情報科学技術の進展は、市民科学の可能性を直接的及び間接的に飛躍的に広げた。以下にその主な分野について紹介する。

センシングツールの開発

感度のよい小型で安価なセンサー機器の開発により、市民科学のデータの収集は容易になってきた。これらのセンサーには、大気質のパラメータであるオゾン、窒素酸化物（NO、NO_2）、一酸化炭素、全揮発性化合物（VOC）、二酸化炭素、PM2.5、騒音、振動などがある。また、水質のパラメータであるCOD（化学的酸素要求量）、リン、アンモニア態窒素、硝酸態窒素、亜硝酸態窒素などもデータ収集できる。これらのセンサーの中には市民によって開発されたものも多数ある。行政がこれらのセンサーを開発し、市民を支援している取り組みもある。その例として、米国環境保護庁（EPA）の「大気センサーツールボックス（Air Sensor Toolbox）」を紹介する。

米国環境保護庁（EPA）のツールボックス

EPAは大気質測定に関する多数の低コストセンサーを開発し、Webサイトで、技術開発者、大気質管理者、市民科学者、一般市民向けの大気センサー監視システムの性能、操作、使用に関する最新の科学情報を提供している。センサーは、教育プログラムから専門家レベルの研究やデータのモニタリングまで、幅広いニーズに対応している。

EPAが開発したセンサーは、低価格な100ドル程度のものから精度の高い計測器は3,000ドルまでさまざまなものがあり、粒子状物質、オゾン、窒素酸化物（NO、NO_2）、一酸化炭素、全揮発性化合物（VOC）、二酸化炭素などの大気質パラメータが測定できる。計測器の多くは移動式で、トレーニングを受けなくともデータ収集を開始できる。2018年には、低コストセンサーの評価に関する新しいガイドと、大気センサーデータ用のExcelベースのマクロ分析ツールが開発された。

EPAのWebサイトでは、知りたい汚染物質や適切なセンサーを選ぶ方法のガイダンスやビデオ、わかりやすいセンサー操作手順、品質保証ガイドライン、汚染物質と発生源に基づくセンサーの配置に関する推奨事項、データ分析とその解釈、及びコミュニケーションのための方法とツール、資金源とセンサーローンプログラムの利用可能性に関する情報、ファクトシート、ニュース記事、ブログなど、多くの情報を市民科学者に提供している。得られた大気質データは、大気質にかかわる事象を判定し、人々が大気の汚染を減らす行動を起こすために利用される。

ソーシャルネット：研究者と市民の交流と連携

ソーシャルネットワークサービス（SNS）は、研究者と市民との垣根を越えるとともに、また市民どうしの交流や連携の機会をもたらした。たとえば、市民が投稿した野生生物の写真から、研究者やナチュラリストがアドバイスを与え、市民どうしがお互いに情報を交換して、種の同定を行うことが可能

➡ **Air Sensor Toolkit**　https://www.epa.gov/air-sensor-toolbox

になった。プログラムの参加者である市民は、研究者から直接アドバイスをもらうこと、また研究成果のフィードバックや議論をすることも容易になっている。市民や市民を含む団体が市民科学プロジェクトを研究者や研究機関、行政機関、企業などと連携して行うことも容易になった。

▶スーパーの「かき」産地しらべ

SNSは、クラウドソーシングを用いた市民参加型のアプローチの普及にも貢献している。企画者や研究者がSNSを活用して収集したいデータを市民に呼びかける市民参加型のアプローチの例として、日本で人気を集めた「スーパーの『かき』の産地しらべ」がある。このプロジェクトではツイッターのハッシュタグを活用した。参加者は、①スーパーに行く、②生ガキを見つけたら産地の県をチェックする、③ネットで「#カキ調査」を見つけて、調査項目、スーパー名、産地県、をツイートするだけである。すると自分が投稿した内容が短時間で日本地図上に示される。

このプロジェクトは2016年9月から2017年3月までの6か月間の期間限定で行われ、すでに終了しているが、全国のスーパーマーケットを対象とした生ガキ（マガキ）の販売店と産地の関係を知ることが目的であった（石田, 2017）。写真撮影などの付随情報の投稿は不要なため、だれでもが簡単に投稿でき、参加しながら、全国の生ガキの産地を知ることができ、人気を集めたと考えられる（宮崎, 2018）。

▶ #関東雪結晶プロジェクト

「#関東雪結晶プロジェクト」も同様の事例である。気象庁気象研究所では、雪結晶画像を高密度かつ広域に収集することを目的として、2016年の冬季からツイッターのハッシュタグを活用したプロジェクトを開始した（荒木, 2018）。関東地域を対象に、市民にスマホで撮影した雪の結晶を送ってもらう。参加方法は簡単で、黒い布とその上に定規を置き、雪をその上に採取し、ただちにスマホで雪結晶を撮影し、撮影場所（詳細な住所は不要）と日時の情報とともに、サイトへ投稿する。また、一眼レフなどで撮影した画像をパソコンから投稿することもできる。スマホに市販のマイクロレンズを装着して、

➡スーパーの「かき」の産地しらべ　https://sites.google.com/site/oystermap/
➡#関東雪結晶プロジェクト　https://www.mri-jma.go.jp/Dep/typ/araki/snowcrystals.html

鮮明な画像を提供することも可能である。

市民参加型のSNSを活用する以前、気象研究所では、首都圏にある８か所の気象台で目視の観測を行って情報収集を行っていたが、情報は限定的だった。しかし、このプロジェクトにより、関東圏の１万5000地点から、10万枚以上の雪結晶の画像の提供を受けることができ、そのデータから、雪結晶の分類、低気圧との関係などが明らかにされた。今後は、気象の監視予測技術にも貢献できると期待されている。

オープンサイエンス：科学の民主化

オープンサイエンス（open science）とは、学術研究や調査の成果を研究者だけでなくだれもが可能な限り共有できるようにし、さまざまな角度から研究活動に参加できるようにする科学の進め方である。

オープンサイエンスには以下の６つの原則がある（Watson, 2015)。

Open Data：研究データを公開する
Open Source：自由なライセンスのソフトウェアツールを活用する
Open Access：論文を広く公開する
Open Methodology: 詳細な研究手順を公開する
Open Education：教育に活用できる情報を公開する
Open Peer review：査読を公開する

オープンサイエンスは、専門家による研究データや研究成果（論文）のオープン化と捉えられることが多いが、これらの原則を推し進めることにより、**科学的知見を可能な限り共有する**考え方とされている。特に公的資金など税金によって賄われた研究は、研究者間だけでなく、市民や社会が共有できてこそ科学の民主化や科学の社会化を可能にする、との考え方が社会的にも広がっている。その結果、科学の民主化と発展を促し、また、効果的な科学技術研究の推進やイノベーションの創出へとつなげることがミッションとなっている（古川, 2016)。

オープンサイエンスは今世紀の市民科学の進展にも大いに貢献している。一般市民が自由に科学的知見にアクセスできることにより、市民の科学研究への参加が容易となってきた。その結果、市民が科学の担い手となり、オープンサイエンスの目的である、科学の民主化を市民科学が後押ししているとも捉えられる。特に、市民が研究者のデータの収集に協力する従来の貢献型の市民科学ではなく、市民が主体的に実践する協働型、共創型や独立型の市民科学の取り組みが、オープンサイエンスの新たなアプローチとして広がりを見せている。

オープンサイエンスでは、科学的な活動に必要なデータの収集、分析、公開、再分析、再利用、再配布などを円滑に行うために、多くの取り組みがされてきた。具体的には、データは規格化されたフォーマットで一元化し、インターネット上でアクセスできるようにしたWebデータベースが構築されている。

特に、オープンアクセスデータの活用は生物多様性の分野で積極的に行われている。その日本の代表的な事例として、「サイエンスミュージアムネット」を挙げる。このポータルサイトは、国立科学博物館が運営し、標本情報を共有することを目的としている。全国の自然史系博物館の協力によって、全国の博物館が所有する標本情報と採集に関する情報が掲載されており、だれでも利活用が可能である。また、これらの情報は国際的な地球規模生物多様性情報機構（GBIF）のデータベースが推奨するデータ記述フォーマットを採用している（大澤ら, 2019）。

4. 市民科学のプラットフォーム

過去15年間に欧米を中心に、市民科学データのための包括的なプラットフォームが開発された。これらは以下の2つに分類することができる。

▶①特定の対象に特化したプラットフォーム

特定の研究分野やトピックに特化したプロジェクトではWeb上の登録フォームを使用してデータを収集し、データ管理に取り組む特定のプラットフォームが作成される。その例として、すでに本章で述べた鳥の観察のためのeBirdや、雨、雹、雪の観察のためのCoCoRaHSの初期のシステムなどが挙げられる。

▶②包括的なプラットフォーム

過去10年間で、1つ以上のタイプのプロジェクトをサポートするための、

➡サイエンスミュージアムネット　http://science-net.kahaku.go.jp
➡CitSci.org　https://citsci.org

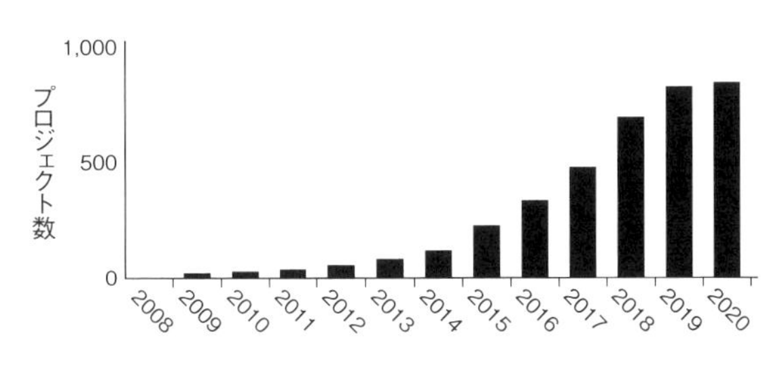

図 5-3　CitSci.org のプロジェクト数の経年変化（CitSci.org の Web サイトより改変）

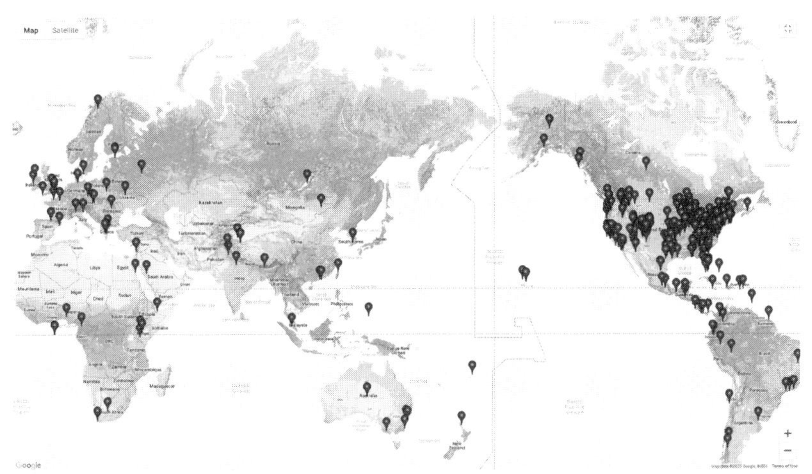

図 5-4　CitSci.org が支援するプロジェクトの分布（2020 年 2 月現在）（CitSci.org の Web サイトより改変）

より包括的なプラットフォームが開発された。その代表的な例として CitSci.org がある。CitSci.org は市民科学プロジェクトの支援プラットフォームで、新しいプロジェクトの作成、プロジェクトのメンバーの管理、参加者のデータシートの作成、調査、データ分析のための集中管理システム、参加者のフィードバックなどを無料で提供している。CitSci.org が支援するプロジェクト数の変化を**図 5-3** に示す。プロジェクト数は 2015 年以降急速に増加し、現在（2020 年 2 月）では、市民や市民団体のプロジェクトの企画者（コーディネーター）が作成した 869 のプロジェクトのデータライフサイクル（p. 201 参照）の全体をサポートしている。**図 5-4** は、これらのプロジェクトの活動場所を示している。北米だけでなく、世界の 6 大陸で実施されているプロジェクトを支援していることがわかる。

CitSci.org は、コーネル大学鳥類学研究所のシチズンサイエンスセントラル

(Citizen Science Central) と提携してコーディネーターと情報をリンクすることにより、市民科学プログラムの支援を拡大している。さらにDataONEプログラム(後述)の市民科学データ管理ワーキンググループと協力して、データの共有と管理を促進している。

CitSci.orgは、市民科学プロジェクトのオンラインマーケティングプラットフォームであるSciStarterとも統合されているため、CitSci.orgのプロジェクトへの参加はSciStarterへ自動的にアクセスできる。このようにCitSci.orgは、市民科学の研究全体をサポートするために包括的なアプローチを用いている。

データ管理の相互運用性

複数の市民科学のデータがすべて同じように標準化されていれば、システムの違いを超えてデータを利用したり、共有することができる。その構造、内容、および他のすべての技術的な詳細について公式に合意されていれば、コンピュータシステムは他のシステムとデータや情報を交換できる。DataONE (Data Observation Network for Earth) は、コミュニティ主導のプロジェクトで、市民科学に関するデータ管理の情報や手法などを提供している。

2013年にアンドレア・ウィギンズ (Andrea Wiggins)、リック・ボニー (Rick Bonney) ら13名の代表的な市民科学研究者からなるワーキンググループによってまとめられたデータ管理のガイドブック(第7章で紹介する)は、市民科学のデータ管理のライフサイクルについて段階ごとに紹介している。各段階での市民科学プロジェクトの事例紹介、利用可能なツールや最良の実践を行うためのリンク先の情報も掲載されている。

ガイドブックは、市民科学のプロジェクトの企画者がプロジェクトのデータの質、利用、アクセスを最大限に高めることを目的としており、企画者がデータ管理に費やす時間を短縮し、データ管理の計画や実践に費やす時間を増やすことにより、プロジェクトの目的を達成しやすくすることを目指している。

よいデータ管理は、入手したいデータを迅速に見つけ、利用し、分析し、共有し、再利用することを容易にする。長い目でみると、データ管理の実践は、

➡ **DataONE** https://www.dataone.org

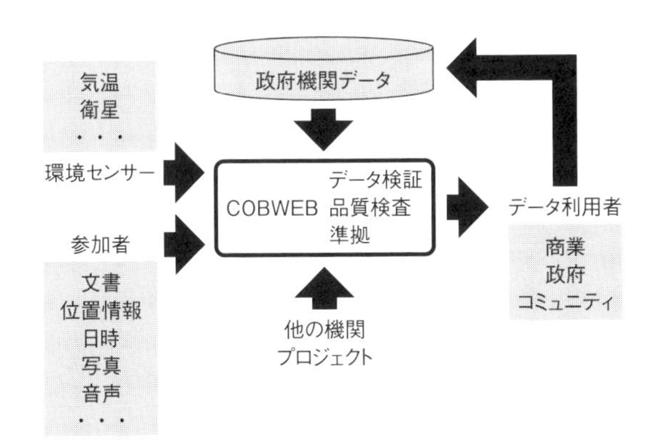

図 5-5　COBWEB によるモバイルデータの獲得と品質保証・合成の連携の模式図
（COBWEB の旧 Web サイトに基づき作図）

プロジェクトが最初に目指していた目標に加え、政策決定、政治、研究にも貢献することができる。その試みは始まったばかりである。ここでは、その最初の試みとして取り組まれた COBWEB を紹介する（Higgins *et al.*, 2016）。

COBWEB は、EU から公的資金援助を受けて 2012 年に開始された研究プロジェクトで、2016 年には終了した（現在は後続のプロジェクトも開始されている）。

COBWEB では、環境に関する情報がどのように共有されるべきかについての基準を設定した。**図 5-5** にデータの相互互換の模式図を示す。図に示されている①センサーにより測定された環境データ、②市民が多様な情報媒体を用いて収集したデータ、③行政や研究機関による公式なデータを一括し、データの検証、質の保証、コンプライアンスの観点から問題がないかを検討した。これらの検討は、OGC（Open Geospatial Consortium）、地球観測グループ、及びヨーロッパの INSPIRE 指令*3 とも連携して行われた。これらのプロセスを通じて問題がないとされたデータは、個人のデータの利用者、商業、政府、地域のコミュニティで活用され、さらに行政や研究機関でのデータベースとしても保管された。

今後は市民科学の活動で得られた貴重な情報も散逸したり、死蔵させることがないよう、これらの仕組みが広く開発され活用されることを期待したい。

この章で述べたように、情報科学技術を用いた市民科学の急速な拡大にと

＊3　INSPIRE 指令：EU 域内の地図・空間情報の統合・共有化を目指し、2006 年に欧州会議が採択した。公共機関のもつ地図・空間情報を統合したポータルを構築し、基本的な情報は EU のインフラとして無料で開放する。

もない、さまざまな取り組みや改善がされている。しかし、発展途上の新たな分野であり、新たな取り組みは次なる課題を生み出してもいる。

第5章 引用文献

荒木健太郎. 2018. シチズンサイエンスによる超高密度雪結晶観測「# 関東雪結晶プロジェクト」. 雪氷 **80**: 115–129.

Bonney, R., Cooper, C.B., Dickinson, J., Kelling, S., Phillips, T., Rosenberg, K.V. & Shirk, J. 2009. Citizen science: a developing tool for expanding science knowledge and scientific literacy. BioScience **59**: 977–84.

Cifelli, R., Doesken, N., Kennedy, P., Carey, L.D., Rutledge, S.A., Gimmestad C. & Depue, T. 2005. The community collaborative rain, hail, and snow network: informal education for scientists and citizens. *Bulletin of the American Meteorological Society* **86**(8): 1069-1077

Doesken, N. J. & McKee, T.B. 1998. An analysis of rainfall for the July 28, 1997 flood in Fort Collins, Colorado (Climatology Report 98-1). Deptment of Atmospheric Science, Colorad State University.

古川泰人. 2016. ・生物多様性情報をとりまくオープンサイエンスの状況と課題. 日本生態学会誌 **66**: 229 – 236

Goodchild, M. F. & Li, L. 2012. Assuring the quality of volunteered geographic information. Spatial Statistics 1: 110-120.

Higgins, C.I., Williams, J., Leibovici, D.G., Simonis, I., Davis, M.J., Muldoon, C., van Genuchten, P., O'Hare, G. & Stefan Wiemann, S. 2016. Citizen OBservatoryWEB (COBWEB): a generic infrastructure platform to facilitate the collection of citizen science data for environmental monitoring. *International Journal of Spatial Data Infrastructures Research* **11**(1): 20-48.

石田惣. 2017. カキ調査. 大阪市立自然史博物館 第48回特別展解説書瀬戸内海の自然を楽しむ. p.97-98. 大阪市立自然史博物館.

宮崎佑介. 2018. 情報媒体を通じて取得される市民データの科学的活用. 種生物学会電子版和文誌 **2**.

Ohara, M .2005. Parataxonomist training courses by the 21st century COE program "Neo-Science of Natural History" at Hokkaido University. *Zoological Science* **22**: 1426

大澤剛士・細矢剛・戸津久美子. 2019. 生物多様性情報学の今後を見通す. 日本生態学会誌 **69**: 119-125.

Reges W.H., Doesken, N.J., Cifelli, R. & Turner, J. 2015. The community collaborative rain, hall and snow network (CoCoRaHS): volunteers monitoring precipitation across the nation –The next step. CoCoRaHS/Colorado State University.

Silvertown, J., Harvey, M., Greenwood, R., Dodd, M., Rosewell, J., Rebelo, T. & Ansine,

J. 2015. Crowdsourcing the identification of organisms: a case-study of iSpot. ZooKeys 480: 125-146.

Sullivan, B.L., Wood, C.L., Iliff, M.J., Bonney, R.E., Fink, D. & Kelling, S. .2009. eBird: a citizen-based bird observation network in the biological sciences. *Biological Conservation* **142**: 2282-2292

Sullivan, B.L., Aycrigg, J.L,. Barry, J.H., Bonney, R.E., Bruns, N., Cooper, C.B., Damoulas, T., Dhondt, A.A., Dietterich, T., Farnsworth, A,. Fink, D., Fitzpatrick, J.W., Fredericks, T., Gerbracht, J., Gomes, C., Hochachka, W.M., Iliff, M.J., Lagoze, C., La Sorte, F.A,. Merrifield, M., Morrisa, W., Phillips, T.B., Reynolds, M., Rodewald, A.D,. Rosenberg, K.V., Trautmanna, N.M., Wiggins, A., Winkler, D.W., Wong, W.-K., Wood, C.L., Yu, J. & Kelling, S. 2014.The eBird enterprise: an integrated approach to development and application of citizen science. *Biological Conservation* **169**: 31-40

Tewksbury, J.J., Anderson, J.G.T., Bakker, J.D., Billo, T.J., Dunwiddie, P.W., Groom, M.J., Stephanie E. Hampton, Herman, S.G., Levey, D.J., Machnicki, N.J., del Rio, CM., M.E., Rowell, K., Salomon, A.K., Stacey, L., Trombulak, S.C. & Terry A. & Wheeler, T.A. 2014. Natural history's place in science and society. *Bioscience* **64**: 300-310.

Watson, M. 2015. When will ʽopen science' become simply 'science' ?. *Genome Biology* **16**(1): 101

Wiggins, A., Newman, G., Stevenson, R. D. & Crowston, K. 2011. Mechanisms for data quality and validation in citizen science. *In*: 2011 IEEE Seventh International Conference on e-Science Workshops (p. 14-19). IEEE. ·

【Webサイト】（末尾の数字は最終閲覧日）

Avian Knowledge Network. http://avianknowledge.net/.（2021年6月30日）

Birds of North America. https://birdsofnorthamerica.com/.（2021年6月30日）

CitSci.org. https://www.citsci.org/.（2021年6月30日）

CoCoRaHS. https://www.cocorahs.org/.（2021年6月30日）

Data Observation Network for Earth. https://www.dataone.org/.（2021年6月30日）

eBird. https://ebird.org/.（2021年6月30日）

気象庁気象研究所台風・災害気象研究部第二研究室. 雪結晶画像や天気などの気象状況の情報提供のお願い：#関東雪結晶プロジェクト. https://www.mri-jma.go.jp/Dep/typ/araki/snowcrystals.html.（2021年6月30日）

サイエンスミュージアムネット. http://science-net.kahaku.go.jp.（2021年6月30日）

スーパーの「かき」の産地しらべ. https://sites.google.com/site/oystermap/.（2021年6月30日）

United States Environmental Protection Agency. Air Sensor Toolkit. http://epa.gov/air-sensor-toolbox.（2021年6月30日）

データ

第６章　市民科学の多様な展開

これまでの市民科学では、生物や自然を対象とするものが主流となっていた。しかし近年、医学や考古学、社会学など、これまでとは異なる分野での展開が急速に進んでいる。本章では、それらの優れた事例を紹介する。

1. 対象分野

第４章の日本と欧米の市民科学の歴史で取り上げた事例の多くは、生き物、自然、生態学に関するものであった。それは、これらを対象とした分野の市民科学が長い歴史を持ち、人気が高く、その主流を占めてきたからである。現在でもその傾向は続いている。一方、現在の市民科学は従来の分野だけでなく、新たな自然科学の分野への急速な広がりや、人文・社会科学の分野への展開も見られる。本節では、新たな分野で展開され、優れた成果を上げている市民科学の事例を紹介する。

生化学

分子生物学の分野の事例として、以下の２つの事例を紹介する。

▶タンパク質の折りたたみのオンラインゲーム

市民科学プロジェクト「Foldit」は、ワシントン大学ゲーム科学センターで開発された、コンピュータゲームを活用したクラウドソーシング型のプロジェクトである。プロジェクトの目的は、参加者（プレイヤー）にタンパク質の三次元構造に関する科学的研究に貢献してもらうことである。2008 年に開発され、2012 年には登録者は 24 万人に達した。

プロジェクトではタンパク質科学の２つの挑戦的な課題に取り組んでいる。

１つはタンパク質の構造予測である。タンパク質が三次元構造を持つことを折りたたみ（フォールディング）という。タンパク質は私たちの身体の中で多様な機能を果たしているが、その機能が正常に働くためには、タンパク質

➡ **Foldit**　https://fold.it

が正しい三次元構造に折りたたまれていることが不可欠だ。しかし、時には、本来の構造に折りたたまれていないため機能を発揮できなくなったり、機能が改変されたりする。また、毒性のある機能を持つことで、多様な病気の誘因物質ともなる。そのためタンパク質の三次元構造を明らかにすることは重要な研究課題である。

ところが、100 程度のアミノ酸から構成されている小さなタンパク質でも非常に多くの組み合わせがあるため、予測可能な三次元構造は天文学的な数となる。ヒトのタンパク質は、一部の巨大なものでは 1,000 以上のアミノ酸によって構成されており、その予測はさらに困難となる。数多くの構造の組み合わせの中で、どのような折りたたみがベストであるかを理解することは、今日の生物学において最も困難で、挑戦的な課題の 1 つである。従来の方法では、コンピューターを用いても多くの時間と費用を要した。Foldit は、人間のパズルを解く直感を利用し、ゲームを通じて人々が競争しながら最も好ましいタンパク質の折りたたみを考えることによって、タンパク質の構造を予測している（Cooper *et al*, 2010）。

第 2 の課題はタンパク質の設計である（Huang *et al*, 2016）。タンパク質は非常に多くの病気の誘因物質となっているが、同時に治療にも役立っている。Foldit の参加者は、主要な病気の予防または治療に役立つ可能性のある新しいタンパク質を設計することにも挑んでいる。

参加者は、オンラインゲームで提供されているツールを使用して、選択したタンパク質の構造を可能な限り完全に折りたたむことを試みる。研究者は、参加者から提案された設計の中から最高スコアのものを分析し、そのタンパク質を使用して治療法の開発を試みる。実際に、Foldit のゲーム結果は、HIV/AIDS、癌、アルツハイマー病など、現代の代表的な感染症や病気の研究に貴重な情報を提供している。その成果は多くの注目を集め、「Nature」、「Proceedings of the National Academy of Sciences」などの優れた学術誌に掲載されている（Khatib *et al*, 2011; Koepnic *et al*, 2019）。これらは、市民科学なしには達成することは不可能だった。参加者の成果は、特定のタンパク質の問題を研究してきたプロの科学者やコンピューターアルゴリズムの成果を上回ることもあった。そのため、病気を根絶し、イノベーションを生み出すことに大きな期待が寄せられている。

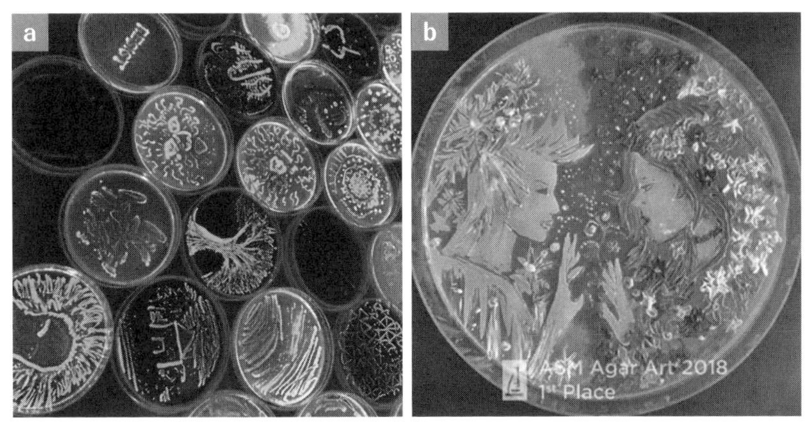

図6-1　発光細菌を用いた寒天アート作品 (https://asm.org/)
a: 発光細菌を用いた寒天アート、b: 多様な色の細菌を用いた寒天アート

▶バイオテクノロジー

「Genspace」は、市民のバイオテクノロジーに対する科学リテラシーを促進させることを目的とした非営利団体で、世界ではじめてのコミュニティバイオテクノロジー研究所として、ニューヨーク市ブルックリンのダウンタウンに開設されたオープンアクセスラボである。当初の目的は、一般の人々が個人またはグループでプロジェクトを追求できるようにすることであった。しかし、その後Genspaceのコミュニティの活動は拡大され、現在ではバイオテクノロジーの起業家や探検家のためのオープンラボ、成人教育とアウトリーチ、高校生や大学生のための科学教育、ラボアクセスとメンバーシップ、バイオアートとバイオデザインの教育、そしてバイオテクノロジーの社会的・倫理的側面についての対話フォーラムを開催するなど多彩な活動を行っている。

中でも特徴的なのは、バイオアートとバイオデザインの教育である。参加者にさまざまな発光細菌を提供し、独自に開発した寒天培地の「キャンバス」上に発光細菌を塗抹して絵を描く方法を学ぶ、ユニークで実践的な活動を行っている（**図6-1**）。この活動は米国微生物学会の寒天アートコンテストの一部でもあり、参加者は賞品の獲得を競う。

➡ **Genspace**　https://www.genspace.org

Genspaceの個人やグループの活動は数多くの成功を収めている。その事例の1つは、ピペット操作を自動化して日常的なラボ作業をスピードアップし、ヒューマンエラーの可能性を減らす新技術を開発したことである。このプロジェクトチームはOpentronsという会社を設立し、この新しい技術を量産し、世界中のラボで利用できるようにした。

2016年には、世界中の学生のためのバイオテクノロジーとバイオデザインの国際コンペティションである「Biodesign Challenge」を開始した。このプログラムには30を超える大学が参加し、動物の毛を含まないアニマルフリーウールの生産、バクテリアセルロース製の生分解性おむつ、ダニの寄生を防ぐ蜂の巣など、実現可能な新たな技術が参加者により開発された。

また、Genspaceは毎年、国際遺伝子工学機械（iGEM）コンペティションに参加するためのチームを編成している。チームは、耐乾性の向上、廃棄物による汚染用のバイオセンサーの開発、ビジュアルラボのプロトコル用プラットフォームの作成など、多様なプロジェクトで多くの賞を受賞している。さらに、「Biotech Without Borders（国境なきバイオテック）」の創設を支援してきた。この組織は、人類と地球にとって有益で平和をもたらすために、バイオテクノロジーの実践の民主化を拡大することを使命としている。特に、バイオテクノロジーの分野で過小評価されているコミュニティやグループの支援、及び国によるバイオテクノロジーの実施を可能にする実務的な支援をすることに焦点を当てている。

医　学

1章では、市民科学の医学への貢献の事例として、多くの市民がアルツハイマーによる脳の画像解析に参加することで、病気の迅速な診断に貢献している事例を紹介した。この項では、市民が自らサンプルを採取することで、市民がより能動的に医学、健康、公衆衛生に関与し、課題への関心を高めるこ

➡ **Opentrons**　https://opentrons.com
➡ **Biodesign Challenge**　https://www.biodesignchallenge.org
➡ **Biotech Without Borders**　https://biotechwithoutborders.org

とができる事例を２つ紹介する。

▶ヒトのマイクロバイオーム

「American Gut Project」は、ヒトの腸内のマイクロバイオーム（微生物叢）と健康、病気、環境との関連を明らかにするユニークな市民科学プロジェクトである。マイクロバイオームとは、特定の環境に生育する微生物の集合である。プロジェクトの主催者は米国カリフォルニア大学サンディエゴ校のロブ・ナイト（Rob Knight）と英国のキングスカレッジロンドンのジェフ・リーチ（Jeff Leach）である。プロジェクトは2012年に開始され、参加者数は1万人以上となっている。

ヒトの体内には膨大な数の細菌が常在し、そのバイオームはヒトの細胞とやり取りをしながら身体の生理的な機能をコントロールしていることが明らかになってきた。マイクロバイオームを構成する腸内細菌は個人によって千差万別だが、体内の細菌の状態は人の心身の状態にも影響を与えていることが、最近の研究により明らかにされてきた。

プロジェクトでは、参加者に自分の身体の微生物について学習する機会を提供するとともに、さらに大きなテーマであるヒトのマイクロバイオームと私たちの健康との関連性についての科学的な知見を蓄積することを目的としている。例えば、マイクロバイオームと食事の量や質、アルコールの摂取、IBD（炎症性腸疾患）と自閉症との関連性などを明らかにすることを目指している。

American Gut Projectへの参加を希望する市民がプロジェクトに登録すると、プロジェクトからサンプリングキットが郵送される。参加者は、自分の身体（口、粘膜、便）、ペット、または環境から検体をサンプリングし、プロジェクトへ郵送する。プロジェクトチームは、参加者の検体を遺伝子解析し、その結果を参加者へ送信するとともに、そのデータを匿名化し、微生物のデータベースに追加する。匿名化されたデータは無料で利用でき、世界の研究者はマイクロバイオームとそれに関連する健康及びライフスタイルなどさまざまな要因との関連についての研究に活用している（McDonald, *et al*, 2018）。

プロジェクトチームは、2018年、主に米国と英国、オーストラリアのサン

➡ **American Gut Project**　https://microsetta.ucsd.edu

プルも加えて、マイクロバイオームと環境要因などを検討した。その結果、幼い子供のマイクロバイオームにはプロテオバクテリアというバクテリアが多い傾向があること、マイクロバイオームを構成する微生物群の多様性は加齢とともに増加することを発見した。参加者のうち、食事で毎週30種以上の植物を摂取している人は、体内の共役リノール酸（CLA）濃度が高かった。CLAは、炎症や心血管疾患の軽減、及び腸内の乳酸菌による変換の最終産物に関連していることが知られている。これらの患者の微生物の変化は、American Gut Projectの参加者数が増加するほど、変化の多様性も増えることが予想されている。プロジェクトはすでに多くの成果を上げてきたが、今後数年間で人間の腸内の微生物バイオームに関してより多くの結果をもたらすことが期待される。

▶蚊のマップ作成と公衆衛生

蚊は、世界に3,000種ほどいることが知られている。多くは花粉媒介者として重要な役割を持つが、一部は感染症の媒介生物として、公衆衛生上問題となっている。特に現代では、地球の温暖化と人・物流のグローバルな移動により、感染症を引き起こす蚊の分布が拡大していることが懸念されている。

「Mückenatlas（蚊のアトラス）」は、ドイツのニーダーザクセン州の地域プロジェクトとして開始され、その後ドイツ全土へ拡大した。さらにEUや世界各国の同様のプロジェクトのモデルともなった成功事例である（Kampen *et al.*, 2015; Tyson *et al.*, 2018）。

ドイツでは、2000年代半までは蚊の研究は進展しておらず、現在確認されている50種の蚊の発生、分布、生態に関する情報はほとんどなかった。「蚊のアトラス」は、2012年4月にライプニッツ農業景観研究センター（ZALF: Leibniz Center for Agricultural Landscape Research）と連邦政府の動物衛生研究所であるフリードリヒ・レフラー研究所（FLI: Friedrich-Loeffler-Institut）によって開始された。プロジェクトの登録者は、自宅や庭などで、蚊を傷つけないようにガラスやプラスチックの容器を用いて捕獲し、冷凍庫に一晩放置、乾燥した後、必要事項を記載した所定の記録用紙（採集日、採集場所とその説明、天候やメモなどを記載）ととも

➡ **Mückenatlas** https://mueckenatlas.com/about/

に標本を上記の2つの研究機関にいずれかに郵送する。郵送された蚊は研究機関の昆虫学者によって形態学的・遺伝的な手法を用いて同定され、主要な生物学的結果が公表される。

プロジェクトが開始された2012年と翌年には、約5,000人の市民によって約1万7,000頭以上の蚊が捕獲され、6つの属に属する39種の蚊のデータが得られた。これらのデータからいくつかの新たな発見がされた。まず、2012年にドイツの3つの州で外来種であるアジアのヤマトヤブカ（*Aedes japonicus*）がはじめて発見された。この蚊は熱帯病の媒介者となる可能性があるが、その分布域のマッピングによりすでに定着している個体群があることが明らかとなった。

第2に、2014年にはドイツではまだ定着していないと考えられていた外来種のヒトスジシマカ（*Aedes albopictus*）がドイツ南西部から発見された。さらに、何十年もの間ドイツで発見されなかったいくつかの蚊が再発見された（Walther & Kampen, 2017）。現在では、2万2,000人以上の参加者が12万以上の蚊の標本を提供し（2012年1月現在）、プロジェクトの開始以来、5種の侵入種を確認した。これらの結果は、Mückenatlasプロジェクトを通じて、研究機関だけでなく、プレスリリース、メディア出演、Webサイト、ソーシャルメディア、ジャーナル記事、講演などにより一般の人や社会でも情報共有がされている。また、プロジェクトで得られたデータは国立の蚊データベース「CULBASE」に保存され、公開されている。将来の蚊媒介性疾患の出現場所とその管理方法に関するリスク評価とモデリングを容易にすることによってドイツの蚊の研究と公衆衛生にさらに貢献することが期待されている。

農　業

▶気候変動に適応する農業プロジェクト

気温の上昇と地域レベルでの気候の著しい変化により、現在用いている農作物の品種や施肥などの農法が、その地域や季節に適さなくなることが懸念されている。これまで、少数の研究者が農業技術を比較するために複雑な野外試験を実施してきた。しかし、国際生物多様性センター（Biodiversity International）が行っているオンラインによる市民科学プロジェクトでは、多

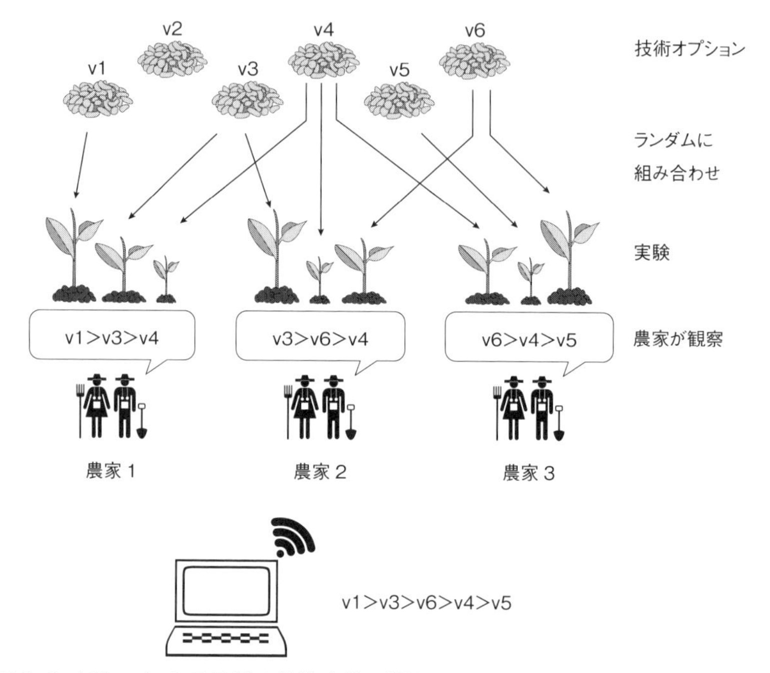

図 6-2　Tricot による品質の比較方法の概要

くの農民が自分たちの土地で、安価、簡単、小規模な試験を実施することにより、地域に合った農業技術情報を提供している。研究者、技術者、農民が力を合わせた従来の研究とは異なるパラダイムによって得られた情報に基づいて、気候変動に適応したスマート農業を実践することを目的としている。

国際生物多様性センターは、15 の国際的な農業研究機関の 1 つであり、貧困農家の営農改善のために、農業生物多様性の保全と利活用を推進している。2012 年に同センターのジェイコブ・ヴァン・エッテン（Jacob van Etten）は気候条件に適した農業のためのソフトウェア「Climmob」を開発した。センターでは、これを用いて「Tricot（トリコット）」と呼ばれる市民科学プロジェクトを実践している。Tricot とは 'triadic comparison of technology options' の頭文字をとった名称で、「3 技術の比較」を意味する。2012～2016 年には、エチオピア、ニカラグア、インドの 1 万 2,409 農家が参加して、

➡ **Climmob**　https://climmob.net/blog/

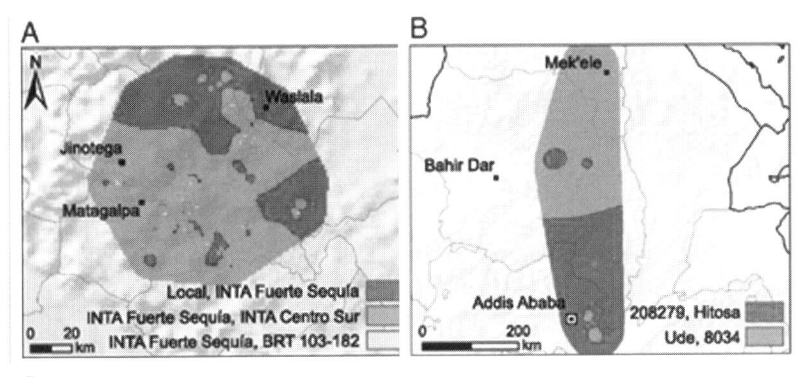

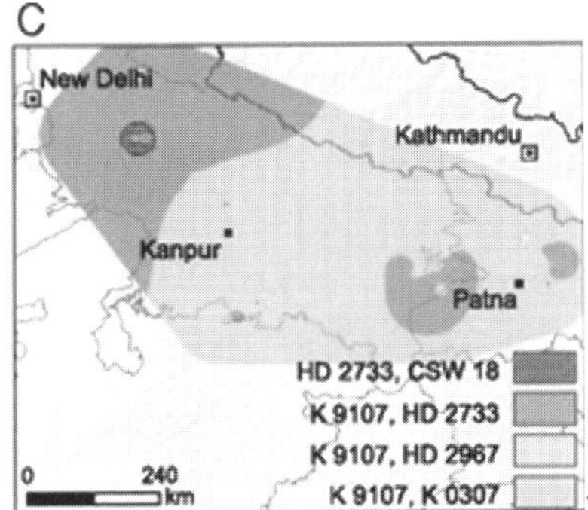

図6-3　農民の品種試験から得られた推奨品種マップ（van Etten *et al.*, 2019）

気候リスクを最小限に抑えられる作物品種を特定するための試験を行った。参加者は、自分の農場の実験区画で品種のテストを行う。環境による違いを把握できるように、区画は間隔を空け、多様な季節を含むように設計されている。**図6-2**は、実施方法の概略を示している。

プロジェクトに参加する農家は、テスト用の品種群（**図6-2**のv1〜v6）から無作為に割り当てられた3つのテスト品種を育てる。農家は、その生育状況を観察し、3品種の相対的な生育状況を、携帯電話などでセンターに報告する。試験結果は、ニカラグアのインゲンマメ品種の842区画、エチオピアのデュラム小麦の1,090区画、インドのパン小麦の1万477区画から報告された。プロジェクトチームはこれらの試験結果を分析することによって、作物の品種と気候の多様な変数間の関係性を把握し、将来予想される気候と季節変化に適した地域ごとの品種を推奨することを可能にした（van Etten *et al.*, 2019）。**図6-3**は、プロジェクトで得られた結果をもとに、1位と2位の推奨品種を地域別（エチオピア、ニカラグア、インド）に示したものである。

プロジェクトにより、農家に品種の推奨を行う際に次のような改善が見込めるようになった。①気候バイアスの低減（各地域では例外的な気候条件下で行われた試験のデータは、一般的な条件下での試験データを適用できない区画に活用できる）、②気候予測の季節的特徴の組み込み、③リスク分析、④外挿法による適応可能な地域の拡大などである。さらに、このアプローチにより、農民は科学に直接参加して気候変動に適応できるようになり、農民、科学者、気候適応の専門家間のコミュニケーションを強化できる可能性が示された。このアプローチは、気候変動に最も影響を受けやすいとされる低所得地域に適している。

考古学

「GlobalXplorer」は、オンラインマッピングの市民科学プロジェクトで、考古学的・歴史的に重要な遺跡の略奪と侵入の状況を特定し、定量化することを目的としている。また、考古学者がまだ発見していない遺跡を見つけることにより研究を進展させ、略奪から保護することも目指している（Yates, 2018）。プロジェクトでは、参加国の政府、考古学者、市民との戦略的関係が促進されることにより、まだ知られていない史実を可視化することをミッションとしている。

GlobalXplorer は、アラバマ大学バーミンガム校の准教授で GlobalXplorer の社長でもあるサラ・パーキャック（Sarah Parcak）によって 2017 年に開発され、世界で 7 万人以上の市民ボランティアが参加している。参加者は 100 m × 100 m の衛星画像から、考古学的な遺跡とその遺跡の略奪の兆候の確認を依頼される。画像は複数の参加者によって評価され、多くの参加者が遺跡や略奪の兆候を示していると判断した場合には、プロジェクトのスタッフ、政府職員、地元の専門家と情報を共有する。なお、機密データが共有できないよう、市民科学としての参加者は衛星画像の位置データを見ることはできない。

GlobalXplorer を立ち上げる前に、パーキャックは同様の技術を用いて、エジプトで 17 のピラミッド、3,100 の過去の集落、1,000 の墓を発見した。そ

➡ **GlobalXplorer** https://www.globalxplorer.org

図 6-4 ペルーの地上絵の写真 (Greshko, 2018)

の後パーキャックはGlobalXplorerプロジェクトを開始し、2017年から2019年の3年間は、ペルーの海岸と「聖なる谷（インカ帝国の遺構が多数残る谷）」の間に位置する地域の遺跡に焦点を当てた（GlobalXplorer, 2018）。プロジェクトに参加した市民ボランティアは、1,400万枚以上の画像を分析することにより、ペルー最古の文明（紀元前3200年）からインカ陥落（1572年）に至るまでの、考古学的に価値のある1万9,084の痕跡を特定した。研究チームは、これらの中から特に関心の高い342の遺跡（大規模な居住地など）を絞り込んだ。また、略奪の可能性のある多くの場所も特定された。

特に興味深いのは、ボランティアがナスカ、パラカス、及びトパラ文化（500 BCE～700 CE）から多数の地上絵を特定したことである（**図 6-4**）。地上絵はナスカ文化の遺産と見られる巨大な図で、1994年には世界遺産に登録されている。参加者は、多くの多角形や人間の形をした地上絵を特定した（Greshko, 2018）。これらの遺跡の一部は消滅の危機に脅かされている。

2020年からはインドにて3年間のさらに大がかりなプロジェクトを開始しており、AIを活用し、専門家がまだ興味が持っていない遺跡のマッピングと識別を行っている（GlobalXplorer, 2018）。

言語学

言語学に関する市民科学プロジェクトは始まったばかりである。2019年に開始された「LanguageARC」について紹介する。

LanguageARCは、ペンシルバニア大学の言語データコンソーシアムで開発された、言語学研究のためのオンラインクラウドソーシングプラットフォームである。同じ言語を話す人々の間でも、時にお互いを理解することが難しく、科学的・医学的知識を共有することや外交努力を妨げてしまうことがある。プロジェクトはその解決を目指している（Language ARC, 2012）。また、世界には約7,000の言語があることが知られているが、その大部分を網羅する辞書、文法、テキスト、及び音声記録はほとんどに存在しないという問題の改善にも取り組むことも使命としている。

LanguageARCで行われているプログラムには、言語リソースに関する簡単なものから挑戦的なアクティビティまでが含まれている。どのアクティビティも、参加者が通勤途中のバスや昼休みなどを利用して、いつでも、どこでも貢献できるように企画されている。たとえば、参加者は文章や早口言葉を録音し、英語の文章を他の言語に翻訳する。これらの録音や翻訳などのデータは集約され、研究、教育、技術開発に貢献している。以下に２つのプログラムについて紹介する。

▶翻訳を通じた文法の発見

英語以外を母国語とするが英語を話すことができる参加者が、英語の文章を母国語に翻訳する。研究者はこの翻訳を使用して、多様な言語の基本的な文法機能（時制、複数形、性別など）を明らかにする。翻訳された文章は、機械翻訳システムの構築に使用されるバイリンガルデータセットにも貢献している。

▶言語と自閉症スペクトラム障害

自閉症スペクトラム障害（ASD）は、人口の約1.5%を占めるとも言われ、社会的コミュニケーションや言語の発達の遅れなどを含む複雑な症状が見られる。プログラムでは、多様な言語の文法機能を調べ、障害の診断に役立てるとともに、言葉の使い方を改善するなどに活用されている。

これらのプログラムへの参加者が増えるほど、言語に関する理解が深まり、研究と言語技術は進展し、お互いをよりよく理解できるようになることが期待されている。

➡ **LanguageARC**　https://languagearc.com

2. プロジェクトの実施主体

前節で述べたように、新たな分野の市民科学では、主に大学や研究機関がオンラインのプラットフォームを開発し、多くの市民にスマホなどの情報ツールを用いてデータを寄せてもらうプロジェクトが多い。一方で、オフラインのプロジェクト、地域のプロジェクト、市民主導のプロジェクトなど、多様なプロジェクトも健在である。本節では、実施主体の観点から、各々の実施主体の強みを活かした国内外の先駆的または優れた事例を紹介する。

NPO

▶アユが生息する河川環境調査

NPO が企画主体として実施している事例は国内外で多く知られている。ここでは国内の事例として、「アユが生息する河川環境調査」を実施している新河岸川水系水環境連絡会の活動を紹介する。

この調査はすでに第 4 章（p. 98）で述べた 1989 年に開始された全国規模の「身近な川の一斉水質調査」に参加し、パック試薬を用いた簡易的水質調査を実施したのを契機に、以降 30 年間にわたって、新河岸川水系水環境連絡会の活動を継続している。

●●●●●●●●●●●●●●●●●●●●●●●

環境と生物の長期的モニタリング調査

新河岸川流域は狭山丘陵を主な水源とし、埼玉県・東京都を流れる多数の中小河川からなる。1995 年には、都市河川でありながらアユが確認されたことをきっかけに、市民の手による水質、魚類・水生生物調査の総合的な調査が行われるようになった。

アユの調査では、主に投網を用いてアユの生息状況を調べている。当初は 14 名の調査者が漁協から伝統漁労投網の指導を受け、それ以降はこれらの調査員を中心として産卵の確認や増殖に向けた活動も行っている。さらに利根川・荒川・多摩川などの周辺河川で得られた既往研究や公開データも活用し、データの比較や解析を行った。その結果、新河岸川流域河川のアンモニアの含有量は、アユが窒息する基準 0.01 mg/l を超えていることを明らかにした。また、流域内にある下水道処理施設からの処理水の放流や雨量の変化が河川の水質に影響していることも明らかにした。

●●●●●●●●●●●●●●●●●●●●●●●

本プロジェクトの優れた特徴として、①20年以上に及ぶアユと河川環境の正確なモニタリングにより**長期の貴重なデータを得ている**こと、②漁協や研究機関から専門知識や技術を習得するとともに、協働で調査を実施することで、**調査手法の見直し、専門的調査の実施、大規模な調査**を可能にしていること、③周辺河川のデータ、既往の研究、公開されているデータをも活用し、プロジェクトで収集した**データの解釈を深めている**こと、が挙げられる。しかし企画者によると、プロジェクトの安全性や秘匿性に問題がないにもかかわらず、「公的機関でないから」などの理由で調査の実施を拒否されたことがあるという（私信）。市民の手による正確なデータ収集が可能であり、市民科学の有効性が社会に浸透することが求められる。

▶全国カヤネズミネットワーク

全国カヤネズミネットワーク（略称：カヤネット）は、河川敷や里山などに生息するカヤネズミの保護と生息地の保全を進めることを目的としたNPOである。立ち上げのきっかけは、カヤネズミが全国的に減少していることが懸念されているにもかかわらず、日本哺乳類学会が1997年にまとめた『レッドデータ日本の哺乳類』では、生存状況を示すデータが少ないために絶滅可能性の判定ができないという「情報不足」と評価されたことである。適切に評価されるためには十分な情報を収集する必要があることから、1999年から全国のカヤネズミの生息状況の調査を開始した。

2001年にNPOを創設し、調査は現在も継続されている。会員数または参加者数は65名（2019年3月現在）であるが、徐々に情報が集まり、20都府県で「希少種」以上のランクに指定されるなど貴重な実績を上げている。団体では、「全国カヤマップ・プロジェクト」の活動を通じて、①カヤネズミの保護と生息地の保全のための調査研究活動、②里山や河川敷に生息する野生動物と人間生活のかかわりを通じて、自然環境の保全や生態系への理解を深

➡全国カヤネズミネットワーク　http://kayanet-japan.com

図6-5　カヤネズミマップの報告書（写真提供：全国カヤネズミネットワーク）
冊子版としては「全国カヤマップ2005特別版」、「全国カヤマップ2002特別版」が発行されている。

めるための普及・啓蒙活動、③行政に対する自然環境・生態系への影響を抑える方策の提案・提言、④上記①～③を促進するための情報交換、を行っている。

カヤネズミは個体を目撃するのが困難なため、主に巣の目撃情報をWebページ上の「営巣報告フォーム」や電子メールにて事務局へ送信してもらっている。事務局では、調査精度を高めるために、発見した巣の写真を添付することを薦めている。これらの巣の目撃情報と文献を元にカヤネズミの生息分布に関するデータベースが作成され、その結果をWebページ上に全国カヤマップとして公開している。分布情報は全国地図と各都道府県地図の2つからなり、過去の分布情報も公開されている。しかし、カヤネズミの生息地保護のため、インターネット上では市町村名、生息環境、河川名のみが公開されている。データ解析の結果は学術論文に公表するとともに、冊子（**図6-5**）にまとめられている。

大学・研究機関

国内外の大学・研究機関による事例を紹介する。

▶花まるマルハナバチ国勢調査

東北大、山形大、千葉大と総合地球環境研究所の生物多様性の研究者が、

➡花まるマルハナバチ国勢調査　http://hanamaruproject.s1009.xrea.com/hanamaru_project

2013年に日本国内でのマルハナバチの現状を把握するために、「花まるマルハナバチ国勢調査」を立ち上げた。調査対象としたマルハナバチ類は植物や農業の重要な花粉媒介者であるが、近年世界的に減少傾向にあると報告されており（Cameron *et al.*, 2011）、分布調査や保全対策の立案が必要とされている。

プロジェクトの目的は、日本国内のマルハナバチの現状の把握、生息範囲の予測とその結果を保全に活かすことである。またプロジェクトへの参加を通じて、一般の人々のマルハナバチ類への保全への関心を高めることも目指している。プロジェクト名は市民が親しみや楽しさを感じるように命名し、マスコットキャラクター「はなまるちゃん」も用いながら、Webページ、SNSやチラシなどで参加を呼びかけている。

参加者がマルハナバチの写真と撮影場所をメールで送付すると、管理者がWeb上で写真を確認し、写真の画像から種名を同定後、位置情報をもとにグーグルマップ上に写真を公開する。さらに情報企業の協力により、スマホのアプリも開発された。2013年から2015年の間に3,000枚を超えるマルハナバチの写真が寄せられ、国内に生息する16種のうち15種の写真が収集され、2016年には残りの1種も確認された（大野ら, 2018）。

本プロジェクトの特徴は、こうして収集した写真を基に詳細な解析が行われていることである。投稿された写真からマルハナバチ類の分布・環境のデータベースを構築し、種分布モデルに適用することで6種のマルハナバチの生息地を推定した。得られた結果はWebページに公開され、データベースも公開されている。また、参加型市民科学の課題を克服するための方策が実施されている。例えば、参加する市民を増やしたり希少種の分布調査や市民参加型調査における調査バイアスを軽減するために、①研究者と市民の双方向の対話の機会を増やす、②複数種の分布を調査する、③種分布モデルまたは共同種分布モデルにより分布推定を行い、調査バイアスを除去するなどの試みがされている（大野ら, 2018）。

▶ロードキル観測ネットワーク

台湾の市民のfacebookに投稿された野生動物のロードキルの情報に端を発し、現在では国営機関の主導により市民との協働で実施されている事例を紹介する。

市民のfacebookグループから始まった
路上の野生動物の事故死のモニタリングと保全

2011年に設立された台湾のロードキル観測ネットワークは、ロードキルを最小限に抑えることに関心を持つ市民グループのfacebookから生まれた。さまざまな学歴、出身のメンバーで構成されているが、個人どうしはお互いに知らない。

プロジェクトは以下の4つのミッションを掲げている。

①ロードキルの軽減

②環境問題と科学研究への市民の関心の増進

③生態学と保全に対する関心の増進

④すべての生命を大切にするように奨励すること

現在、台湾の国立研究機関である固有種研究所（Endemic Species Research Institute）と情報科学研究所（Institute of Information Science）がプロジェクトに主導的な役割を果たしているが、目標、設計、プロトコル、Webサイト、ソフトウェア、及びデータベースはすべて、参加者の協力と多数の改良を通じて徐々に開発されてきた。

ネットワークの参加者は、野外で（道路上または道路外で）死んだ動物の写真を撮り、アプリを使用して写真とサポート情報をデータベースにアップロードするとともに、動物の死体を適切に収集・梱包して固有種研究所に送り、調査してもらう。得られたデータは、研究、管理、公衆衛生に利用され、ロードキル標本は狂犬病をモニタリングする主要な情報源の1つとなっている。また、農薬やその他の化学物質による野生生物中毒の発生率をモニタリングするためにも使用されている。

最近の研究プロジェクトの1つは、スネークロードキルの調査である（Yue *et al*, 2019）。台湾には、7科50種以上のヘビが生息している。研究者は道路でのヘビの死亡事故が多数目撃されている地域を特定し、景観と土地被覆のタイプが、ヘビの行動、生息地の使用、及び分類群がロードキルの目撃例とどのように相関しているかを調査している。この研究によって、ロードキルの頻度

➡台湾ロードキル観測ネットワーク　https://roadkill.tw/en

は各ヘビ種の生息地の適不適と関係していることが明らかになった。ロードキルは、各種の良好な生息地に近い道路で最も多かった。標高が低～中程度で多くの種にとって適切な生息地である森林の端近くで最も多く、不適切な生息地である都市部や高地で最も低かった。

また、ロードキル軽減戦略として、道路沿いのフェンスや道路下にアンダーパス（野生生物専用のトンネル）を建設するなどの推奨事項を作成している。

●●●●●●●●●●●●●●●●●●●●●●●

プロジェクトの４つのミッションは十分に達成されてはいないが、種の分布、道路に関連した死亡率の高い地域、及び潜在的な管理ソリューションを理解するために、市民が収集したロードキルデータを国レベルで有効に活用する優れた試みであったといえる。

博物館

博物館は、コレクションの収集と管理を通じて文化を継承する社会的な役割を担っているため、市民や社会とのつながりや交流が深く、市民科学を実践するうえで親和性が高い組織である。博物館には、美術館、歴史博物館、自然史博物館、科学技術博物館などがあるが、そのうち自然史博物館は、①自然物や生物の標本や資料の収集・管理、②調査研究、③教育普及を主要な活動としている。特に標本や資料の収集は自然史博物館に特化した重要な役割である。従来、標本や資料は博物館ごとに台帳や独自の方法でデータ管理がされてきたが、最近は日本の自然史博物館の収蔵品検索を目的としたサイエンスミュージアムネットと世界の生物多様性情報機構 GBIF の日本ノード（JBIF）との同期が可能となり、収蔵資料の検索や調査・研究への活用が促進されている。

自然史博物館の中でも地域自然史博物館は、地域の自然史の研究拠点として、市民やアマチュアの自然愛好家の調査研究活動を支援している。一方、博物館にとっては、多数な価値観、視点、得意分野を持つ市民との連携により地域に根差したユニークな研究活動を生み出すことが可能なため、市民との連携の意義は大きい（渡辺, 2016）。その事例として、『神奈川県植物誌』の発行がある。

▶神奈川県立博物館

1979年に、神奈川県立博物館（現：神奈川県立生命の星・地球博物館）の学芸員が市民によびかけて、市民協働型の植物相調査を開始した。調査のために、神奈川県植物誌調査会が組織された。県内の市民グループは9年の歳月をかけて3,000を超える県内産の植物の分布、検索表、図などを作成し、その成果は『神奈川県植物誌1988』にまとめられた（神奈川県植物誌調査会, 1988）。

この調査の優れた点は、神奈川県全域の植物を網羅するのに市民参加型調査手法を用いただけでなく、標本に基づくデータがあり、その多くは博物館に収蔵されていることである。さらに、この調査を通じて県内の多くの市町村の博物館や資料館（川崎市、横須賀市、平塚市、厚木市など）の協力や県内の広域的な連携が生まれたことである。植物誌はその後さらに内容を充実した2001年版と2018年には電子版が刊行され、アクセスが容易になり、活用が広がっている（神奈川県植物誌調査会, 2018）。

▶大阪市立自然史博物館

また地域自然博物館の地域をつなぐプラットフォームの役割を通じて市民科学とその人材育成に貢献している事例として、大阪市立自然史博物館の活動を挙げる。同博物館は、市民と協働で行う科学的調査や研究の歴史が長く、「科学を市民のものとする必要性」や「科学の民主化のために自然史博物館が必要」との認識を持って活動している（佐久間, 2018）。具体的には、市民参加型調査の実施や市民との共著による科学論文執筆などである。

市民参加型調査としては、1983年からの「アサギマダラを調べる会」をはじめ、さまざまな個人・グループが活動している（Kanazawa *et al.*, 1993）。また、大阪市立自然史博物館の友の会の会報である「Nature Study」には、多くの市民科学者と学芸員との共著論文が投稿されている。査読制度を持ち成果の質も担保できており、研究発表の場として活用されている。また友の会の活動は人材育成の場となっており、その活動は、世代を超えて引き継がれている（佐久間氏私信）。

➡大阪市立自然史博物館友の会　http://www.omnh.net/ns.html
➡ IDigBio　https://www.idigbio.org

▶国立歴史民俗博物館

国立歴史民俗博物館、東京大学地震研究所、京都大学古地震研究会が連携して実施している「みんなで翻刻」（https://honkoku.org）は、文系・理系の垣根を越えた人文・社会科学の事例であり、市民が調査員として活動する市民科学プロジェクトである。翻刻とは、歴史資料に手書きされた「くずし字」を活字に起こすことであり、地震史料に眠るビッグデータを、過去の自然災害解明に活用することを目的としている。参加登録者は5,000人を超え、約500点の史料から600万以上の文字がテキストデータベースに登録されている。その正確性は98％と、内容を把握するには十分な品質が保証されている。また、一般市民が参加できるように、大阪大学文学研究科が中心に開発した「くずし字学習支援アプリKuLA」を初学者用の学習コンテンツとして提供し、国文学研究資料館などが公開する「くずし字データセット」を教師データとして訓練したAIを用いて、参加者の解読をサポートしている。この自動くずし字認識ソフトは、人文学オープンデータ共同利用センター（CODH）と、凸版印刷株式会社が、それぞれ独自に開発した。加えて、Web上で参加者が相互に添削しあうことで正確性を高めている。市民の活動準備として、ゲーム形式で昆虫や植物の分類するトレーニングなども実施した。

▶博物館資料のデジタル化とオープン化

海外では自然史博物館は市民科学のプロジェクトで中心的な役割を担っている。最近、世界の自然史博物館の新たな取り組みとして注目されているのは、所蔵する植物標本のデジタル化とオープン化である。これらの作業には膨大な時間とエネルギーを要するため、このプロセスに市民が参加することは博物館にとっても標本整理の効率化やオープン化を促進するうえで大きな利点があり、また市民にとっては学びの機会となる。そのため各国の動きは加速しており、中国と米国では国家プロジェクトとして実施されている。

米国の国家プロジェクトである「iDigBio（Integrated Digitized Biocollections）」では、植物標本のデジタル化に市民科学が大きな役割を果たしている。スマホを用いた市民科学プロジェクトの参加者が、位置情報つきの観察写真データを博物館に送付し、博物館に収蔵されている標本資料を補

➡**みんなで翻刻 - MINNA DE HONKOKU** https://honkoku.org

完する2次資料として、生物多様性の情報収集に貢献する事例も増えている。

iDigBioのグローバルコミュニケーションマネジャーを務めるエリザベス・イルウッド（Elizabeth Ellwood）氏には、「自然史博物館と市民科学」のタイトルで、欧米の代表的な市民科学博物館の取り組みの寄稿記事を執筆いただいた（寄稿、p. 258）。イルウッド氏はフロリダ州立大学生物学部に勤務し、iDigBioの開発と実践に取り組んでいる。ロサンゼルス自然史博博物館での経験も長く、また著者の研究室に学術振興会の海外研究員として滞在し、それ以降も共同研究を継続している。

中央政府

中央省庁が主体となった市民科学のプロジェクトは各国にある。日本では、3章で述べた環境省のイニシアチブで実施されている「モニタリングサイト1000」がよく知られている。本節では、日本の事例として国交省のイニシアチブで実施されている「下水道の市民科学」の事例を、海外の事例として米国森林管理局の事例を紹介する。

▶国土交通省「下水道の市民科学」

高度経済成長期にあたる1960年代、流域の人口増加と家庭からの生活排水により、全国の都市河川の汚染が急速に進んだ。多摩川では合成洗剤を含んだ泡が水面から1mの高さとなることもあり、それが悪臭とともに周囲に飛散し、多摩川は「病める川」、「死の川」と呼ばれた。

しかし、その後の急速な下水道整備や下水処理場の建設により、現在では多くの地域で「下水道はあって当たり前」のインフラとなり、多くの都市河川において水量の50%以上は下水の処理水（再生水）が占めるようになった。再生水は河川の水量と水質、景観維持に重要な役割を果たしている。多摩川でも水量の6割は再生水で、再生水の導入はアユの復活をもたらした。

ところが下水道は地下にあり、水源を川とする上水道のように見ることができず、また市民や地域の人が直接かかわることが難しいため、その重要な

➡**下水道の市民科学（国土交通省）** https://www.mlit.go.jp/mizukokudo/sewerage/mizukokudo_sewerage_tk_000522.html

➡**下水道の市民科学（下水道広報プラットホーム）** http://www.gk-p.jp/activity/下水道の市民科学/

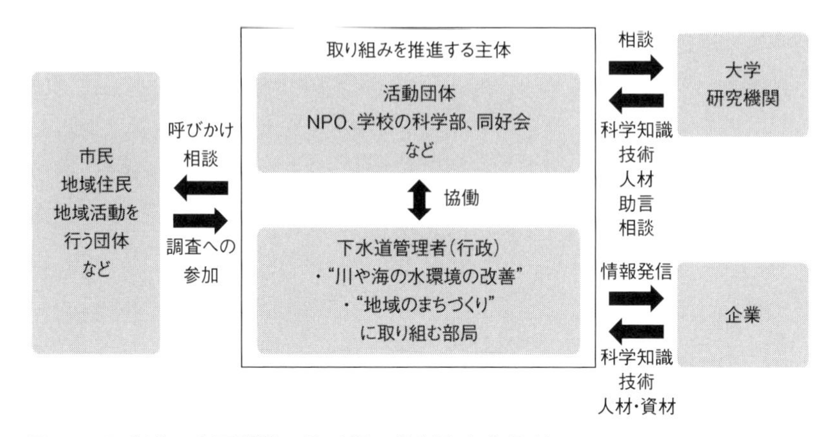

図 6-6 下水道の市民科学の取り組み体制と主な役割（国土交通省水管理・国土保全局下水道部, 2019 をもとに作図）

役割を知る機会が少なくなり、人々の関心も薄らいでいる。しかし、現在でも下水道は私たちの暮らしを下支えする重要な生活基盤である。

●●●●●●●●●●●●●●●●●●●●●●●

国の支援を受けた「下水道の市民科学」

国土交通省水管理・国土保全局下水道部は、下水道の持つ多様な機能と事業を「見える化」し、下水道の調査研究を通じてよりよい地域づくりを促進するために、2014 年から「下水道の市民科学」プロジェクトを開始した。筆者はその有識者会議の座長の役割を担った。2016 年には市民向けと地方自治体向けの 2 種類の「下水道の「市民科学」ガイドブック」を、また 2018 年には「下水道の市民科学の研究テーマ集」を作製し、プロジェクトに取り組みたい地方公共団体、市民、学校、地域の活動団体などを支援している。そのための仕組みづくりと関係者の役割を定め（**図 6-6**）、下水道の市民科学の普及と全国への展開を実践している。2021 年からは国交省とは独立に下水道に関心を持つ人々が交流する全国的な「下水道広報プラットホーム」に下水道の市民科学」のプロジェクトが開始され、発表会や勉強会が活発に行われている（下水道広報プラットホーム）。

その一例として、神奈川県の境川流域内の本流と 2 つの支流での下水処理方法の違いが水質に与える影響を調査した事例がある。行政、地域の水辺愛護会、大学の教員と大学生らが協力し、簡易な水質測定器キットを用いて対象河川の下水処理施設の上流、下水処理場の排出口とその下流の水質を各々調べ、比較した。得られた成果は地域での発表会や学術誌にも公表された（加藤ら, 2016）。

また横浜市では、1960年代にほぼ絶滅したと考えられていたハグロトンボが1995年に市内の河川で発見されたことから、ハグロトンボの出現が下水道の普及と河川環境の改善に関係していると推測した。それを検証するために、横浜市立舞岡中学校科学部の生徒が、教員、横浜市環境創造局下水道部、地域の多様な人々との協力により、舞岡川でのハグロトンボの生態調査、地域の土地利用や下水道整備率の変化、古い写真と資料の収集、聞き取り調査を実施した。この取り組みにより、行政内での連携が強化されただけでなく、中学生の提案により河川敷の草刈りの時期を変更し、ハグロトンボの生息環境に配慮した河川管理が行われるようになった（国交省水管理・国土保全局下水道部, 2017）。

●●●●●●●●●●●●●●●●●●●●●●●

下水道は、水質、生き物や環境の保全だけでなく、下水道がもつ水資源、熱やエネルギー、下水汚泥を発酵させて得られる肥料を活用した農業のネクサス（つながり）によるビストロ下水道などのユニークな取り組み等、地域の活性化や循環型社会形成にも貢献している。

▶米国の事例

米国では、第2章で述べたように2016年に「クラウドソーシング及び市民科学法」が制定された。この法律は連邦科学機関にクラウドソーシングと市民科学を使用する直接的かつ明確な権限を付与しているため、連邦政府の科学関連機関で市民科学が積極的に活用されている。

●●●●●●●●●●●●●●●●●●●●●●●

森林管理

農務省に属する米国森林局は、1億9,300万エーカー（日本の国土面積の2倍）の森林、草原とそれ以外の生態系を管理している。米国国有林管理法は、森林局の目指す目標、管理計画の策定について定めており、その中で市民科学を管理計画の策定、実践のプロセスに含めることが記載されている。森林局の目標は、水、空気、土壌、その他の資源を保護するために、生態系と流域の健康とレジリエンス（強靭性）を維持し、損なわれている場合には復活することである。

管理計画においては、科学と伝統的知識をプロジェクトに活用することを定めている。また、2012年には、市民が計画開始から終了まで携わることを求めた。また、10〜15年にわたるプロジェクトや管理計画において国有林や草地の種の多様性と生存率のモニタリングを行う際には、市民科学に適した手法を用いることが定められている。国有林は市民による管理へのサポートがあってこそ、強い科学的ニーズに応えることができると考えているためである（McKinley, *et al.*, 2015）。

計画の策定にあたって、一般市民とNGOのボランティアは、森林やその周辺で何をモニタリングすべきかについて多くの情報を提供している。ボランティアは生態、社会、経済に及ぶ多様な指標をモニタリングし、管理者が計画プロセスで活用することを目指している。現在は、ボランティアが研究に必要なデータを収集している段階である。モニタリングの種類は、政府機関が数十年にわたって実施してきた実施モニタリング（プロジェクト／目標）に加え、有効性モニタリング（管理目標）および検証モニタリング（テスト仮説）にいたるまで拡大されている。

●●●●●●●●●●●●●●●●●●●●●●●

第１章で紹介したように、現在では温暖化により植物の開花や紅葉、動物の移動や繁殖などのタイミングの変化が見られるようになっている。これらは温暖化に対してそれぞれの種が敏感に反応した結果であるが、温暖化はそれ以外に、捕食者と被食者の相互作用の混乱、植物の開花とその植物の花粉を運ぶ昆虫の出現時期のずれ（ミスマッチ）を引き起こし、相互に関係性を持つ生物から構成される生態系全体にも影響を及ぼしている。しかし、これらの影響を広範囲、長期的に把握するためのデータは不足している。

次に示す米国国立フェノロジーネットワーク（USA-National Phenology Network : USA-NPN）は、生物季節（フェノロジー）に焦点を当てた科学とモニタリングの戦略であるといえる。

●●●●●●●●●●●●●●●●●●●●●●●

生物季節観測のネットワーク

USA-NPNは、米国地質調査所が2007年に立ち上げた、市民が生物季節学に関するデータをWebサイトやアプリから送信するプロジェクトを実施している。収集された情報は公開し、情報に基づいた生態系管理を行っている。プロジェクトの目標は、動植物の季節的な事象が気候変動によって受ける影響に関する科学を進展させ、その情報を社会で共有し、生態系の管理や政策決定に活かすことである。USA-NPNは研究者、管理者、教育者、一般市民からなる全国組織で、1万人以上が登録しており、他の政府機関や多様な組織と連携した活動を行っている。

このプロジェクトでは、従来型の科学と市民科学の両方の手法を用いている。市民科学の手法では、オンラインサービス「Nature's Notebook」を開発し、活用している。Nature's Notebookでは、ボランティア、専門の科学者、管理者が、標準化された同じ手順に従って動植物の生物季節を記録する。入力フォームに観察結果を入力すると、そのデータは専門的に管理されたデータベースに保存され、アクセスが可能となる。政府機関やNGO団体がNature's Notebookを利用して情報を収集するだけではない。2014年初めに組織スタッフが推定したところ、Nature's Notebookのデータの半数が専門家及び専門的に訓練された参加者によって、残りの半数がプロジェクトに参加している個人または小規模なボランティアグループによって得られていた。

●●●●●●●●●●●●●●●●●●●●●●●

USA-NPNのデータは、さまざまな研究、管理計画、政策決定に活用されている（McKinley, *et al.* 2015）。たとえば、気候変動の影響を受けやすい野生生物種の特定、炭素隔離（二酸化炭素の大気中への排出を抑制する手法）や水循環モデルのパラメータの選定とその有効性の検証、侵略的外来生物の管理、季節的な文化活動の実践、季節的なアレルゲンの予測、農場や牧場運営上の農業

➡**米国国立フェノロジーネットワーク**　https://www.usanpn.org
➡**Nature's Notebook**　https://www.usanpn.org/natures_notebook

生産の管理、大陸間や人口密集地の病害ベクトルの追跡などが挙げられる。

地方自治体

地方自治体が主催する市民科学プロジェクトは、地域を対象とした市民参加型調査が大部分を占める。日本でも多くの地方自治体が実施しているが、得られた調査や評価の成果を行政の具体的な施策に活用している事例は少ない。その中で、行政の基本計画や制度に活かしている事例として、茅ヶ崎市の「まっぷ de ちがさき自然環境評価調査」を紹介する（茅ヶ崎市, 2006）。

●●●●●●●●●●●●●●●●●●●●●●●

計画策定の基礎資料収集を担う

茅ヶ崎市では、緑の基本計画を策定するに当たり、市内全域の自然と動植物の生息・生育状況に基づいた保全管理計画と保全制度の指定を目標に掲げた。しかし、そのための基礎資料が十分に整っていなかったため、2003 年から数年にわたる自然環境評価調査を 3 回実施した。

調査は、専門知識を有する市民を主とした専門家チーム（地域の専門家、調査経験者、NPO 団体）が実施した調査と、公募した市民による参加型生き物調査の 2 つからなる。専門家チームは、茅ヶ崎市の自然環境を特徴づけ、豊かな自然環境に見られる指標種を、代表的な 4 つの自然環境（樹林・草地・水辺・海岸）から 120 種を選定した。一方、市が公募した市民は、市内の 76 の地区の各々の決められた 3 か所で、指標種の有無を確認する調査を行った。これらの結果は、身近な生き物マップとして公表されている（茅ヶ崎市, 2006）。

このマップから、生物多様性の視点からどの地域の重要度が高いかがわかる。**図 6-7** に、市内全域の里地里山のマップを示す。マップで示された 4 種の自然環境別の評価の総合評価から 7 つの地区を保全地区に選定し、市の保全施策に活用している。

●●●●●●●●●●●●●●●●●●●●●●●

本事例は以下の点で優れた事例である（小堀, 2020）。

①行政主導である

第 1 に、行政が、プロジェクトの成果を行政の保全管理計画と保全

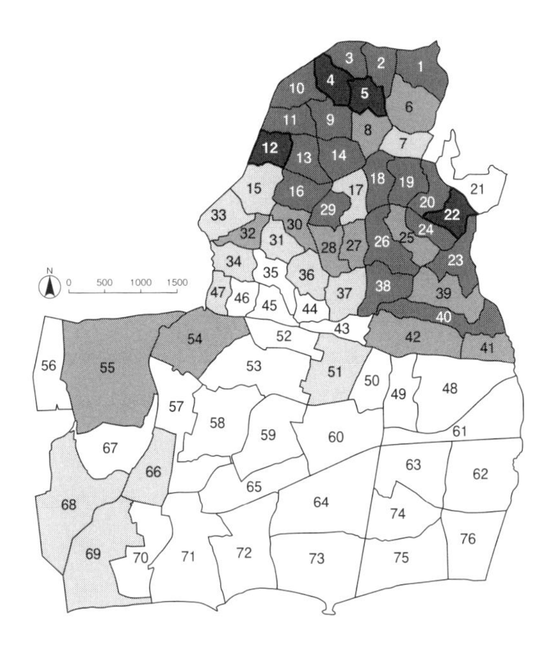

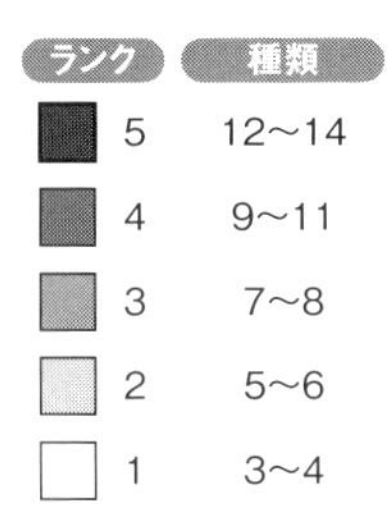

図6-7　茅ヶ崎市の自然環境調査による里地里山評価マップ
(茅ヶ崎市(2006)より改変)
茅ヶ崎市の全域を76地区に区分し、里地里山の指標種の出現種数により76地区を5ランクで評価した。

制度の策定に用いるとの明確な目的を定め、市民科学プロジェクト全体の企画、コーディネートを主導的に進めたことである。そのため、短期間で効率的に成果を得て、保全施策への活用を可能にした。

②専門家と市民型と2つの調査を実施している

第2に専門家チームと公募による市民参加型の2つの調査を実施したことで、専門家チームと市民参加型調査の各々の強みを発揮し弱みを補い合うことができ、調査データの精度を高めた全域調査を可能とした。

③生物多様性戦略上のモデルとなる

第3に、日本の自治体の生物多様性戦略を実施するうえでの優れたモデルとしての価値がある。日本の多くの自治体には、動植物の現状とその経時的な変化を示す基礎資料がないため、実効性のある施策を打ち出せない現状がある。市民科学の活用は多くの人数、時間、エネルギーを要する生物、自然環境の広域的な調査を担うことを可能とし、得られた成果を行政の施策に活かす際に地域住民の同意を得やすい利点がある。

企　業

企業では、本業とは直接結びつかないCSR活動の一環として市民科学を実施している事例が多いが、ここでは、日本の企業が本業に市民科学を導入している2つの優れた事例を紹介する。

▶ハウスメーカーが実施する生態系ネットワークづくり

第1の事例は、積水ハウス株式会社が実施している「5本の樹」計画である。日本では1970年以降、都市化による緑地の減少が著しく、その結果、生物が減少し、生物多様性の損失に拍車をかけている。しかし、都市域では、公園などの公の緑地を大幅に増やすことは困難な状況にある。

積水ハウスは住宅メーカーとして、個人住宅の植栽を通じて生態系に配慮した都市緑化を実現するために、2001年より「5本の樹」計画を開始した。この造園緑化事業では、「3本は鳥のために、2本は蝶のために」をコンセプトとし、地域の在来樹種にこだわった庭づくり・まちづくりを提案している。**図6-8**示すように、都市の個人の庭が、生き物を通じて里山や森とつながり、広域的な生態系ネットワークを形成することを目指している。

事業の構築、運用、効果の検証は、多くの顧客（市民）、NPO、サプライヤー、大学と連携して実践された。

市民科学ベースの事業の構築：野鳥や昆虫と触れ合える都市部住宅地の植栽についての研究と検証は、ナチュラリストの藤本和典氏（故人、日本野鳥の会の会員で、NHKラジオ「夏休み子供電話相談室」の回答者）と共同して行った。

サプライヤーの知見活用と連携：日本では豊かな自然が身近にあったため、住宅地に生物を招くという発想は希薄で、造園業界ではニーズの高い園芸品種や外来種の生産が中心であった。そのため、ビジネスモデルの構築に際して最大の課題は、本事業に必要な在来種が市場で流通していないことであった。そこで、意識の高い中堅の造園業者・植木生産者らのサプライヤーと連携し、勉強会を繰り返す中で、サプライヤーの高い知見を集約しながら事業を具体化していった。

生き物モニタリングの展開：事業の生物多様性の保全効果を調査するために、全国十数か所の大規模分譲地で住民とともに生き物調査を実施してきた。

図 6-8　「5 本の樹」計画が目指す生態系ネットワーク（図提供：積水ハウス株式会社）

その際、住民の関心を高めるために、植栽樹木の情報を記載した樹木プレートを住民向けに作成した。改変を重ねて、2018 年からは樹木プレートの QR コードから、①植物の開花、結実、紅葉の時期、②剪定などの管理情報、③野鳥の鳴き声の情報を取得できるように改良した。樹木プレートは人気が高く、その発行数は 2021 年現在、延べ 31 万枚、利用率は全国で 8 割に達している。

生き物モニタリングでは、専門家による同定や解説も実施し、住民は調査を通じて、周囲の環境の豊かさや快適さに気づく契機ともなった。

事業の実効性評価と将来予測：都市の生物多様性の保全・再生に対する事業の貢献度の定量的評価は、「日本の生物多様性地図化プロジェクト：J-BMP」（https://biodiversity-map.thinknature-japan.com/）を管理運営する琉球大学久保田研究室、株式会社シンクネイチャーとの共同検証によって、2019 年から行なわれた。「5 本の樹」計画で 20 年間に植栽した樹木本数・樹種・位置情報の蓄積データを J-BMP にて分析した。（https://www.sekisuihouse.co.jp/company/topics/topics_2021/20211126/）。その結果、累積の植栽樹木数は過去 20 年間で約 1,700 万本となり、事業を実施しなかった場合の 3 倍となった。また、園芸品種や外来樹種からなる従来の庭の平均の樹木種数は 5 種であったのに対し、「5 本の樹」計画では 50 種となり、10 倍に増えたことが明らかにされた。**口絵 4** にはこの分析結果のマップ情報を示す。同様に、住宅地に呼び込める可能性のある鳥の種類は平均 9 種から 18 種と 2 倍となり、蝶類は平均 1.3 種から 6.9 種と約 5 倍に増加した。これらの結果から、本事業は都市の植の多様性、自然再生を高める効果があることが証明された。また、三大都市圏におけるシミュレーション結果から、計画開始前の2000年と比較して、生物多様性は、2030年には37.4%、2050年には40.9%まで回復できると予測された。

この事例の優れた点は、第1に、個人住宅を対象としたことで、市民が最も身近な場所で参加できる市民科学プロジェクトを提供したことである。第2に、数値データを開示することで、企業の生物多様性の財務価値を可視化したことである。企業のESG経営（環境・社会・管理体制に配慮した経営）の重要性が増しているなか、企業は環境への負荷の軽減だけでなく、生物多様性の損失を2030年までにゼロにする生物多様性の国際目標に積極的に貢献することが求められている。本事業はその先進事例として高く評価できる。なお、久保田研究室のJ-BMPについては、第8章で紹介する。

▶生き物アプリの提供と環境調査

2番目は、2019年から日本全国を対象として開始したスマホの生き物アプリ「Biome」である。生物生息情報アプリの開発・運営、生物生息情報可視化システムの提供、環境コンサルティングを事業とする企業である株式会社バイオームが開発した。現在41万人以上が利用し、220万件以上の情報が確認されている（2022年1月現在）。このプロジェクトはすでに紹介したiNaturalistとの共通点が高いが、企業経営の視点からのユニークな特徴を持っている。

iNaturalistとの共通点は、プログラムの登録者が位置情報つきの動植物の画像をアプリに投稿するとAIが該当する種名を提案し、情報をマップに示し、また登録者がネット上で意見を交換できることである。一方、このプロジェクトのユニークな点は、「ゲーミフィケーション」と「クエスト」の機能にある（藤木, 2020）。ゲーミフィケーションとは、作業や取り組みにゲームの原則や仕組みを取り入れることである。これによって今まで生き物に興味がなかった人々にも興味を持ってもらう工夫がされている。また「クエスト」は、行政、企業、研究機関など多様な組織から依頼された「クエスト」をゲーム感覚でみんなで見つける機能で、社会の多様な組織や人々が環境保全を実践

➡ **Biome**　https://biome.co.jp/app-biome/

することを最終的な目標としている。

「クエスト」の一例として、京都大学と連携して実施された全国の「竹の一斉開花調査クエスト」を紹介する（藤木, 2020）。これはタケ類の一斉開花現象に注目したもので、開設当時開花の報告事例が多かった４種のタケと身近な２種のタケをクエストの対象に設定し、登録者に情報を募るというものであった。その結果、2.5か月間（2019年６月中旬～８月末）に297件の投稿があり、22％は開花の情報であった。アプリを用いた大規模な生物モニタリングを長期的かつ継続的に行うには、マンパワーと資金が必要であるが、日本の多くのNGO団体はその規模が小さく、困難な場合が多い。バイオームは、会社形態とすることで、積極的に収益を上げることに取り組んでいる。たとえば、クエストの発行に依頼料を科したり、得られたデータを解析、加工し、クライアントに提供したりする。市民科学を企業経営に取り組む試みは、市民科学の主流化の新たな試みとして期待ができる。

メディア（マスコミ）

メディアは、証拠資料の収集、報告、情報を構築するプロセスと言える。大きくはマスメディアとマイクロメディアに分けられる。マスメディアはTV、ラジオ、書籍や雑誌の出版などが含まれ、マイクロメディアはブログやソーシャルメディアなどである。両者の境界は明瞭ではなく、最近はマスメディアによるブログやソーシャルメディアも増え、その傾向は加速している。メディアによる市民科学の伝達方法は２つある。１つは従来の伝統的なTV、ラジオ放送や雑誌などで行われてきた一方向の情報の伝達である。もう一つは共有（分かち合い）、参加、連帯感の醸成を可能にする双方向の情報伝達で、市民科学との親和性が高い。

▶マスメディア

マスメディアの市民科学への参画の事例には、米国の雑誌「ナショナル・ジオグラフィック」誌の「National Geographic's Citizen Science Education Initiatives」、「ディスカバー」誌の「Discover Magazine's Citizen Science

➡ **Discover Magazine's Citizen Science Salon**　https://www.discovermagazine.com/blog/citizen-science-salon

Salon」、「サイエンティフィック・アメリカン」誌の「Scientific Americans' Citizen Science blog」がある。これらの記事やブログは、市民科学プロジェクトへの参加情報、科学的な事実や結果、プロジェクトマネージャーや科学者へのインタビューなどを提供しており、市民科学の認知度を国際的に高めるために大きな役割を果たしている。例えば Discover Magazine's Citizen Science Salon は、世界に 650 万人の読者をもつ「ディスカバー」誌に市民科学に関するセクションを設け、印刷物とデジタルの両方からなるクロスプラットフォームを提供している。

▶マイクロメディア

マイクロメディアの大部分はブログやソーシャルメディアで、より直接的・効果的に科学者と市民をつないでいる。その代表的な事例には、1 章で紹介した SciStarter（p. 26 参照）がある。SciStarter は数百の市民科学プロジェクトのデータベースを提供しているプラットフォームで、プロジェクトやそのマネージャーを多様なメディアとつなげることにより、読者は直接プロジェクトにリンクすることができる（Bui, 2014）。

▶公共放送による子供向けのテレビ番組

パブリックメディアは公共放送局やその総体（米国 PBS や NPR、英国 BBC、日本の NHK など）で、商業メディアとは異なり、公共の教育と科学への理解を深める役割を担っている。公共放送の事例として、2010 年から Twin Cities PBS および PBS Kids Go が主催しているマルチメディアオンライン市民科学プロジェクトである「SciGirls」を紹介する。

●●●●●●●●●●●●●●●●●●●●●●●

STEM 教育のためのテレビ番組

テレビのシリーズ番組「SciGirls」は、8～12 歳の子供を対象とし、世界で 2,500 万人が視聴している人気の番組である。番組には明るく好奇心旺盛な双子の姉妹が登場し、科学、技術、工学、数学（STEM）を日常生活の中で活かす様子を披露する。「SciGirls」の目的は、女子生徒が STEM キャリアを追求することを推進することにある。

➡ **SciGirls** https://pbskids.org/scigirls/

30分からなるエピソードでは、アニメキャラクターのイジーと親友のジェイクが冒険に乗り出し、番組に登場する普通の女子生徒のグループに手助けを求める。グループはエピソード毎に変わり、メンター（通常は女性科学者）のアドバイスや協力も得ながら、アニメキャラクターの質問の答えを見つけていく。各エピソードは科学のファクトイド（擬似事実）を超え、科学と工学のプロセスに重点を置いている。

視聴者は番組を通じて、質問、計画、予測、観察、解釈、そしてコミュニケーションが実際にどのように行われているかを知ることができる。また、科学と工学に携わることのやりがいや楽しみを学び、番組に登場するメンターは生徒に刺激的なSTEMキャリアの可能性を垣間見させてくれる。

さらに、優れた特徴として、エピソードを補足する魅力的なアクティビティ、ビデオ、ゲームや教材Webサイトを提供していることを挙げられる。両親や家族で楽しめるエピソードのビデオやゲームのサイトもあり、多くの教材は英語とスペイン語の両方で利用可能である。

「SciGirls」のシーズン3では、各エピソードで異なる6つの市民科学プロジェクトを取り上げている。マルチメディアの教材が提供され、プログラムへの関心を高め、必要なトレーニングを行うことができる。取り上げられているプロジェクトは、Nature's Notebook（p.165）、Celebrate Urban Birds（コーネル大学鳥類学研究所が開発した都市の鳥類のプログラム）、Monarch Larva monitoring project（p.37）、FrogWatch USA（米国動物園・水族館協会が開発した地域の湿地の理解を深めるため、カエルの鳴き声とオタマジャクシをモニタリングするプログラム）、S'COOL program（NASAが提供する雲の観察プログラム）とSeafloor Explorer（Zooniverseが開発した商業的に重要な海底の魚介類の画像を分類するプログラム）である。番組の教育広報チームは、各エピソードに付随する教育ガイドと視聴者がダウンロードして使用できる「自然ジャーナル」や、観察とデータ収集のスキルを身につけるのに役立つゲームを開発した。

●●●●●●●●●●●●●●●●●●●●●●●

➡ **SciGirls（保護者向け）** https://www.pbs.org/parents/

市民科学のテレビ番組が生徒にどのような学習効果をもたらすかを評価した研究は極めて少ない（Karl, 2016; Flagg, 2016）。フラッグは、SciGirlsの番組と野外での市民科学プロジェクトを組み合わせたユニークな評価手法を用い、その効果を検証している（Flagg, 2016）。

この研究では、まず調査に参加した小学5年の女子生徒98人を2つのグループに分けた。グループAの生徒は自宅でSciGirlsのビデオとゲームを2時間体験した後、野外で2.5時間の「FrogWatch USA」に参加し、湿地でカエルの鳴き声からカエルの種類を識別した。グループBは、ビデオ視聴などは行わず、野外で2.5時間の「FrogWatch USA」にのみ参加した。事後調査と生徒へのインタビューの結果、両グループの生徒は「FrogWatch USA」に参加し、高い達成感と自信が持て、他の市民科学プロジェクトについても知りたいとの関心を示した。さらにグループAに参加した生徒は、「SciGirls」マルチメディアから市民科学の楽しさを学び、グループBの生徒よりも野外プログラムに対して大きな関心を持ち、プログラムの理解度も高かった。したがって、マルチメディアを組み込むことは、生徒に市民科学への関心、興味を持たせ、理解度、達成感など、学習に望ましい効果的を与えると結論づけた。

3. 現代社会の緊要な社会課題への挑戦と貢献

市民科学は、現代社会が抱える深刻な課題の把握やその解決にも挑戦し、成果をあげている。本節では、世界共通の問題として顕在化している防災、ごみとマイクロプラスチック問題、SDGsへの取り組み、グリーンインフラ、温暖化、コロナ禍に関する先進的な事例について紹介する。

防　災

大規模な自然災害が生じると、迅速な被害地の特定、被害状況の把握、被害者支援が必要となる。2015年に開始された「Planetary Response Network」はそのための地球規模のオンライン画像解析プロジェクトである。プロジェクトの主催者はZooniverseとRescue Global（英国の非営利組織）で、登録者は約1万人である。プロジェクトの使命は、被災地の救援チームが活用できる緊急優先の「ヒートマップ」を提供することである（Yore, 2017; Simmons, 2017）。

プロジェクトは、ハリケーンや地震の発生前後の被災地の衛星画像を取得することから始まる。その後、市民ボランティアに衛星画像の分析を呼びかける。ボランティアは、損傷した建物、洪水の被災地域、通行不能となった道路、ごみの山、避難者、仮設住宅などを特定する。一通りの分析が完了すると、OpenStreetMap などの地図データに情報を統合する。また、被害の程度をヒートマップ（程度を濃淡で示した地図）で示し、どこに支援を送るか、どこに航空偵察機を飛行させるかなど、救済活動のための情報を提供する。2017 年 9 月にカリブ海を襲ったハリケーンのイルマとマリアでは、ボランティアが 3 週間で画像分析を行ったが、この仕事量は 1 人のフルタイムの 3 年間の労働に値した。

川ごみ問題とマイクロプラスチック

川へのごみの廃棄とマイクロプラスチックの海洋への拡散は、地球規模の大きな社会問題となっている。川へのごみの廃棄の課題に取り組む NGO とマイクロプラスチックの海洋への拡散を調査する参加型市民科学プロジェクトの優れた事例を取り上げる。

▶「拾って調べる」川ごみ調査

日本の河川で活動している環境 NPO で最も多いのは、河川の清掃活動である。河川敷には多くのごみが散乱し、回収しても次から次へとごみが運ばれる。ごみは、河川の上流や支流から下流へ運搬され、あるいは風、雨、排水溝によって河川へと移動され、やがて海へと辿り着く。そのため、川ごみ問題は拾うだけでは解決できない。その中で、特定非営利活動法人荒川クリーンエイド・フォーラム（ACF）は、川ごみを回収しながら、その種類と量を調べることにより、ごみの実態を把握し、解決策を提案している。「クリーンエイド」とは、Clean（きれいにする）＋ Aid（助ける）を意味する造語で、「ごみを拾うことにより豊かな自然を取り戻そう」という想いが込められている。ACF では、首都圏の水がめでもあり、流域人口が 1000 万人の荒川流域を活動の場として、産学官民のネットワークで、「調べるごみ拾い」とごみの漂流メカニズムの調査に取り組んでいる。

「調べるごみ拾い」で河川の散乱ごみをデータ化

調べるごみ拾いの活動は 1994 年から開始され、2019 年には延べ 20 万人が参加した。団体の事務局は、川ごみ調査カード（**図 6-9**）、調査マニュアル、調査の振り返り用紙をホームページで提供している。調査カードは、全米で最大の海洋自然保護団体である ICC（International Coastal Cleanup: 国際海岸クリーンアップ）が作成している、国際標準の川ごみ調査に基づき作成されている。また事務局は、得られた調査カードから流域全体の調査結果を集計し、ごみの現状を社会に発信する役割も担っている。

本活動のユニークな点は、流域の市民団体や自治体、学校、企業が実施主体となり、各団体のイベント会場でマニュアル通りにごみを拾いながら、調査カードに記載された 37 の用途別分類に従いゴミの個数を記入することにある（**図 6-9**）。従って、標準化された手法でデータが収集され、世界、日本のいつ、どこで得られた情報でも比較ができ、地域の特性や課題を明らかにできる。

2018 年には、荒川流域の 173 会場にて延べ 1 万 3,000 人が参加し、25 万個以上の散乱ごみと 2,500 個の粗大ごみが回収された。集められたごみは自治体や国土交通省荒川下流河川事務所と連携して処理され、調査結果の一部は団体の Web サイトで公開されている。2018 年の散乱ごみの用途別割合は、飲料・食料の容器包装が全体の 61%、飲食以外の容器包装が 17%、タバコ関連 6%、生活用品 5%の順で多かった。また、37 分類のうちトップは飲料ペットボトルの 35%、それに次いで食品のポリ袋と食品のプラスチック容器が各々 16%で、生活者によるプラスチック製品の野外放出が高い割合を占めている。また、企画団体別では、企業によるイベント回数が全体の半数を占めていることも注目される。企業の CSR 活動や社内研修の一環として活用する団体が増えている。

ACF では流域にある大学とも連携して、漂流している川ごみが集積しやす

➡**荒川クリーンエイド・フォーラム**　https://www.cleanaid.jp
➡**ICC**　https://oceanconservancy.org/trash-free-seas/international-coastal-cleanup/
➡**川ごみ調査データカード**　https://www.cleanaid.jp/files/trash_card_omote.pdf
➡**一般社団法人 JEAN**　http://www.jean.jp

ICC川ごみ調査データカード

河川/海洋ごみ問題解決のため、全国や世界と連携しています。

（制作：荒川クリーンエイド・フォーラム／JEAN）

■分別方法
市区により分別が異なります。

□ ペットボトル　□=可燃 プラスチック、紙、布など　□=不燃 金属、ガラスなど　びん　缶

■調査年月日：　年　月　日　■記入者名：

■実施団体名：

容器包装（飲食）	個数
（記入例　正 正 正 丁）	17(例)
1 飲料ペットボトル	
2 飲料びん	
3 飲料缶	
4 飲料紙パック	
5 食品の発泡スチロール容器 〈発泡トレイ、カップ麺など〉	
6 食品のプラスチック容器（内カップ型飲料容器　）〈弁当、プラトレイなど〉	
7 食品のポリ袋 〈菓子袋など〉	
8 飲料ペットボトルのキャップ	
9 その他のプラスチックのふた・キャップ ※飲食のみ	
10 飲料ビンの金属キャップ	

食器類	
11 ストロー（マドラー含む）	
12 フォーク・ナイフ・スプーン	
13 コップ・皿類（紙）	
14 コップ・皿類（プラスチック）	
15 コップ・皿類（発泡スチロール）	

レジャー・スポーツ	
16 シート	
17 花火	
18 ボール	
19 釣り糸	
20 ルアー	

タバコ	
21 タバコのすいがら・フィルター	
22 タバコのパッケージ・包装	
23 使い捨てライター	

容器包装（飲食以外）	個数
24 プラスチック・ボトル 〈洗剤、シャンプーなど〉	
25 スプレー缶・カセットボンベ	
26 買い物レジ袋	
27 ポリ袋〈レジ袋、食品用以外〉	
28 紙の袋	
29 プラスチックのふた・キャップ ※飲食以外	

生活用品	
30 衣類	
31 くつ・サンダル類	
32 おもちゃ	
33 電池	
34 ひも・ロープ ※1mを1として	
35 その他の生活用品 〈筆記用具、かばん、タオル、ビデオなど〉	

医療	
36 注射器	

その他	
37 その他（数のみ）	

■主に河口や海で見つかるもの

品目	数	品目	数
6パックホルダー		ウキ・フロート・ブイ ※袋に入れたもの	
プラスチック・発泡梱包材		カキ養殖用パイプ	
荷造り用ストラップバンド		カキ養殖用まめ管	
風船			

破片・かけら（元の形の2/3以下になったもの）　2.5cm以上のみ数えてください！　← 2.5cm →

	個数		個数
38 硬いプラスチックの破片		40 発泡スチロールの破片	
39 ポリ袋・シートの破片		41 ガラスやせとものの破片	
		★レジンペレット（有・無）	

↑レジンペレット 3-5mmのプラスチック粒

※表にある破片のみカウント。小さい破片、表にない破片も拾ってください。

図6-9　AGFの37分類による川ごみ調査シート（荒川グリーンエイド）

いエリアや効果的な回収のタイミングを明らかにする試みも行っている。具体的には、GISやインターバルカメラを用いてごみの侵入のタイミングや再流出の観測、水位計や潮汐グラフから川と海のごみの流出入の関係性を分析し、モ

デル化し、事例を発信している。

●●●●●●●●●●●●●●●●●●●●●●●

ACFの活動はICCの活動の一環でもあり、ICCの日本事務局機能を担っている一般社団法人JEANとも連携するなど、川と海の調べるごみ拾いを行っている国内外の多数の組織とのつながりもある。

▶マイクロプラスチックの国際モニタリングプロジェクト

「インターナショナルペレットウォッチ（IPW）」は、レジンペレットと呼ばれるプラスチックの一種の残留性有機汚染物質（POPs）の濃度を測定する、地球規模のモニタリングプロジェクトである（Takada, 2006; Zettler *et al.*, 2016）。世界各国の参加者が海岸に漂着したレジンペレットを採取し、東京農工大学の高田秀重研究室（農学部環境資源科学科）に送付する（**図6-10**）。研究室では、送られてきたペレットのPOPs濃度の分析結果を試料の送付者にメールで伝えるとともに、オープンアクセスデータとしてプロジェクトのWebページに掲載する。

レジンペレットとはマイクロプラスチック（5 mm以下のプラスチックの総称）の一種で、石油からプラスチックを作るときに得られる中間原料である。レジンペレットは成型工場へ運ばれる際の輸送、取り扱い、加工の過程で、環境中に漏出することがある。多様な種類があるが、水よりも軽いポリエチレンとポリプロピレンがプラスチック生産量の半分を占めており、これらからなるレジンペレットは降雨とともに、水路、河川を経て海洋へ運ばれる（高田・大垣, 2018）。海へ運ばれたレジンペレットは、海水中の毒性が強いPOPsとの親和性が高く、海水中のポリ塩化ビフェニル（PCBs）を含むPOPsを高濃度で吸着しており、その濃縮倍率は海水中の濃度の百万倍程度と計算されている（高田, 2014）。これらのPOPsは生物の体内に取り込まれ、食物連鎖を通じて濃縮されることが知られている。

本プロジェクトは2005年から高田研究室で開始され、2018年までに世界中から180人が参加し、40か国、約700地点からレジンペレットが採取され、送付された資料は高田研究室で分析された。

➡インターナショナルペレットウォッチジャパン http://pelletwatch.jp

図 6-10　参加者から郵送されたレジンペレットの試料（撮影：高田秀重）

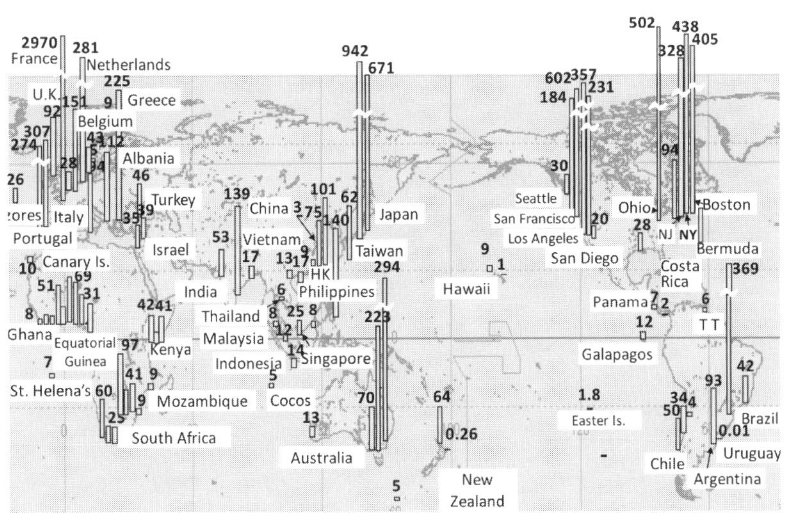

図 6-11　海岸漂着レジンペレット中の PCBs 濃度（高田・大垣, 2018）
数値（濃度単位 Σ 13 PCB-ng/g-pellet）はペレット 1 グラムに含まれる 13 種類の PCB（#66、101、110、149、118、105、153、138、128、187、180、170、206）の重量（ナノグラム）の合計値

プラスチックごみ問題は「プラスチック・クライシス」と呼ばれ、その深刻さが増している。国際的にも認識が高まるとともに、それに呼応するように、2015 年から本プロジェクトへの参加者も増加し、世界の海域、国、都市レベルでの POPs 濃度マップが作成され（**図 6-11**）、また POPs 濃度のベースラインも明らかにされたことから、濃度の高い場所の特定とその原因究明も可能となっている。日本は世界でも海岸漂着レジンペレット中の PCBs 濃度が

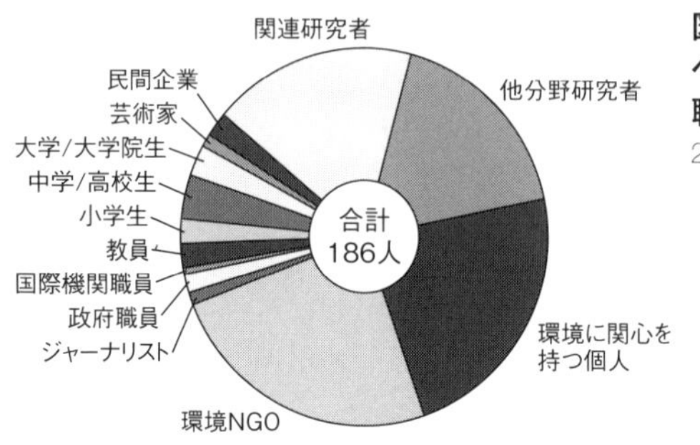

図 6-12　インターナショナルペレットウォッチへの参加者の職業や階層の割合（高田・大垣, 2018）

極めて高いことが明らかとなり、今後の日本のレジンペレットの削減対策にも活用されることが期待される。

本プロジェクトが世界規模の市民プロジェクトに発展した要因として、以下を挙げることができる。第1に、試料の採取が容易である。第2に試料輸送の手間と経費が極めて低コストである。採取者はペレットをアルミホイルで包み、室温にて高田研究室に郵送するだけでよい。第3に参加者へのアンケートやきめの細かい結果のフィードバックを行うことで、参加者へのプロジェクトの理解と普及啓発を促すとともに、参加者の継続性を担保している。プロジェクトには、世界から多様な人が参加し、個人および環境 NGO の参加人数は全体の 5 割弱を占めている（**図 6-12**）。

SDGs

SDGs（Sustainable Development Goals：持続可能な開発目標）は 2015 年に国際連合の全加盟国（193 国）が、2030 年までの 15 年間で達成すべき“世界共通の目標”として採択した環境・経済・社会の目標である。SDGs には、17 項目の目標、目標を達成するための具体的な 169 のターゲットとさらにその下に 232 個の指標が定められており、今後世界を大きく変える道しるべとなることが期待されている。

欧州委員会は、市民科学プロジェクトが SDGs のどの目標とつながりが深く、どのような貢献をしているかについて、当時の EU の加盟国で実施された 503 の市民科学プロジェクトを対象として分析を行った（Bio Innovation Service., 2018）。その結果、全ての市民科学プロジェクトは、市民科学の性質上、教育（目標 4）、革新（目標 9）、平和と正義（目標 16）に関連する 3 つの目

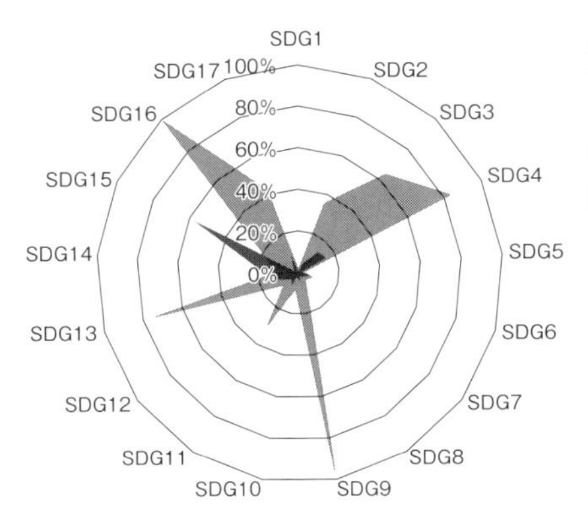

図 6-13　欧州の環境市民科学プロジェクトの SDGs の目標別の貢献度
(Bio Innovation Service, 2018 より改変)
■：直接的な貢献、■：間接的な貢献

標に直接的（目的として）または間接的（活動の成果として）に取り組んでいた。また、全プロジェクトのうち直接的または間接的に貢献した目標は、気候変動が全プロジェクトの86%と最も高く、健康と福祉が78%、陸の保全が75%、持続可能な開発のためのパートナーシップが52%であった（**図 6-13**）。これらの目標とは対照的に、貧困、男女平等、持続可能な経済成長、不平等の撲滅などの社会経済的目標に貢献したプロジェクトは10%未満であった。

調査対象とした市民科学プロジェクトは平均して7.5個の目標に貢献したが、直接的には、2目標にしか貢献していなかった。また、プロジェクト間で大きなばらつきがあり、社会貢献型の市民科学および DIY に関するプロジェクトは、他のタイプのプロジェクトよりも多くの SDGs に直接貢献する傾向が認められた。また、政府主導のプロジェクトは、他の組織が主導するプロジェクトよりも多くの SDGs に貢献する傾向があった。

SDG の目標達成に貢献した4つの SDG sの事例を紹介する。

▶ SDGs 目標 14 と目標 16（陸域および海域の保全）への貢献

目標14（海の豊かさを守ろう）と目標16（陸の豊かさを守ろう）に貢献している市民科学には、IUCN（国際自然保護連合）のレッドリスト指標（Red List Index：RLI）にデータや情報提供するプロジェクトがある。

レッドリスト指標は生物多様性の傾向を表す指標の1つで、種群の絶滅リスクを示す。種群としては、特定の分類群、特定の地域の生息種などが用いられるが、このプロジェクトでは、鳥、哺乳類、両生類、サンゴの4つの分類群の絶滅リスクを経時的に把握した。バードライフ・インターナショナル

(BirdLife International) では、鳥の専門家と 5,000 人を超える市民科学ボランティアのネットワークや eBird などの他の市民科学プロジェクトのデータを使用して、IUCN レッドリストに掲載されている鳥のデータをまとめている。

バードライフ・インターナショナルは、イギリスに本部を置く国際環境 NGO で、複数の国にわたって移動する渡り鳥をはじめとした野鳥を保護するために、国際連携しながら生態調査を実施している。

▶目標 6（安全な水とトイレを世界中に）への貢献：ペルー

ペルーの市民科学の水モニタリングプログラムには、流域計画のデータ収集にコミュニティが参加している。国家水道局は、目標 6 の「きれいな水と衛生」に関連するデータを集約して報告している。また、アンデス地域では、地元の利害関係者、学術機関、非政府組織が、地元の水資源管理を改善するために、アンデス生態系の水文モニタリングのための地域イニシアチブ (iMHEA) を結成した。iMHEA ネットワークでは、標準化された水のモニタリング手法を共同開発した。さらに、地元の大学とのパートナーシップを活用して、参加者のトレーニング、機器のキャリブレーション（較正)、データ分析及び管理のためのリソースを提供している。

▶複数の目的への貢献：フィリピン

フィリピンの地域ボランティアは、市民科学のアプローチを用いて、貧困、栄養、健康、教育、住宅、災害のリスクの軽減など、SDGs に関連するデータを世帯調査によって収集している。これらのデータは、フィリピン統計局が SDGs 指標に関する統計を強化するために活用している。SDGs は相互に関連する複雑な問題群を解決するためのアプローチである。複数の目標を同時に解決する試みは、SDGs の目的達成にかなった優れた事例といえる。

▶促進のロードマップの作成

最近、国際的な研究者チームが、市民科学プロジェクトを SDGs にさらに貢献させるためのロードマップを提案した（Fritz *et al*, 2019)。ロードマップには、以下のような手順が含まれている。

①市民科学のモニタリングに適した SDGs 指標を特定し、

➡ IMHEA　https://resourcewatch.org
➡フィリピン統計局の SDGs 指標統計　https://psa.gov.ph/sdg

②SDGs指標のモニタリングを行った市民科学の優良事例をまとめ、
③政策決定に市民科学の活用を推奨している既存の政策フレームワーク（米国クラウドソーシング・市民科学法や欧州オープンサイエンスポリシーなど）に基づいた促進策を構築、
④データの品質保証と相互運用性に関する対話を促進する。

意思決定と政策

第1章では、市民科学の目標は主に科学、教育、社会変革（社会の課題解決）の3つと述べたが、最近は第4の目標として、意思決定や政策を含める動きが欧州を中心に始まっている。2018年に欧州委員会は、市民科学活動がEUの環境政策に活かされているか、またその特徴について分析した報告書を公開した（Bio Innovation Service, 2018）。その中で、市民科学が影響を与える可能性のある政策サイクル（policy cycle）の6つのステップである、

①課題の設定
②政策の形成
③政策の採用
④政策の実装
⑤政策の評価
⑥支援と維持

との関係性についても検討した。

調査チームは、EUで実施された503の環境市民科学プロジェクトを対象として分析した結果、プロジェクトの71%は、モニタリングを通じて政策に影響を与えており、課題の設定に影響を与えたプロジェクトは14%、早期警告への影響は7%、ポリシー評価への影響は7%であった。また、コンプライアンスの保証を目的としたプロジェクトは2%と極めて低い割合であった。また、全プロジェクトのうち、生物多様性を対象とするプロジェクトは69%と極めて高い割合を占め、次いで、大気質に関するプロジェクトが7%、水を対象としたプログラムは6%であった。

報告書ではまた、プロジェクトの政策との関連性をさらに詳細に評価するために、503の対象プロジェクトから45のプロジェクトを選択し、プロジェクトの科学、政策、参加者の側面から分析を行った。その結果、45のプロ

ジェクトは、いずれも時間的及び空間的に広い範囲をカバーし、優れた科学的データとしての品質基準を備えていた。プロジェクトの80％以上が政策に貢献する可能性が見られた。しかし、プロジェクトの政策への関連性を的確に評価する手法は確立されていないこともあり、実際に政策に貢献したかは評価方法により異なり、16～58％の幅があった。

▶市民科学を環境政策に活かす

市民科学を環境政策に取り入れるためには、以下の３つの要件が重要であることも明らかにされた。

第１に、**政府による資金支援**と**プロジェクトの設計・実施への積極的な介入**が必要である。第２に、**ボランティアの関与のしやすさ**、すなわち事前のスキルをほとんど必要としないことが、政策への市民科学の導入に影響を与えていた。第３に、**科学的厳密さ**は政策への取り込み易さには影響を与えなかったが、プロジェクトが政策に与える程度には影響があった。すなわち、科学者によって承認された高い科学的基準を持つプロジェクトは、環境政策サイクルのより多くの段階に役立てられていた。

市民科学プロジェクトがどのように政策サイクルに影響を与えかを示す２つの事例を紹介する。

▶ FreshWater Watch

「FreshWater Watch」は、英国のアースウォッチインスティテュートが主導するグローバルな水質分析モニタリングプロジェクトである（Hadj-Hammou, 2017）。プロジェクトには、2013年以来9,000人以上のボランティアが参加し、２万以上のサンプルを収集している。ボランティアは対面式のトレーニングを受け、テストに合格する必要があり、データを提供するためにスマホのアプリをインストールすることが求められる。得られたデータは、政府機関によって行われた水質モニタリングの空間的および時間的範囲のギャップを埋めるのに貢献した。また、政府のデータではサンプルが得られていなかった支流や小川や池のデータを提供し、これらの淡水域の栄養塩が高い場所を特定でき、英国での淡水域の汚染の早期警告に貢献した。また、行政機関が汚染源を特定し、改善することに貢献した。

▶ Co-click'eau

フランスの政府関係者と研究者は、農民が水質を改善するための行動の優先順位づけのための意思決定支援ツールであるCo-click'eauを開発した(Chantre, 2016)。利害関係者の連携により、作物のさまざまなシナリオをモデル化し、流域全体への影響を評価した。その一例を挙げる。

ある地域では、流域の汚染を軽減させるために慣行による野菜の生産を中止することが望ましいとの評価がなされた。しかし、地域の農家は慣行農業を中止することは、経営上難しいと考えていた。そこで、当局は農民と協力して代替案を開発し、最終的には流域で最も脆弱な地域の農地の6%を有機農業に転換した。このプロセスの結果、共同学習、農業慣行が水質に与える影響についての認識の共有、水質を維持するための新しいオプションを特定するための共同作業が行われるようになった。

新型コロナウイルスの影響

新型コロナウイルス（COVID-19）は、2020年3月にパンデミックが宣言され、世界中の公衆衛生に危機をもたらしている。日本でも感染者数の増加により、同年4月に緊急事態宣言が発出された。人々は他者とのソーシャルディスタンスを保つため、オフラインからオンラインへ、屋外から屋内へ、集団から個人へと行動を変化させた。これらの変化は、市民科学プロジェクトの参加者にも影響を与えた（Crimmins *et al.*, 2021)。2021年5月現在でも、世界の多くの地域でコロナ禍が続いており、市民科学の有り様は変化の過程にある。ここでは、コロナ禍の初期（2020年）に市民科学がどのように実施されたのか、いくつかの事例を踏まえて紹介する。

▶オンライン市民科学プロジェクトの主流化

コロナ禍のもとでは、参加者が集まって観察・調査することは難しい。特にコロナ禍初期においては、COVID-19の特性や感染経路の研究の途上にあり、多くの人が外出を取りやめた。東京都心では、感染が拡大する前の2020年1月と比べると、4月には80%ほど昼間人口が減少していた（Yabe *et al.*, 2020)。海外では、イタリアやスペインなど多くの国で罰則が科される外出制限が実施された（大津山ら, 2020)。オフラインで実施されてきた「Bioblitz」（市民による生物の一斉調査イベント）のようなイベントは中止せざるを得ない状況になった。

しかし、オンラインによる市民科学プロジェクトは、コロナ禍においても誰とも接触することなく、一人で参加することが可能である。すでに紹介したように、世界には多くの市民科学のためのオンラインプラットフォームがあり、それを利活用したプロジェクトはむしろ市民科学を促進した（Crimmins *et al.*, 2021）。オフラインからオンラインに実施方法を変化させたプロジェクトがどのくらいあるかは調査が待たれるが、市民科学プロジェクトの主流がオフラインからオンラインに変化したことは間違いないといえる。

▶参加の促進

市民科学が積極的に実施されている生態学分野では、多くの研究者がオンラインでの市民科学プロジェクトの変化に注目した。

アメリカでの事例では、クリミンスらは、４つの主な生物観察のための市民科学プラットフォーム（iNaturalist、eBird、eButterfly、Nature's NoteBook）の参加者数、観察数の変化を調査した（Crimmins *et al.*, 2021）。コロナ禍以前の 2015～2019 年をモデル化し、そのモデルに基づいて 2020 年の予測値と比較すると、2020 年の実際の結果は参加者数では iNaturalist はコロナ禍前を上回った。また、観察数では iNaturalist、eBird、eButterfly の３つがコロナ禍前を上回った。すべてのプラットフォームで観察が一様に減少するのではなく、**参加の広報を行ったプラットフォームでは活動がむしろ活発化**していることは、コロナ禍に市民科学プロジェクトを推進していく際の重要な論点になる（Crimmins *et al.*, 2021）。

日本での事例として、岸本と筆者らは、iNaturalist を用いた市民科学プロジェクトである City Nature Challenge における参加者の行動に着目し、2019 年と 2020 年の比較を通じてコロナ禍の影響を考察した（Kishimoto & Kobori, 2021）。

全体の参加者数と観察数は、2020 年は 2019 年より 60％以上減少したが、観察を毎日熱心に行う愛好家の参加数はほとんど変わらなかったうえ、新規参加者も数多くみられた。また種の同定率が大幅に増加していたことは、観察記録の質の向上や同定作業時間の増加による影響が考えられる。愛好家や新規参加者は、コロナ禍で遠出せずに自宅周辺で日中の時間を過ごすことで、散歩や趣味として身近な生物多様性を観察し、楽しんでいたことだろう（Kishimoto & Kobori, 2021）。

このように、コロナ禍での市民科学は、場合によっては参加者数を減少させているが、以前から積極的に参加してきた愛好家や、幅広い広報で市民科学プロジェクトを知りコロナ禍ではじめて参加した人々の参加を伸ばした。市民科学プロジェクトが、安全への配慮をしながら継続できたことは、コロナ禍であっても社会・教育・科学的意義を満たし続けられるという証左となった。

▶都市部の記録への貢献

上述した2研究をはじめ多くの研究は、コロナ禍での市民科学参加者の観察場所に注目した。アメリカでは、iNaturalist と eBird の都市部での観察数はそれぞれ45％、46％で、予測よりも上回った（Crimmins *et al.*, 2021）。eBird を調査した研究でも、コロナ禍での都市部の観察数は2015年から2019年までの記録に比べてイタリアで38.8％、スペインで87.6％、イギリスで48.7％増加していた（Basile *et al.*, 2021）。アメリカの2州とスペイン、ポルトガルの eBird の観察記録を調査した研究では、観察記録が都市部で増加したことに加え、希少な湿地などの生息地での観察記録の減少が指摘された（Hochachka *et al.*, 2021）。東京では、コロナ禍以前には観察場所が代々木公園や河川敷のような大規模な緑地に集中する傾向が見られたが、コロナ禍により観察場所は身近な公園や社叢に分散した（Kishimoto & Kobori, 2021）。

このように、コロナ禍の市民科学の観察記録は、より都市で、より身近な場所で実施されているようだ。このことは、民有地が多く専門家が調査しにくい都市部にとって、生物多様性の情報を増やすチャンスともなった。

第6章 引用文献

Basile, M., Russo, L.F., Russo, V.G., Senese, A. & Bernardo, N. 2021. Birds seen and not seen during the COVID-19 pandemic: The impact of lockdown measures on citizen science bird observations. *Biological Conservation* **256**: 109079.

Bio Innovation Service. 2018. Citizen science for environmental policy: Development of an EU-wide inventory and analysis of selected practices. European Commission.

Bui, L. 2014. Welcome to the Citizen Science Salon. *Discover*. https://www.discovermagazine.com/the-sciences/welcome-to-the-citizen-science-salon（2021年7月2日最終閲覧）

Cameron, S.A., Lozier, J.D., Strange, J.P., B. Koch, J.B., Cordes, N., Solter, L.F. & Griswold T.L. 2011. Patterns of widespread decline in North American bumble bees. *Proceedings of the National Academy of Sciences of the USA* **108**: 662–667.

Chantre, E., Guichard, L., Ballot, R., Jacquet, F., Jeuffroy, M. H., Prigent, C., & Barzman, M. 2016. Co-click'eau, a participatory method for land-use scenarios in water catchments. *Land use policy* **59**: 260-271.

茅ヶ崎市. 2006. 茅ヶ崎市自然環境評価調査概要報告 自然環境評価マップで茅ヶ崎の自然を見てみよう. https://www.city.chigasaki.kanagawa.jp/_res/projects/default_project/_page_/001/008/115/shizenkankyoukisotyousahoukokusyo.pdf

Cooper, S., Khatib, F., Treuille, A., Barbero, J., Lee, J., Beenen, M., Leaver-Fay, A., Baker, D., Popović, Z. & Players, F. 2010. Predicting protein structures with a multiplayer online game. *Nature* **466**: 756-760.

Crimmins, T.M., Posthumus, E., Schaffer, S., & Prudic, K.L. 2021. COVID-19 impacts on participation in large scale biodiversity-themed community science projects in the United States. *Biological Conservation* **256**: 109017.

van Etten, J., de Sousa, K., Aguilar, A., Barrios, M., Coto, A., Dell'Acqua, M. & Kiros, A.Y. 2019. Crop variety management for climate adaptation supported by citizen science. *Proceedings of the National Academy of Sciences of the USA* **116**(10): 4194-4199.

Flagg, B. N. 2016. Contribution of multimedia to girls' experience of citizen science. *Citizen Science: Theory and Practice* **1**: 11.

Fritz, S., See, L., Carlson, T., Haklay, M., Oliver, J.L., Fraisl, D., Mondardini, R., Brocklehurst, M., Shanley, L.A., Schade, S., Wehn, U., Abrate, T., Anstee, J., Arnold, S., Billot, M., Campbell. J., Espey, J., Gold, M., Hager, G., He, S., Hepburn, L., Hsu, A., Long, D., Masó, J., McCallum, I., Muniafu, M., Moorthy, I., Obersteiner, M., Parker, A.J., Weisspflug M., & West S. 2019. Citizen science and the United Nations Sustainable Development Goals. *Nature Sustainability* **2**: 922–930.

藤木庄五郎. 2020. スマホアプリを用いた市民参加型の生物多様性モニタリングへの展望. 水環境学会誌 **43(A)** (11): 389-392.

GlobalXplorer. 2018. GlobalXplorer goes to India. Medium. https://medium.com/@globalxplorer/globalxplorer-goes-to-india-a3b84850baa1.（2021 年 7 月 2 日 最終閲覧）

Greshko, M. 2018. Massive ancient drawings found in Peruvian desert. National Geographic. https://www.nationalgeographic.com/news/2018/04/new-nasca-nazca-lines-discovery-peru-archaeology/.（2021 年 7 月 2 日 最終閲覧）

Hadj-Hammou, J., Loiselle, S., Ophof, D., & Thornhill, I. 2017. Getting the full picture: Assessing the complementarity of citizen science and agency monitoring data. *PLOS ONE* **12**: e0188507.

Hochachka, W.M., Alonso, H., Gutiérrez-Expósito, C., Miller, E. & Johnston, A. 2021. Regional variation in the impacts of the COVID-19 pandemic on the quantity and quality of data collected by the project eBird. Biological Conservation 254: 108974.

Huang, P.-S., Boyken, S.E. & Baker, D. 2016. The coming of age of *de novo* protein design. *Nature* **537**: 320–327.

Kampen, H., Medlock, J.M., Vaux, A., Koenraadt, C., van Vliet, A., Bartumeus, F., Oltra, A., Sousa, C.A., Chouin, S. & Werner, D. 2015. Approaches to passive mosquito surveillance in the EU. *Parasites & Vectors* **8**(9): 1-13.

神奈川県植物誌調査会. 1988. 神奈川県植物誌 1988. 神奈川県立博物館.

神奈川県植物誌調査会. 2018. 神奈川県植物誌 2018 電子版. http://flora-kanagawa2.sakura.ne.jp/attach/eFloraofKanagawa2018v1.pdf.（2021 年 7 月 2 日 最終閲覧）

Kanazawa, I., Okuno, S., Takemoto, T., Miyatake, Y., Hosoi, T. & Ohtsuki, M. 1993. Bionomics of the Chestnut Tiger, *Parantica sita* (Lepidoptera, Danaidae) in the western part of Japan -Results of researches from 1983 to 1989 by The Chestnut-Tiger Research Group-, *Bulletin of the Osaka Museum of Natural History* **47**: 47-59.

Karl, R. 2016. Research shows media can enhance girls' citizen science learning. Citizen Science Association. CitizenScience.org.

加藤裕之・橋本翼・笹嶋睦・咸泳植・小堀洋美. 2016. 下水処理水が河川環境に与える影響評価への市民科学の導入. 水環境学会誌 **39**(5): 181-185.

Khatib, F., Cooper, S., Tyka, M.D., Xu, K. Makedon, I., Popović, Z., Baker, D. & Foldit Players. 2011. Algorithm discovery by protein folding game players. *Proceedings of the National Academy of Sciences of the USA* **108**: 18949-18953

Kishimoto, K. & Kobori, H. 2021. COVID-19 pandemic drives changes in participation in citizen science project "City Nature Challenge" in Tokyo. *Biological Conservation* **255**: 109001.

小堀洋美. 2020. 市民科学を自分事として実践しよう. 月刊下水道 **43**(3): 75-78.

Koepnick, B., Flatten, J., Husain, T., Ford, A., Silva, D.-A., J. Bick, M.J., Bauer, A., Liu, G., Ishida, Y., Boykov, A., Estep, R.D., Kleinfelter, S., Nørgård-Solano, T., Wei, L., Foldit Players, Montelione, G.T., DiMaio, F., Zoran Popović, Z., Khatib, F., Cooper, S. & Baker, D. 2019. *De novo* protein design by citizen scientists *Nature* **570**: 390–394.

国土交通省水管理・国土保全局下水道部. 2017. 下水道の「市民科学」ガイドブック：行政が連携して取り組む市民科学を成功させるヒント. 2020 年改定. URL. https://www.mlit.go.jp/mizukokudo/sewerage/content/001328597.pdf（2020 年 10 月時点）

LanguageARC. 2012. How English varies: Contribute to our understanding of how language varies across time and geography. https://languagearc.com/projects/10.

McDonald, D., Hyde, E., Debelius, J.W., Morton, J.T., Gonzalez, A., Ackermann, G., & Goldasich, L.D. 2018. American gut: an open platform for citizen science microbiome research. *mSystems* **3**(3): e00031-18.

McKinley, D.C., Abraham Miller-Rushing, A., Heidi L. Ballard, H.L. & Rick Bonney R. 2015. Investing in citizen science can improve natural resource management and environmental protection. *Issues in Ecology* 19.

大野ゆかり・横山潤・中静透・河田雅圭. 2018. 市民が撮影した写真による生物観測情報の収集, 問題点と解決方法. 種生物学会電子版和文誌 **2**: 1-16.

大津山堅介・齋藤悠介・小松崎暢彦・石井沙知香・松本慎一郎・竹中大貴・廣井悠. 2020. COVID-19 に対する都市封鎖の類型化と課題：主要感染拡大国における暫定的事例研究. 都市計画論文集 **55**(3): 1350–1357.

Simmons, B. 2017. The Zooniverse responds to the Caribbean hurricanes of 2017. *Zooniverse*. https://blog.zooniverse.org/2017/09/22/the-zooniverse-responds-to-the-caribbean-hurricanes-of-2017/.（2021 年 7 月 2 日 最終閲覧）

佐久間大輔. 2018. 市民科学のプラットフォームとしての自然史博物館（序論として）. 日本サイエンスコミュニケーション協会誌 **8**(2): 10–11.

Takada, H. 2006. Call for pellets! International Pellet Watch Global Monitoring of POPs using beached plastic resin pellets. *Marine Pollution Bulletin* **52**(12): 1547-1548.

高田秀重. 2014. International Pellet Watch（IPW）：海岸漂着プラスチックを用いた地球規模での POPs モニタリング. 地球環境 **19**(2): 133-145.

高田秀重・大垣多恵. 2018. インターナショナルペレットウォッチの市民科学としての役割. 水資源・環境研究 **31**(1): 4-10.

Tyson, E., Bowser, A., Palmer, J., Kapan, D., Bartumeus, F., Martin, B. & Pauwels, E. 2018. Global mosquito alert: Building citizen science capacity for surveillance and control of disease - vector mosquitoes. Global Mosquito Alert Consortium. Woodrow Wilson International Center for Scholars. New York.

Walther, D. & Kampen, H. 2017. The Citizen science project 'Mueckenatlas' helps monitor the distribution and spread of invasive mosquito species in Germany. *Journal of Medical Entomology* **54**(6): 1790–1794.

渡辺恭平. 2016. 生物多様性情報と地方自然史博物館. 日本生態学会誌 **66**: 247-252

Yabe, T., Tsubouchi, K., Fujiwara, N., Wada, T., Sekimoto, Y. & Ukkusuri, S.V. 2020. Non-compulsory measures sufficiently reduced human mobility in Tokyo during the COVID-19 epidemic. *Scientific Reports* **10**: 18053.

Yates, D. 2018. Crowdsourcing antiquities crime fighting: A review of GlobalXplorer. *Advances in Archaeological Practice* **6**: 173-178.

Yore, R. 2017. Here's how citizen scientists assisted with the disaster response in the Caribbean. *The Conversation*. https://theconversation.com/heres-how-citizen-scientists-assisted-with-the-disaster-response-in-the-caribbean-85418.（2018 年 7 月 2 日 最終閲覧）

Yue, S., Bonebrake, T. C., & Gibson, L. 2019. Informing snake roadkill mitigation strategies in Taiwan using citizen science. *The Journal of Wildlife Management* **83**(1): 80-88.

Zettler, E.R., Takada, H., Monteleone, B., Mallos,N., Eriksenf, M. & Amaral-Zettlerg, L.A. 2016. Incorporating citizen science to study plastics in the environment. *Analytical Methods* **9**(9): 1392-1403.

【Web サイト】（末尾の日付は最終閲覧日）

American Gut Project. http://www.americangut.org/.（2021年1月24日）
荒川クリーンエイド. https://cleanaid.jp/.（2021年7月2日）
荒川クリーンエイド. ICC川ごみ調査データカード. https://www.cleanaid.jp/files/trash_card_omote.pdf.（2021年07月2日）
米国微生物学会 www.asm.org / agarart
Biodesign Challenge. http://biodesignchallenge.org/.（2021年7月2日）
BIOME. https://biome.co.jp/app-biome/.（2021年7月2日）
Biotech Without Borders. http://www.biotechwithoutborders.org/.（(2021年7月2日）
ClimMob. https://climmob.net.（2021年7月2日）
Foldit https://fold.it/.（2021年7月2日）
学研ほたるネット. https://gakken-kyoikumirai.jp/hotaru/.（2021年7月2日）
Genspace. https://genspace.org.（2021年7月2日）
GlobalXplorer. https://www.globalxplorer.org/.（2021年7月2日）
GlobalXplorer. 2018. GlobalXplorer completes its first expedition: What the crowd found in Peru. Medium. https://medium.com/@globalxplorer/globalxplorer-completes-its-first-expedition-what-the-crowd-found-in-peru-7897ed78ce05.（2021年7月2日）
花まるマルハナバチ国勢調査. http://meme.biology.tohoku.ac.jp/bumblebee/.（2021年2月4日）
iDigBio. https://www.idigbio.org/.（2021年7月2日）
International Pellet Watch Japan. http://pelletwatch.jp/.（2021年7月2日）
JEAN. http://www.jean.jp/about-jean/.（2021年7月2日）
神奈川県植物誌調査会. http://flora-kanagawa2.sakura.ne.jp/.（2021年7月2日）
国土交通省下水道の理解を促進する「下水道の市民科学」. https://www.mlit.go.jp/mizukokudo/sewerage/mizukokudo_sewerage_tk_000522.html.（2021年7月2日）
LanguageARC. https://LanguageARC.com.（2021年7月2日）
Mückenatlas Jede Mückenatlas. https://mueckenatlas.com/about/.（2021年7月2日）
Opentrons. https://opentrons.com/.（2021年7月2日）
Ocean Conservancy. International Coastal Cleanup. https://oceanconservancy.org/trash-free-seas/international-coastal-cleanup/.（2021年7月2日）
大阪市立自然史博物館の友の会. http://www.omnh.net/ns.html.（2021年7月2日）
PBSKIDS. https://pbskids.org/scigirls/home.（2021年2月4日）
PBS. SciGirls. http://www.pbs.org/parents/scigirls/.（2021年7月2日）
Philippine Statistics Authority. Sustainable Development Goals. https://psa.gov.ph/sdg. 2021.07.02PLOS. The Official PLOS Blog. https://theplosblog.plos.org/.（2021年7月2日）
RED LIST. Red List Index. https://www.iucnredlist.org/assessment/red-list-index.（2021年7月2日）
SciGirls. http://www.scigirlsconnect.org.（2021年7月2日）
SciStarter. https://scistarter.org/.（2021年7月2日）
Taiwan Roadkill Observation Network. https://roadkill.tw/en.（2021年7月2日）

USA NATIONAL PHENOLOGY NETWORK. https://usanpn.org/.（2021 年 7 月 2 日）
World Resource Institute. iMHEA. https://resourcewatch.org/about/partners/42.（2021 年 7 月 4 日）

第７章　市民科学の実践方法

目的も分野も参加者も異なる市民科学において、どんなプロジェクトでも成功に導けるような手法はあるのだろうか。残念ながら、そのような「万能の処方箋」はない。しかし、実効的な成果を上げるために留意すべき点は明らかになっている。ここでは、それらをプロジェクトの計画から終了後までの各段階ごとに概観し、効果的な手法を選択するために配慮すべきことを検討しよう。

すでに述べたように、市民科学は多様な目的、分野、実施機関、参加者がかかわる、多様性に富んだ分野である。そのため、実施にあたってはそれぞれに最適なプロジェクトを作り上げる必要がある。本章では、市民科学が科学としての成果や価値を持ち、科学の専門家ではない参加者と企画者が学びを得られ、成果を社会に公表し社会の課題解決などに活かされるものとなるよう、留意すべき手法について述べる。

本章ではまず、市民科学の利点と欠点を十分に理解し、自分たちの目標や活動を実施するために市民科学が正しい選択肢かどうかを確認する手法を紹介する。次に、市民科学プロジェクトのプログラム開発、データ管理、評価手法について述べる。これらは、プログラムを実践する前、途中、終了後などプロジェクトのさまざまな場面で必要な手法である。最後に、企画者と参加者が、プロジェクトを「自分ごと」、「みんなごと」と考え、実践を容易にする方法について述べる。

1. 市民科学プロジェクトを立ち上げる方法

市民科学プロジェクトを立ち上げる際には、本当に市民科学アプローチを採用することが適切なのかを**事前に**よく吟味することが重要である。本節では、市民科学向きかそうでないかを判断するための要件について述べ、市民科学に適したアプローチの具体的な方法を紹介する。次にプロジェクトを開発するうえで必要な方法について述べる。

市民科学に適したアプローチの選択

▶市民科学の欠点

ここまで、市民科学とそのプロジェクトの利点について説明してきたが、市民科学プロジェクトにも多くの欠点がある。ポコックらは、市民科学の欠点や不向きな点として、以下の６つを挙げている（Pocock *et al.*, 2014）。

①煩雑すぎる手法は市民には難しく、何度も同じことを繰り返す作業は飽きられる。場所を何回も変えて実施するプロジェクトは人気がなく、参加者数が減少する可能性が高い。

②ボランティアを募集する必要がある。

③資金、時間、資源の投資が必要である。投資はプロジェクトが続く限り必要である。

④プロジェクトの主催者と参加者の間に意欲や興味、楽しみなどに温度差があることがある。

⑤データの形式が統一されていない場合が多い。

⑥データの収集が思い通りにいかない場合がある。

市民科学プロジェクトを成功させるためには、市民科学プロジェクトを立ち上げる前にこれらの欠点をクリアできるかどうかをよく評価しておき、利点・欠点などのプロジェクトごとの特徴に見合ったフレームワークを開発し、運営しながら適宜修正を施すことが大切となる。

▶市民科学アプローチを採用する妥当性

市民科学アプローチの利点・欠点を踏まえ、以下の６点について評価することで、市民科学アプローチを採用することが妥当かどうかを判断できる（Pocock*et al.*, 2014）。

①目的や課題

②かかわり

③使える資源

④サンプリング規模

⑤手順の複雑さ

⑥参加者の意欲

とくに①**目的や課題は事前にはっきり定めておく**ことが重要である。目的や課題が不明確だと、参加者がプロジェクトに参加する意義を見出せず、参加のモチベーションに影響する。また、プロジェクトのテーマや目的は、主催者の科学上や保全のために解明すべき科学的な疑問、検証可能な仮説、モニタリング上の課題から導き出されるものとするのが理想的である。

⑤手順の複雑さについては、単純な方法で、参加者が楽しみやすく、満足しやすい設計が望ましい。参加者は自由意志でボランティアとして参加しているので、**手順をより簡便なものにしておく**と、より多くの参加を見込むことができる。⑥参加者の意欲も重要な要素である。場所、地域、興味、発見、協調性、地域社会で緊急性の高い問題など、より**身近なものであれば、より多くの人を引きつけられる**。たとえば、身近にある里山や自分が住む自治体が対象となっていること、里山が意外な動物の住処になっていたことを知ること、里山が開発の危機にあることなどは参加の主だった動機になるだろう。2020年の新型コロナウイルスの蔓延時で行われた野外で動植物を観察する市民科学プロジェクトでは、外出自粛中でも自宅付近で、さらにスマホで参加できることが参加の動機となったケースもあった（Kishimoto & Kobori, 2021）。

▶市民科学アプローチの選択ガイド

事前評価の結果を踏まえて、市民科学プロジェクトの立ち上げを行うかどうかを判断する。その判断基準をチャート化したものが、ポコックらによって開発されている（**口絵3**, **図7-1**, Pocock *et al.*, 2014）。したがって、市民科学プロジェクトを立ち上げてプログラムを開発する際には、どのような市民科学プロジェクトがそれぞれのテーマ、場所、資源などに見合っているのかを判断し、それに応じて具体的なプログラムを開発することが必要である。そのためには、**図7-2**に示す６つのステップを段階的に進めることが望ましい（小堀, 2020a）。以下にその概要を説明する。

プロジェクトの開発

プロジェクトの開発は以下のステップに従って行うのが望ましい。

▶目的とテーマ設定

第一に**市民科学プロジェクトの目的とテーマを明確に**する。市民科学プロジェクトには、政策ニーズやデータ収集、地域の環境課題解決など複数の目的があることが多いため、そのバランスを明確にする（Tweddle *et al.*, 2012）。

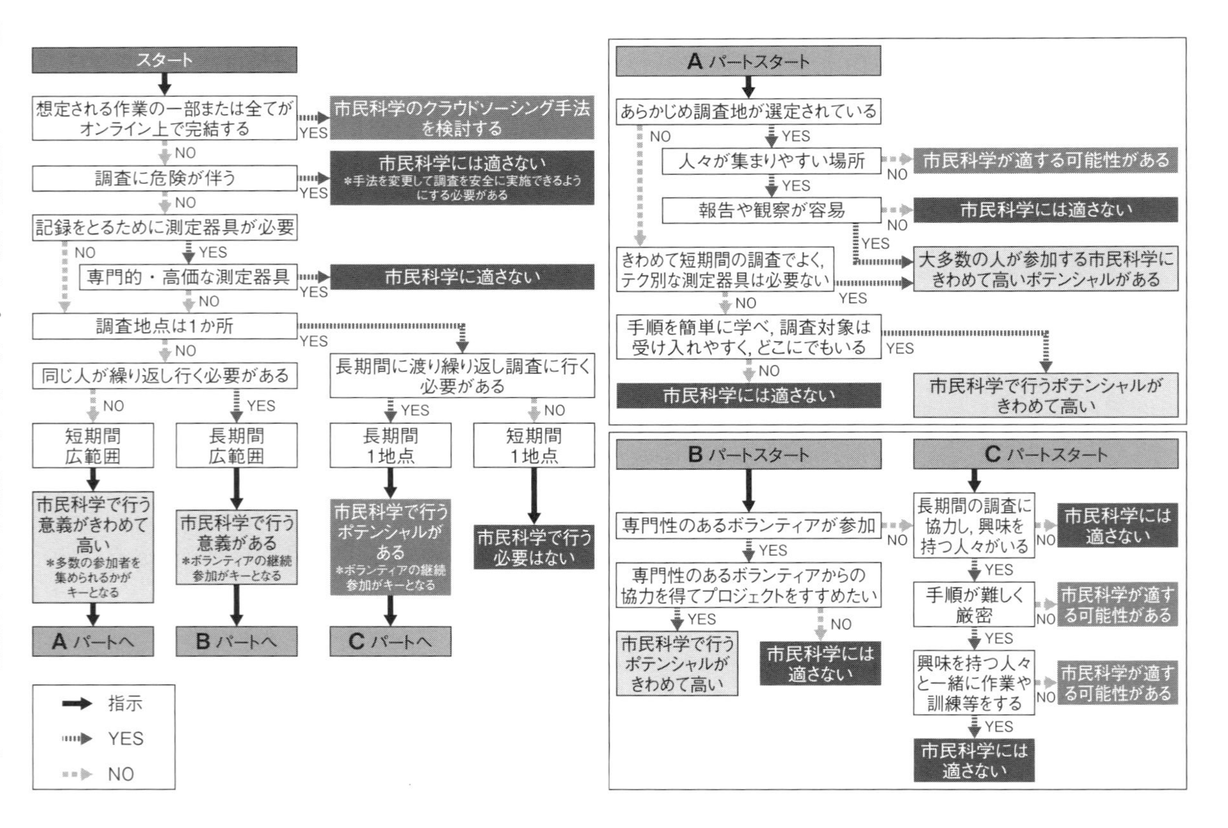

図 7-1　市民科学に適したプロジェクトかを判断するための選択フローチャート © UK Centre for Ecology & Hydrology, reproduced with permission from Pocock, M.J.O., Chapman, D.S., Sheppard, L.J. & Roy, H.E. (2014). Choosing and Using Citizen Science: a guide to when and how to use citizen science to monitor biodiversity and the environment.

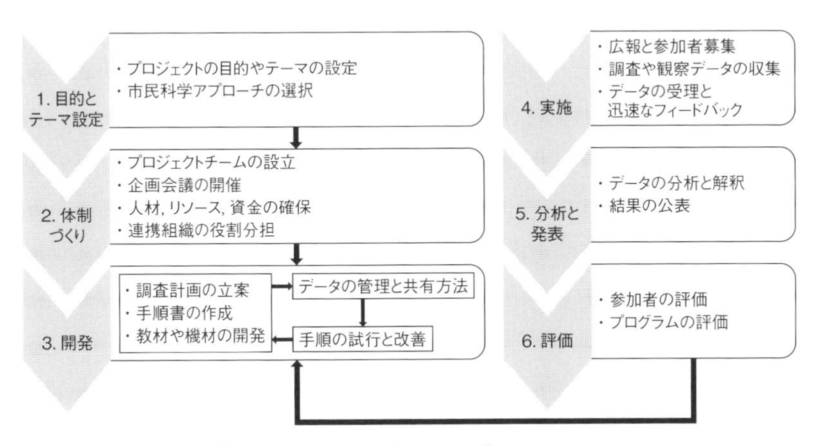

図 7-2　市民科学プロジェクトの開発ステップ（小堀, 2020a）

また、チームメンバーが自身の目標を持っている場合には、チーム内で適度なコミュニケーションをとりながら、コンセンサスを確立するとよい（Tweddle *et al.*, 2012）。

▶体制づくり

体制づくりとして、プロジェクトチームの設立、企画会議の開催、人材、資源、資金の確保、連携組織の役割分担を行う。研究者、地域団体、地権者、事業者など**多様なステークホルダーを巻き込んだチームを設立**する（Tweddle *et al.*, 2012）。また、補助金やスポンサーなどからの資金、必要な機器や物品などの資源、チーム内では得られない能力を持つ人材を確保する。

以下に、中央政府が主導して小規模の環境団体を組織化し、外来種対策の戦略的プロジェクトの一環として市民科学に取り組んだニュージーランドの事例を紹介する。

多様な組織体制によるニュージーランドの外来生物管理

ニュージーランドは外来生物対策の先進国である。外来生物のなかでも特に、ポッサム、ラット、イノシシ、スズメバチなどの動物は、生物多様性にとって大きな脅威である。ニュージーランドの保全省は、環境と経済を脅かす有害な

➡**ニュージーランド保全省の「Predator Free 2050」** https://www.doc.govt.nz/nature/pests-and-threats/predator-free-2050/

外来捕食者を排除することを目標に、野心的な国家戦略である「Predator Free 2050」（New Zealand Goverment Department of Conservation, 2020）を、2016年に開始した。このプロジェクトでは、多様な組織と協力体制を構築し、市民科学をその戦略の1つに位置づけ、多様な市民グループを巻き込んだ活動を展開している。

ニュージーランドには全国で600を超えるコミュニティ環境グループがあり、保全及び市民科学プロジェクトを実施している。ほとんどのグループは小規模で、その多くは行政の管理機関やNGO組織から支援を受けている。ここでは、これらの組織による「Predator Free 2050」と連携した3つの事例を紹介する。

宿主植物を使った外来生物の早期警報システム

第一の事例は、NGO組織の「NZ Landcare Trust」の活動である。この組織は土地所有者、農民、コミュニティグループからなり、持続可能な土地及び流域管理プロジェクトの長い実績を有している。トラストが実施する「センチネルガーデン（Sentinel Gardens)」プロジェクトでは、外来昆虫や病原体の食草・宿主となる植物種を植栽し、対象とする害虫の存在や微生物などの病原体により植物体への損傷や被害の兆候が見られた場合には、管理者である政府機関に警告する早期警告システムを構築している。ガーデン（庭園）は学校やその他の地域に設置され、その地域で被害をもたらすリスクが高い外来害虫と病原体などの宿主となる複数の植物を選定して植栽する。ガーデンには、害虫の捕獲装置が備えられていることもある。ボランティア、生徒・学生は、定期的に庭園と捕虫装置をモニタリングし、害虫の兆候を監視する。組織のWebサイトには、脅威の高い害虫のリストや被害を受けた植物の写真、害虫の同定のマニュアルや教師用マニュアルなども掲載されており、実施するうえでの有用な情報を入手できる。

泥炭湖沼地帯での外来哺乳類の制御

NZ Landcare Trustは、「ロトピコ・コミュニティの外来哺乳類制御プロジェクト（Rotopiko Community Pest Control Project)」も実施している。

ロトピコ湖は、3つの泥炭湖がつながった40 haの湖沼地帯からなる。地域は鳥の重要な生息地として知られているが、多くの外来哺乳類による捕食の脅威にさらされている。トラストでは、湿地を保全する全国規模のNPOである

図 7-3　外来哺乳類の制御プロジェクトにおける哺乳類のトラップ（捕獲装置）の設置作業
（写真提供：NZ Land Trust）
プロジェクトの連携組織である National Wetland Trust の調整役を務めるナーディン・ベリー（Nardene Berry）は、トラップの設置のアドバイスを行っている。

National Wetland Trust（NWT）と連携し、地域のボランティアが外来哺乳類を捕獲するためのトラップの設置とモニタリングを行うネットワークを形成し、外来種の管理を行っている。**図 7-3** は、指導員による小型哺乳類の木製のトラップの設置風景である。

さらに、プロジェクトでは、1 つの泥炭湖の周辺をフェンスで囲い、外来哺乳類を完全に駆除し、新たな外来種の侵入を阻止することによって、鳥類の生息地を復元している。また、フェンスに囲われていない場所でも、ラット、マウス、フェレット、イタチ、イノシシ、ネコなどの 500 頭以上の外来哺乳類の駆除に成功している。

外来捕食者捕獲

第三の事例は、ニュージーランド政府（保全局）が主導し、住民が裏庭や庭での外来捕食者の捕獲に参加するプロジェクトである。保全局では、さまざまな捕獲方法、その設置方法、設置場所、モニタリング方法、捕獲した動物の処置方法についての手引きを提供している。

このようにニュージーランドでは、中央政府と多様な組織との連携、役割分担、市民科学の実施により在来種と生態系を保護するための体制が構築され、成果が挙がっている。

● ●

▶開発

①研究計画の立案、②マニュアル（手順書）の作成、③教材や機材の作成の開発を行い、④データの管理や共有方法を考案する。⑤作業の試行により、必要な改善を行う。

①**研究計画**では、仮説、仮説を検証するために必要なデータ、必要なデータを集めるための手法、収集する場所、時間などの条件などを明らかにする。

②**マニュアル**、③**教材、機材**の作成は、市民が**正確かつ安全に作業を進めるうえで重要**である。参加者が専門知識やスキル、器具を持っていないことを前提としつつ、他方で精度の高いデータを収集できる工夫は欠かせない。特にオンライン市民科学の場合には、Android と iOS での操作の違い、GNSS（全球測位衛星システム）情報へのアクセスを許可するなど、**オンラインに慣れていない人への配慮**が必要である。

④**データの管理**や共有方法の検討は、データライフサイクルの最初の工程である。本章３節に詳細に説明する。

⑤試行と改善は、市民科学プロジェクトをよりよくするための工程である。プロジェクト主催者やメンバーなど少人数で作業を試し、**問題点やわかりづらい点などのフィードバック**を集める。

▶実施

広報と参加者募集を行い、実際に調査とデータ収集、そしてその集約とフィードバックを行う。**広報**と**参加者募集**は、ポスター、SNS、インターネットなど多様な方法で行う。また**フィードバックを迅速に**行うことは、参加者の意欲を維持するうえで有効である。

▶分析と発表

市民が集めたデータを収集し、データの整理・分析を行い、その結果を公表する。分析と発表をだれが行うかは、プロジェクトの特性（2章で述べた市民科学の参加の程度による分類（5C））によって異なる。たとえば、市民貢献型では、主催団体である研究機関、行政、NPO 団体が主に行う。共同創生型では、市民をはじめ共同実施者の中で役割を決めて、担当者が実施する。また、その成果を地域内から国際まで、ワークショップから学会まで、多様な地域や方法で発表する。

▶評価

評価の方法には、**参加者に関する評価**と実施した**プログラムに関する評価**の２つの方法がある。

参加者に関する評価はさらに、心理学的な動機づけに関するものと、実際の行動ログから導かれる行動パターンに関するものがある（Aristeidou *et al.*,

2017)。心理学的な動機づけについては、参加者に対するアンケートやインタビュー、行動パターンに関する評価では、観察記録やアプリの利用履歴などを分析する。

プログラムに関する評価は、計画した内容の達成度や満足度、目的とした成果の収集や成果の公表などについて、参加者および関係する企画者が相互評価を行う。方法としては、主にアンケートやインタビューを実施し、その結果を分析する。プログラム評価については、３節で詳しく説明する。

2. データ管理

市民科学が科学研究として成立するためには、研究者の研究活動と同様に、適切なデータ管理を行い、データの品質を保証することが重要である。そのため、市民科学プロジェクトの主催者は、研究データが収集されてから活用されるまで（データライフサイクル）のプロセスをよく理解しておく必要がある。ただし多くのプロジェクトでは、データライフサイクルのすべてを主催者だけで担うことは困難で、研究者や専門家と協同することが求められる。また、データライフサイクルの各プロセスにおいて、主催者が気をつけなければならない課題や、データの活用可能性もある。本節では、データライフサイクルについて簡単に概説したあと、データ管理上の課題と可能性、具体的事例について検討する。

データライフサイクル

データライフサイクルとは、**図7-4** に示すように、研究データのすべてのプロセス、すなわち①データ管理計画、②データ収集、③データ品質の保証、④メタデータの記述、⑤データ保存、⑥データ検索、⑦データ統合、⑧データ分析に至るまでの一連の流れである（Shwe, 2020; Wiggins *et al.*, 2013）。以下では､ウィギンズらが定める８つのデータライフサイクルプロセス（Wiggins *et al.*, 2013）についてとともに、その詳細と具体的内容を補足する。

▶①データ管理計画

まず、プロジェクトの実施やデータの活用のために、プロジェクトの実施者やデータ提供者がデータの管理計画を策定する必要がある。プロジェクトの目標（期待する成果、結果、効果）を明確にしてから、データ管理計画、

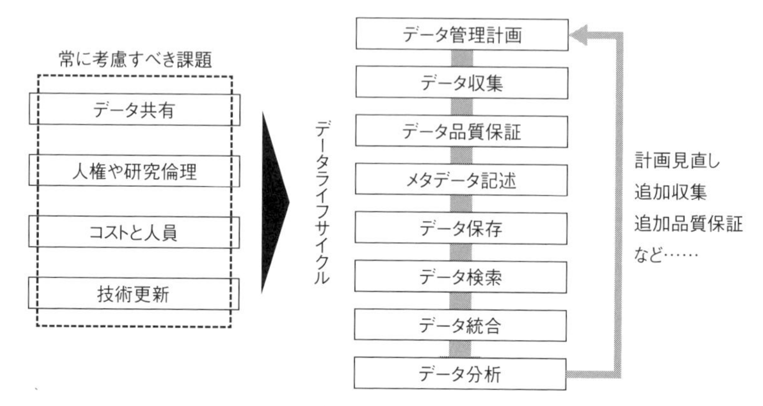

図 7-4 データライフサイクルのプロセス

管理・編集・共有の権限ポリシーなどを定めていく。

第一に、データ**管理計画**を作成する。プロジェクトの目的とする成果像、データの収集期間、収集場所、収集方法、データファイルの命名や保存場所などのデータ保管方法、データ精度保証の方法、メタデータ（後述）の記述方法などを定義する。

第二に、データの**管理・編集・共有の権限**について定める。データの収集、保管、解析など各段階にかかわる、市民や研究者の役割とその責任の明確化、データの公開範囲やセキュリティの方針決めを行う。研究者による科学研究に比べてデータにアクセスできる参加者が幅広いため、研究データを科学論文に利用する際に同じデータを別々に利用してしまったり、意図せずに公開してしまうなどを事前に防ぐことも大切である。

第三に、データを**持続可能な形で保管**する。一部のメンバーだけがデータ管理にたずさわるのではなく、引き継ぐ人材の訓練を続けていくことが肝要である。また、データ保管に利用するデバイスやメモリーは、技術の進歩に応じて更新する必要がある。また、不慮の事故などに備えて、バックアップをとることが求められる。

▶②データ収集

データ管理計画が定まったら、科学研究に馴染みのない市民でも簡単にかつ正確にデータを収集できるよう、詳細な要件を定める。データとして**入力が必要な情報、情報の入力単位や内容、入力ツール**を指定する。

データとして入力が必要な情報には、参加者情報（名前、都市、e-mail アドレスなど）、位置情報（位置座標や住所）、観察対象の情報（日時、種名、観察数など）などがある。プロジェクトごとに必要な情報を集めるだけでなく、より多くの情報を集めることで解析の幅が広がる。

情報の入力単位や内容には、長さや重さなどの単位、計測の仕方、判断基準などが含まれる。計測単位はとりわけ国際プロジェクトでは注意を払う必要がある。場合によってはメートル法・グラム法とヤード法・ポンド法などを国ごとに使い分け、データ処理時に変換する。また、計測の仕方や判断基準（例：有効数字、開花の基準等）を詳細に決めておくと、データ品質の画一化の助けになる。

第三に**入力ツール**を定める。世界の多くの人々がスマホを保有するようになり、各種アプリやサービスを活用することで、容易に情報を入力できるようになった。そのため、従来からのフィールドノートや紙の記録用紙に加え、Google スプレッドシート、Microsoft Excel など、多様なツールが利用されている。

▶③データ品質の保証

データ品質の管理では、科学研究に利用することができるデータの品質水準を知り、それを満たすためのデータ収集時の品質保証方法、集めたデータの品質管理を考える必要がある。

まず、データ品質水準を満たさない**エラーデータ**について理解する。意図的・非意図的や人的・非人的にかかわらず、データの入力ミス、位置情報や時間のずれ、誤った理解に基づく調査など、不正確なデータが発生することがある。また、データ収集の際には、観測できなかった情報、データの入力漏れなどの欠損値が発生することもある。

こうしたエラーの可能性をプロジェクト開催者が事前に把握することで、エラーデータの予防的措置として、データ収集方法の改善、人的ミスが発生しないようなマニュアル作り、参加者のトレーニングなどにつなげることができる。参加者のなかには、スマホの使い方に慣れていないために GNSS データを正しく記録できない人、動植物の同定を苦手とする人などもいる。こうしたエラー因子を予防することが重要である。

一方で、発生してしまった**エラーデータ（ノイズデータ）を除去する**ことも重要なプロセスである。信頼できるデータかどうかの判断は、特異な点や外れ値、理論上あり得るか、過去の研究や他のデータと矛盾しないか、などに注目する。たとえば、対象を日本に絞った研究を行うのに、データに付与された位置情報が海外ものであれば、位置情報にエラーがあることが容易にわかる。ただしすべてのエラーを検知し修正することは非常に難しく、専門家によるチェック、統計的なエラーの除去などを活用する必要もある。これらの詳細については、すでに第５章で述べた。

▶④メタデータの記述

データセットに関する説明（メタデータ）は、データセットが増えてきたとき、分析に利用するとき、データセットを共有するとき、将来別の研究などに利用するときなどに必要である。メタデータは暗黙の了解とせず、**適切に文書化**し、だれでも一意にそのデータセットの内容を理解できるようにする。

メタデータの内容は、対象地域、対象期間、位置や観測精度、データ収集の目的、収集方法、分析方法など、データ収集、データ管理、データ分析などを決定する際に定めた条件である。これらの情報が少しでも欠けていれば、データセットを再現することができなくなり、科学研究の水準を満たせなくなる。

メタデータを記述した仕様書は、文書化してデータセットとともに読むことができるようにしておく。略語の意味、データセットの作成日や更新日、作成者、単位なども記しておく。

▶⑤データ保存

収集されたデータセットは、長期間にわたって保存しておかなければならない。データの保存場所、保存方法、バックアップについて検討する必要がある。

保存場所は、データセットの破損が避けられ、容易に共有でき、長期にわたって利用が可能な媒体を選ぶ。市民科学プロジェクトの存続にかかわらず、長期に保存することで、将来的に科学研究にも寄与できる。そのため、ハードディスク（HDD）やSSD、USBメモリなど、**定期的に管理が必要な媒体だけに保存することは望ましくない**。機関リポジトリ、外部サーバーなどにアウトソーシングするのも手段の１つである。

保存方法については、使用したアプリケーションなどのバージョンや日時の情報を記したうえで、適切なファイルにしておく。長期的なプロジェクトでは、随時データが収集されるため、定期的にデータセットを保存する。また、データの利用の簡便さ、データ容量などを鑑みて判断する。

▶⑥データ検索

データ検索においては、他者のデータセットを見つけること、自らのデータセットを他者と共有できるようにすることの２つが課題である（Wiggins *et al.*, 2013）。

プロジェクトで得られたデータセットは、外部の研究者やプロジェクトが、**長期にわたり閲覧したり利用できるような形式で公開**するのが望ましい。民間企業のデータなどは有料で販売されていることもあるが、市民科学プロジェクトのデータは、各プロジェクトが公開している場合と、市民科学データの情報を取りまとめたプラットフォームで公開している場合がある。後者は主に欧米で利用されている。

公開は、プロジェクトのWebサイトやさまざまなプラットフォームにアップロードして行う。したがって、データセットの保存・共有のプラットフォームについて知ることも重要である。プロジェクトのWebサイトでは、長期的な管理が求められることが課題である。

このようにして公開されている、他者のデータセットを利用することも可能である。国や官公庁が作成しているデータセットには、国勢調査、農林業センサス、植生図などがあり、それぞれ担当する省庁がもつプラットフォーム上で取得することができる。また自治体はオープンデータポータルを作成しており、地域の公園情報、防災拠点などの情報を得ることができる。

▶⑦データ統合

研究課題に取り組むためには、既存のデータセットを活用する場合もある。市民科学プロジェクトで収集したデータだけでは課題について十分に把握できないことや、仮説を検証することができない場合が多い。そのため、たとえば動植物種の分布は、参加者によって収集された観察記録だけでなく、周辺の土地利用データ、植生図、道路データなどと組み合わせることで、因果関係やトレードオフ関係（相容れない関係）などを示すことができる。また、データセットを**どのように分析していくのか、そのワークフロー**を作成する。

▶⑧データ分析

データ分析では、どのような結果を得たいのか、そのためにはどのような解析を行うか、結果をどう表現するかが課題である。いずれも**高度な科学研究のスキルを必要とする**ため、研究者との協働が必要となる。

分析では、状態、変化、パターンを明らかにし、モデリングなどを行う。動植物種の分布の例で言えば、分布の状態、過去から現在への変化、土地利用との関係性、開発による影響などを明らかにする。

解析の種類には、R や SPSS といった統計ソフトを利用した統計解析、さらにプログラミング言語（Python など）を活用した機械学習やシミュレーション、地理情報システム（GIS）による地図化と空間解析など多岐にわたる。平易な統計解析であれば、Microsoft Excel や Google スプレッドシートなど身近なツールが活用できる。上記の一部ソフトウェアは有償だが、無料のソフトウェアである QGIS や Google Earth Pro などを利用する方法もある。参考書や学習ツールも多数つくられている。

データ分析の**結果は、理解しやすい図表で示されることが望ましい**。ただし、科学研究として、不要な強調や恣意的な表現は避け、客観的かつ容易に読図できるものでなければならない。そのためには、分野ごとによく用いられている図表の作成方法を参考にする。また、色使いやデザインにも気を配ることで、プロジェクトの成果がより魅力的になる。

データ管理上の課題と可能性

▶データの共有

市民科学プロジェクトで得られたデータの共有は、研究を進展させ、参加者の関心を高め、資金提供者にアピールすることにつながる。他方で、思わぬデータ漏洩の恐れもある。ここでは、データ共有の際の障壁を取り除くための取り組みとして、クリエイティブコモンズ、研究データの業績化、FAIR 原則について説明する。

クリエイティブコモンズは、公開された作品を利用する際のルールを定めた国際標準である。著作権者は、4 種類の条件（出典の表示、営利目的利用、作品の改変、再配布）について検討し、6 種類のライセンスタイプから適切なものを定めることができる。クリエイティブコモンズを利用することで、著作権者が主張したいルールの明記において言語の違いや解釈の齟齬（そご）を克服でき、著作権者は作品の利用範囲について容易に意思表示ができる。クリエイティブコモンズは、市民科学プロジェクトでも採用されている。たとえば、iNaturalistで投稿した画像には、クリエイティブコモンズが設定されている。

研究データの業績化は、DOIと呼ばれる国際標準識別子を研究データにも付与することで、データ共有を行いやすくする取り組みである。DOIは、インターネット上にある電子化されたコンテンツに付与される識別子で、研究論文などで広く利用され、引用、追跡、評価を容易にしている（池内, 2015）。DOIを介してデータが引用されることは、市民科学プロジェクトや関係する研究者にとっては、評価の向上につながる。近年では、作成した研究データとその取得方法や内容などを記したデータ論文も発行されている。

FAIR原則とは、データを「Findable（見つけられる）」、「Accessible（アクセスできる）」、「Interoperable（相互運用できる）」、「Reusable（再利用できる）」ようにするために定められた国際標準である（FORCE11, 2016）。データの共有ポリシーを決定した際には、FAIR原則を満たすようにデータライフサイクルの各プロセスを実施することが望ましい。**表7-1**にFAIR原則で定められた15の原則を示す。FAIR原則を満たしたデータセットが蓄積されると、多様な組み合わせによる研究が可能となり、学術コミュニティ全体の利益になる（Wilkinson *et al.*, 2016）。

▶人権や研究倫理

データはしばしば個人情報、企業や生物保全上の機密事項を含むことがある。また、データ収集の際にも他者との利害調整が必要である。そのため、データ管理におけるデータ収集、データ保存、データ検索の際には、人権や研究倫理に配慮する必要がある。

データ収集においては、他者や立ち入り禁止箇所に立ち入らない、各種法律や条例の順守、必要に応じて許諾を得る、安全管理の周知などを参加者に徹底する必要がある。例えばドローンは、飛行場所によっては航空法やその他自治体条例で飛行が制限されるほか、土地所有権の侵害にあたる可能性がある。また、保全されている湿地を踏み荒らして植物を調査することは、研究倫理上あってはならない。あるいは、調査に夢中になるあまりに交通事故や危険な野生生物との接触も考えられる。これらのトラブルが発生した場合

➡クリエイティブコモンズのライセンス　https://creativecommons.jp/licenses/

表 7-1　科学研究データの共有・統合・解析のための FAIR 原則

（NBDC による FORCE11（2016）より和訳）

見つけられる Findable	F1.（メタ）データが、グローバルに一意で永続的な識別子（ID）を有すること。 F2. データがメタデータによって十分に記述されていること。 F3.（メタ）データが検索可能なリソースとして、登録またはインデックス化されていること。 F4. メタデータが、データの識別子（ID）を明記していること。
アクセスできる Accessible	A1. 標準化された通信プロトコルを使って、（メタ）データを識別子（ID）により入手できること。 A.1.1. そのプロトコルは公開されており、無料で、実装に制限がないこと。 A.1.2. そのプロトコルは必要な場合は、認証や権限付与の方法を提供できること。 A2. データが利用不可能となったとしても、メタデータにはアクセスできること。
相互運用できる Interoperable	I1.（メタ）データの知識表現のため、形式が定まっていて、アクセス可能であり、共有されていて、広く適用可能な記述言語を使うこと。 I2.（メタ）データが FAIR 原則に従う語彙を使っていること。 I3.（メタ）データは、他の（メタ）データへの特定可能な参照情報を含んでいること。
再利用できる Reusable	R1. メタ（データ）が、正確な関連属性を豊富に持つこと。 R.1.1.（メタ）データが、明確でアクセス可能なデータ利用ライセンスと共に公開されていること。 R.1.2.（メタ）データが、その来歴とつながっていること。 R.1.3.（メタ）データが、分野ごとのコミュニティの標準を満たすこと。

には市民科学プロジェクトの存続が危ぶまれる恐れもあるので、周知や予防には注意を払う。

データ保存においては、参加者や調査協力者の個人情報や機密情報が外部に漏洩しないよう、適切なセキュリティを施す必要がある。また、研究アイデアやデータの盗用を防ぐ目的でセキュリティを施すこともある。

データ検索では、個人情報や機密情報などの秘匿化が必要になる。国勢調査や農林業センサスなどでは、個人や個別の農林業経営体の結果が推定できてしまう場合には、個人の特定を防ぐための秘匿化処理が行われ、個人や研究者がアクセスすることはできない。市民科学プロジェクトでも、個人や機密情報が特定できてしまう場合には、こうした秘匿化処理や共有者を限定する処理が必要となる。

▶コストと人員

データライフサイクルにおける各プロセスでは、**初期投資、メンテナンス**

費用が必要となる。また、データを適正に管理するためには、**科学的知識、技術**などが必要である。そのため、コストと人員を確保するための取り組みが重要である。

コストについては、デバイス、ソフトウェア、記憶媒体などのために、初期投資だけでなくメンテナンスの費用を十分に見積もっておくことが肝要である。メンテナンスコストの削減は、システムの思わぬエラー、データ損失、データ漏洩などにつながりかねない。近年では、セキュリティや解析のためのソフトウェアなども数年単位のライセンス購入となっており、長期的に安定して費用を確保し続けることが重要である。

人員では、科学的知識、IT技術などを行うことのできる人が必要となる。研究者との協同、参加者のトレーニングなどを介して、十分な人員を長期にわたって確保し続ける必要がある。

▶技術更新

データ管理に用いられている技術は常に変化し続けており、市民科学プロジェクトも適応していかなければならない。

システム更新は、データ管理方法の大きな変化である。たとえば紙で集められてきたデータベースが、デジタル上のデータベースに変化してきたことが挙げられる。また近年では、データベースの記憶媒体は個人所有のパソコンからOneDrive、Google Drive、Dropboxなどのクラウドストレージへと変化しつつある。今後も、Society 5.0*1 に向けて、データの管理手法が変わることが想定される。時代の要求、利便性やセキュリティ、コストや人員などを鑑みながら、システムを更新していく必要がある。

デバイス更新とは、パソコン、ハードディスク（HDD）、サーバー、プリンターなどの更新である。このような精密機器は壊れやすく、小型化や大容量化のスピードも速い。適正寿命を超えたデバイスの使用は、データ損失、セキュリティなどのメーカーサポートを受けられない、データ解析能力を十分に発揮できないことにもつながる。

---

*1　Society5.0：内閣府の「第5期科学技術基本計画」で提唱された未来社会のあり方。「サイバー空間（仮想空間）とフィジカル空間（現実空間）を高度に融合させたシステムにより、経済発展と社会的課題の解決を両立する、人間中心の社会（Society）」とされる（https://www8.cao.go.jp/cstp/society5_0/society5_0.pdf）。

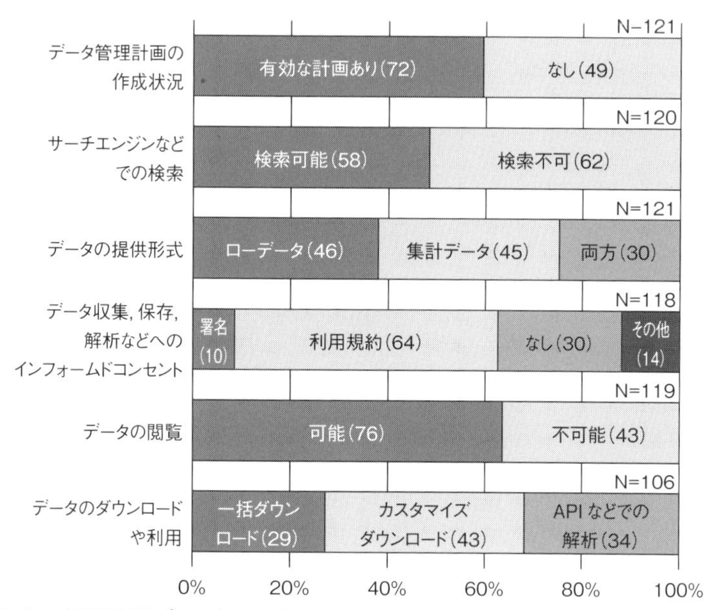

図 7-5　市民科学プロジェクトにおけるデータ管理への対応状況 (Schade & Tsinaraki, 2016 に基づき作図)

ソフトウェアの更新は、データの解析能力をグレードアップするうえで重要である。デバイス更新とともに、個人が所有するようなパソコンでもより高度な解析ができるようになりつつある。

事例紹介

▶データライフサイクルの実際

市民科学プロジェクトでは、その規模や運営方法により、課題に直面することが多い。そのため実際には適正なデータライフサイクルに至らず、管理しきれていない場合もある。欧州委員会では、代表的な市民科学プロジェクトを対象として、2014 年にデータ管理に関するアンケート調査を実施した (Schade & Tsinaraki, 2016)。その結果を**図 7-5** に示す。調査で回答した 121 の市民科学プロジェクトのうち 72 (およそ 60%) があらかじめ策定したデータ管理計画に沿ってデータ管理を行っていたが、再利用のための条件や厳密なライセンスが提示されていないケースが指摘されている。データの共有においては、元データのまま提供しているものが 121 のプロジェクトのうちの

46（38%）、集計したものを提供しているものが45（37%）、どちらも提供しているプロジェクトは30（25%）であった。また、大部分のプロジェクトではデータへのアクセスを許可している。ただし、データやメタデータを検索によって得られるものは120のうち58（47%）に過ぎなかった。

健康や生物医学分野での市民科学プロジェクトでは、個人情報を含む機密性の高い情報を扱うため、データ管理計画を定めておくことが肝要である。ボーダらは、これらの分野での市民科学プロジェクトの体系的レビューならびに５つのケーススタディーを行い、データ管理における現状や課題を明らかにしている（Borda *et al.*, 2020）。その結果、データライフサイクルのうち、プロジェクトの実施目的の明示、参加者の役割や機能の規定、データ収集プラットフォームやツールの３点がデータ管理において重要であることがわかった（Borda *et al.*, 2020）。これは、この分野の市民科学プロジェクトが参加者と主催者との信頼関係によって成り立っていること、わかりやすく参加しやすい体制を築き、より多くのデータ収集を目指していることなどが反映されていると考えられる。ただし、データ管理のための全体的な計画は不足しており、普及しているとは言えない（Borda *et al.*, 2020）。

●●●●●●●●●●●●●●●●●●●●●●●

データ管理の優良プロジェクト，23andMe

データ管理の上で優良なプロジェクトとして「23andMe」が挙げられる。遺伝子調査会社が企画した「23andMe」では、市民科学プロジェクトとして遺伝子調査とプロジェクトへのデータ提供を呼びかけ、一人ひとりのDNA情報を集約して大規模プラットフォームを作成し、科学研究に利用し、150の研究論文を出版してきた。会社の顧客1,200万人のうち80%が市民科学プロジェクトへの調査に同意している（https://mediacenter.23andme.com/company-2/about-us/）。

データ収集の段階では、年齢、国籍、アンケート調査などの自己申告情報と調査による遺伝情報が収集に必要な情報として指定されている（https://www.23andme.com/about/consent/）。ただし、個人情報にかかわる問題

➡ **23andMe** https://www.23andme.com

なので、答えたくない項目や遺伝情報の分析に関係のない項目（名前、住所など）は秘匿化される。機密性の高い情報を保持しているため、データ保存やデータ検索でも、データ管理ポリシーを他のプロジェクトよりも明確に示している（Borda *et al.*, 2020）。ソフトウェア、ハードウェア、物理的なセキュリティ対策により、データが保存されているコンピュータを保護し、システムへのアクセスを制限している（Borda *et al.*, 2020）。さらに、研究者がアクセスできる情報は何か、どのように秘匿化されるのかといった情報を参加者に提供し同意を得たうえで、研究機関や製薬会社などにデータ共有を行っている（https://www.23andme.com/about/consent/; Borda *et al.*, 2020）。参加型プロジェクトのため市民がデータ分析にかかわることはないが、どのような研究に利用されているのかは情報提供されている。こうしたデータ管理ポリシーが明確に示されていることで、価値あるデータを収集することが可能となっている。

●●●●●●●●●●●●●●●●●●●●●●●

3. プログラム評価

市民科学プロジェクトの評価は、プログラム、方針、データライフサイクルなどにおける強み、弱み、機会、脅威などを知り、プロジェクトの有効性を上げる取り組みである。評価は大きく2つに分けられ、実施したプログラムに関する評価と、プログラムの参加者の行動や心理学的な動機づけとがある。本節では、プログラム評価について紹介する。

評価手法

プログラムを評価するための手法は、ロジックモデル、事前評価、形成的評価、総括的評価の4つがある。

▶ロジックモデル評価

ロジックモデルとは、ある施策がその目的を達成するに至るまでの論理的な因果関係、たとえば投入する資源、活動、期待される成果や目標などを体系的に結び付け、その因果関係を図式化するものである。これにより、主催者や参加者、出資者や協力団体などの関係者・機関に対して、プロジェクトの方向性や到達点を示すことができる（Kobori *et al.*, 2016）。ロジックモデルを策定することは、事前・事後に、施策の概念化、設計上の欠陥や問題点の発見、インパクト評価等の他のプログラム評価を実施する際の準備、施策を論理的に立案する等の多くの意義がある。

ロジックモデルで考えるべき要素として以下の５つが挙げられる（Ernst *et al.*, 2009; Kobori *et al.*, 2016）。特に教育の場におけるロジックモデル評価では、科学研究の成果と学習の成果のどちらにも重点を置くことが大切である（Zoellick *et al.*, 2012）。

状況：プログラムを開発する際のニーズ、条件、背景など

インプット：プロジェクトを達成するために必要な資源

アウトプット：プロジェクトにおける活動、イベント、サービスなど

アウトカム（成果）：期待される変化、学習、行動変容、影響

仮定：プロジェクトを導く原則

▶事前評価

事前評価では、市民科学プロジェクトの実施前に参加者の知識や年齢層などの状況、興味・関心などのニーズ、スキルやプログラムに対する期待、プログラムの実現可能性を評価する（Phillips *et al.*, 2014）。**表７-２**には、事前評価で取り上げるべき代表的な質問項目として以下を挙げている（Kobori *et al.*, 2016）。

①プログラムの適切なターゲット層は誰か？

②参加者の特徴やニーズは何か？

③参加者にとっての魅力的なプログラムは何か？

④プログラムの成功を阻害する潜在的障害は何か？

具体的には、②の項目では、市民科学プロジェクトの参加人数、年齢層、特徴、プログラムの実施が可能な日時や頻度、場所、参加者のスキルや利用できるツールなどを定量的あるいは定性的に把握する。その際、アンケート、インタビュー、グループディスカッションなどを実施する（ただしこのような調査は、社会的望ましさのバイアスが発生しうることも念頭に置く必要がある）。得られた結果をもとに、市民科学プロジェクトのフレームワークやプログラムが、参加する市民の状況、ニーズ、実現可能性に見合っているかを判断し、適宜改善を施す。

表 7-2　事前評価、形成的評価、総括的評価における質問項目の例

（Kobori *et al*., 2016 に基づき作成）

	事前評価	形成的評価	総括的評価
項　目	プログラムの適切なターゲット層はだれか？	活動スタッフは参加者に円滑にコミュニケーションができているか？	参加者は市民科学の活動に興味・関心を持つようになったか？ 参加者は市民科学の活動を実施するために必要なスキルを身につけたか？
	参加者の特徴やニーズは何か？	活動で提供される情報は正確で公平なものか？	一連の活動を経て参加者の地域の自然に関する知識は深まったか？
	参加者にとっての魅力的なプログラムは何か？	活動中の参加者の反応は？	参加者は活動の後、行動に変化が起きたか？
	プログラムの成功を阻害する潜在的障害は何か？	活動に目標としていた数の参加者が集まったか？	地域住民の市民科学プログラムへの理解と関心は深まったか？

▶形成的評価

形成的評価は、プロジェクト実施中に、現段階で期待される成果がどの程度得られているかを把握し、以後のプロジェクトのプログラムの改善に活かす手法である。**表 7-2** の形成的評価の質問事項の例のように、参加者、主催者、関係者の活動状況や満足度を把握する。また、スタッフが想定以上の勤務時間を必要とされている、想定以上の資金が必要となってしまった、といった課題も発見しておく。把握された良い点は活かし、指摘された課題を解決していく。

▶総括的評価

総括的評価は、プログラムの終了後に、期待された成果、影響がどの程度得られたかを評価する手法である。たとえば、プロジェクトの実施前と後で参加者の知識、興味、スキル、行動が変化したかどうかを問う（Phillips *et al*., 2014）。**表 7-2** に総括的評価を行ううえでの具体的な質問項目の事例を挙げてある。これらの項目を評価することによって、市民科学プロジェクトをそのまま継続するか、修正するか、中止するかの決定ができる（Kobori *et al*., 2016）。

プログラム評価の実際と事例

実際の市民科学プロジェクトでは、プログラム評価はどのように取り入れ

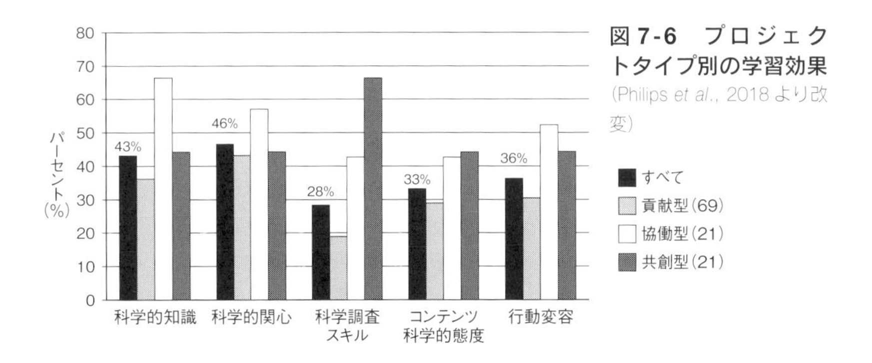

図7-6　プロジェクトタイプ別の学習効果
(Philips *et al.*, 2018より改変)

られているのだろうか。ここでは、多数の市民科学プロジェクトを対象に評価の現状を分析した研究を紹介する。また、プログラム評価の事例として3つの国内の事例を取り上げ、その方法や結果を紹介する。

▶市民科学プロジェクトにおけるプログラム評価の実際

市民科学プロジェクトでは目的に応じた評価を行うことが重要である。しかし、評価手法の知識やスキルの不足から、十分な評価が行われていないケースも多い。フィリップスらは、157のプロジェクトの199人からアンケートの回答を得て、プログラム評価の実態を調査した（Phillips *et al.*, 2018）。

その結果、57％のプロジェクトが何らかのプログラム評価を実施しており、半数以上が主催スタッフによって主に収集されたデータによる結果や影響を測定していた。それらの3分の1は、総括的評価のみか、事前評価と総括的評価を組み合わせて実施していた。また、評価を行った項目として、プロジェクトへの満足度、参加意欲、参加者数、学術論文、ワークショップやトレーニングの有効性、データ品質、社会政策への影響などが挙げられた。

また、市民科学プロジェクトの市民の参加程度による3つの分類別に、学習内容の評価状況を分析した（**図7-6**, Phillips *et al.*, 2018）。集計結果によれば、科学的関心について評価を実施した割合が最も高い46％を占め、次いで科学知識の習得が43％、行動変容が36％、科学的態度が33％であった。調査のスキルは最も低く28％であった。協働型及び共創型のプロジェクトの実施数はいずれも貢献型の3分の1であったが、協働型では、科学的知識（66％）、科学的関心、行動変容の評価割合が3つの参加型分類の中で最も高かった。

共創型では、科学調査のスキル（67%）と科学的態度の評価割合が最も高かった。以上のように、参加型調査と比較して、協働型および共創造型において高い行動変容や科学的態度の変化が生じることは注目に値する。また、貢献型よりも多くの評価が行われているとの特徴も明らかにされた。

「牛久保西地区花と緑の会」生態系管理プログラムの事前評価

横浜市都筑区における「牛久保西地区花と緑の会」（花と緑の会と略す）では、横浜市のみどり税を活用した５年間の「緑のまちづくり」プロジェクトを実施した。このプロジェクトは、実施前に１年間をかけて、行政と連携をとりながら、緑のまちづくりの目的、計画案、予算案を策定し、牛久保西地区の町内会を中心とする地域住民に加え、同地区内に立地する著者の勤務先の東京都市大学横浜キャンパスの教職員、大学生が協働し、企画案を作成した。企画に先立ち、花と緑の会では定期的な会合や街歩きを行い、また、教員と学生は事前に地域の緑のポテンシャル、生息する鳥類とチョウ類のモニタリング調査を行った（小堀ら, 2014）。

さらに、牛久保西地区の全世帯（600 戸）の地域住民を対象に社会学的な調査を行った（Sakurai *et al.*, 2015; 桜井ら, 2016）。桜井らは地区内のすべての世帯（600 戸）にアンケートを配布し、プログラムの事前評価を行った（Sakurai *et al.*, 2015）。調査では、年齢や過去にボランティア活動に参加したかどうかといった社会人口統計的な情報、緑化活動に対する知識や植栽活動への意欲などの認知・行動の情報を回答してもらった。さらに、回答を分析することで、プログラム活動による住民間の交流への期待、緑や生態系が都市部に不足しているという認識、地域コミュニティの一員としての責任感の強さが明らかになった（Sakurai *et al.*, 2015）。また、学生へのアンケート調査により、大学生の自然環境保全活動に対する意識と参加意欲についても明らかにした（桜井・小堀, 2015）。

これらの生物調査と社会調査の両面からの事前調査に基づき、花と緑の会では、対象地域の緑の保全や回復のための生態系管理計画を検討した（小松ら, 2015）。これらを地域計画としてまとめ、その実施メニューをマップ化した（**図 7-7**）。メニューには、街角緑化（交流の場、ミニ広場）、オープンガーデン・コ

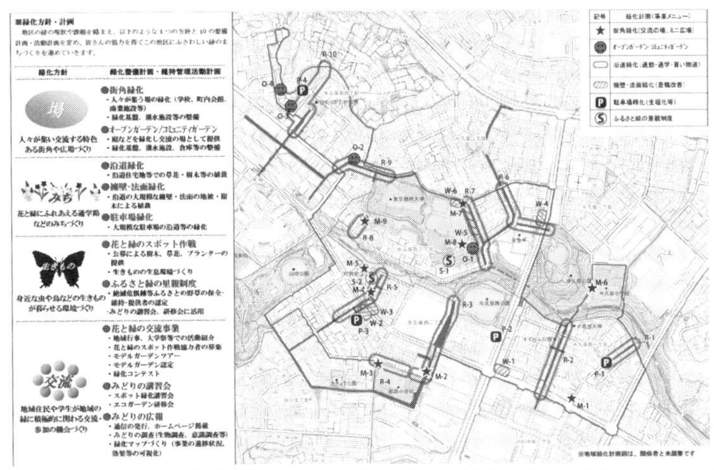

図7-7　「牛久保西地区花と緑の会」で作成した地域緑化計画図（出典：横浜市環境創造局緑アップ推進部, 2019）

図7-8　「牛久保地区花と緑の会」活動のようす
a: 地域住民，大学教員・学生による緑化計画検討会。b、c: 大学キャンパス内のビオトープ創生。近隣の小学生と大学生が中心となって創生作業を実施し、ビオトープ周囲の植栽計画に基づき植栽した。

ミュニティガーデン、沿道緑化（通勤・通学・買い物道）、擁壁・法面緑化（景観改善）、駐車場緑化（生垣化等）、大学内のビオトープ（**図7-8**）やチョウ道の創成、講習会やイベントなどが含まれている（横浜市, 2019）。

●●●●●●●●●●●●●●●●●●●●●●●●

この事例は、事前調査を十分に行うことが、地域を対象とした共創型の市民科学プロジェクトの成果を高めることに活かされた例と言える。さらに実りある知見を得るためには、事前評価や形成的評価と組み合わせ、参加者がプログラムを通じてどう意識や行動を変化させたか、を追跡することが望ましい。

「お庭の生きもの調査」の事後評価

「お庭の生きもの調査」は、すでに第3章で紹介したように、個人宅の庭を対象として生物観察を行う全国規模の市民科学プロジェクトである。毎年5～10月の期間に、自宅の庭、ベランダ、バルコニーなどで月に1度程度観察を行い、結果を報告する。結果報告はインターネットでの登録、FAX、郵送でも受け付けており、子供から70代以上まで幅広く参加している。2018年には103の庭で1,266名が観察を行い、延べ4,203件の報告が上がっている（NPO法人生態教育センター, 2018）。

小松らは、「お庭の生きもの調査」のうち初心者向けの「はじめての生きもの調査」により得られたデータから、あらかじめ選定されている鳥類5種、昆虫11種、その他4種の合計20種について、庭の構成要素が種数や各種の出現に与える影響を調査し、観察された生物種の出現と庭の環境要因との関係性を生態的な面から評価した（小松ら, 2016）。また、「お庭の生きもの調査」の参加者に対してアンケート調査を行い、参加者の意識が参加意欲にどう影響しているのかを社会的な面から評価した（小松, 2015）。

庭の構成要素と種数との関係性では、庭の面積が大きいほど、餌台が設置されているほど、有意に種数が増えることが確認された（小松ら, 2016）。そのほか、鳥類の種数は庭の面積、人工地盤、餌台、近隣の雑木林と正の相関を示したが、農地は負の相関を示した。また種数は、東日本では人工地盤や雑木林が、西日本では庭の面積が正の相関を示すといったように、東日本と西日本の違いも見られた。

各種と庭の構成要素との関係では、スズメと餌台、水浴び台、周辺に農地、河川、公園があること、シジュウカラと巣箱、餌台、周辺に雑木林があること、農薬を使用していないこと、モンシロチョウと周辺に農地があることにそれぞ

表 7-3　鳥類と庭の環境要因との関係（小松（2015）より改変）

有意であった説明変数について、効果の正負を記した。「庭のお手入れ頻度」も調査されていたが、ここでは省いた。*：$p < 0.05$、**：$p < 0.01$ 項目。

	庭				有徴施設			一番近い緑地					隣接する環境・農地	農薬使用の有無
	面積	家庭菜園	雑木林のような木立	人工地盤	餌台	水浴び台	巣箱	河川	公園	山林	農地	雑木林		
スズメ		−**			+*	+*		+**	+**	−*			+*	−**
ヒヨドリ	+*		+*								−*			
メジロ	+*			+*				−*	+*					
シジュウカラ					+*		+*				−*	+*		+*
ツバメ								+*						

れ正の相関関係が見られた（小松ら, 2016）。反対に、スズメと家庭菜園、周辺に山林があること、農薬を使用していないこと、シジュウカラと周辺に農地があること、カタツムリと水浴び台、周辺に山林があることと負の相関関係を指摘した（**表 7-3**、小松ら, 2016）。

以上の結果から、シジュウカラと餌台、巣箱、雑木林、食物のない農地、モンシロチョウと農地などのように、鳥類やモンシロチョウにおいては、比較的庭の構成要素と各種の出現数との関係性に妥当性があると評価された。

本研究の特徴は、庭の環境調査と生物調査の結果を解析することによって、庭に誘致したい生物に主眼をおいた庭づくりのための環境要因を明らかにした点にある。そして、この調査が個人住宅の庭を対象としている点や、調査範囲が全国に及んでいる点で、広く一般の参加者を募ることを得意とする市民科学プロジェクトの特性が活かされている。調査種の選定や調査項目の選定に改善の余地があるにしても（小松ら, 2016）、市民科学プロジェクトで得られたデータから妥当性のある科学的結果がもたらされた点で、「お庭の生きもの調査」が意義あるプロジェクトと評価できる。

社会的な面では、小松（2015）は、参加者項目に関して 132 のアンケートの回答を得て、データ解析を行った。その結果、参加者の 80%は 2 年以上プロジェクトに参加していること、参加者の 58%が自然の多いところに住んでいたこと、ほとんどの参加者が 30 代までに自然への興味を持つようになったことがわかった。また、参加者の意識として、自然への意識、自然への愛着、環境保全活動の意義の項目が高かった。他方、参加意欲を調査すると、自然への愛着、自己成長、プロジェクトの満足度の項目との間に正の相関があった。

以上の結果から、参加者の多くが長期にわたって参加している一方、専業主婦への働きかけ、子どもや孫など若年層との参加を呼びかける、参加者自身の成長を感じさせる仕組みの整備、プロジェクトへの満足度を上げる仕組みの導入などが、プロジェクトを継続させるために必要であることが考察された。

●●●●●●●●●●●●●●●●●●●●●●●

「お庭の生きもの調査」は、生態学的には研究に貢献できるデータを収集することができること、継続的な参加者が多いものの今後は参加者の広報や意識を高めるための仕組みの整備が社会的な課題であることがわかる。このように、自然科学と社会科学の両面から事後評価を行うことで、市民科学プロジェクトの主催者は、より持続的で意義のあるプロジェクトにするための改善を行うことができる。

●●●●●●●●●●●●●●●●●●●●●●●

獣害対策プログラムのための事前評価とロジックモデル

栃木県栃木市大柿地区は、栃木県自然環境課による「獣害対策モデル地区事業」に指定され、住民の獣害対策意識の向上や必要な知識の習得が図られている（桜井ら, 2012)。桜井らは、このモデル事業の活動が開始する前に地区の全戸にアンケート調査を実施し、「イノシシ問題に関する意識」「行政活動に対する意識」「対策行動の有無」「被害対策に関する知識」「里山林整備事業及びモデル地区事業の認知度」「住民が主体となった持続的な野生動物対策に必要なもの」「イノシシ問題の解決のために今後参加したい活動」を回答してもらった。この回答を基に、ロジックモデルを作成している。

事前評価の結果、獣害対策を実施しようとする住民は少ないものの、対策の重要性や対策を地区レベルで実施することには比較的肯定的であったことから、「住民の対策意図」や「被害対策に関する自信」の向上が期待されていた（桜井ら, 2012)。さらに、事業を持続的に行うためには、「活動資金の獲得」「対策をアドバイスしてくれる人材」「地域の取りまとめ役」などが必要であること

表 7-4　事前評価をもとに作成されたロジックモデルの例

（桜井（2012）；Kobori *et al.*（2016）より改変）

<table>
<tr><th>インプット</th><th colspan="2">アウトプット</th><th colspan="3">アウトカム</th></tr>
<tr><th>投資
されたもの</th><th>活動
提供される
もの</th><th>目標
参加
人数</th><th>短期的目標（活動開始1年後）
意識の変化</th><th>中期的目標（活動開始3年後）
行動の変化</th><th>長期的目標（活動開始10年後）
地域レベルでの変化</th></tr>
<tr><td rowspan="4">関係者：県、大学、市
資金：県の予算（講師派遣料など）</td><td>被害状況を確認するための集落点検</td><td>30</td><td rowspan="4">・住民の7割がイノシシの被害対策をすることへの意欲を持つ
・住民の半分がイノシシ被害を防ぐための方法を知っている
・アンケートにおいて住民の7割がイノシシ被害対策に関する知識の問題に正しく回答する</td><td rowspan="4">・住民の9割が野生動物に対する対策をするようになる
・集落の住民が他地域の住民より野生動物問題に関する意識や知識が高くなる</td><td rowspan="4">・住民が自主的に被害対策を実施することで野生動物が出没しにくい集落環境ができる</td></tr>
<tr><td>イノシシによる被害を防ぐための講習会</td><td>20</td></tr>
<tr><td>住宅地周辺の下草刈り</td><td>30</td></tr>
<tr><td>野生動物問題や対策について学ぶ勉強会</td><td>20</td></tr>
</table>

状況：野生動物の出没・被害の増加／集落における過疎化・高齢化
仮説：講習会や集落点検を実施することで住民の野生動物問題に関する意識及び知識が、さらに被害対策への意欲が向上する

がわかった。

表 7-4 のロジックモデルは、事前評価の結果を基に、モデル地区事業のための活動や期待される成果を図式化したものである（Kobori *et al.*, 2016; 桜井ら, 2012）。活動頻度、目標人数、短期から長期的に至るマルチレベルの目標などが記されている。

●●●●●●●●●●●●●●●●●●●●●●●

本事例は事前に対象地区や対象となる住民が明確であったため、事前評価とロジックモデルによる評価により、プログラムの内容や目標を具体的にすることが可能であった。しかしオンライン市民科学などのように規模が大きくなると、対象地区や住民が不特定になるため必ずしも内容や目標を定量的に示すことはできない。グループディスカッションやサンプル調査を通じて、定性的であってもより具体的な事前評価やロジックモデルの作成ができると、市民科学プロジェクトを順調に開始させることができるだろう。

4. 市民科学の実践を容易にするために

ここまで、市民科学プロジェクトの実施に必要な一連のプロセスや手法を紹介してきた。入念なプロジェクト開発、データ管理、評価の重要性を強調してきた。その目的は、市民科学のミッションや高いゴールに到達するには、どのような要件が求められ、どのような方法があるかを具体的に示すことであった。現実には、これらすべての手法を取り入れた市民科学をゼロからスタートできる組織は多くはないであろう。

市民科学を理解した読者の中には、個人または自分の関連する組織や職場で市民科学を実施したいと思っても、実際にどのように始めてよいか戸惑いを感じている人もあると思われる。本節では、市民科学の実践へ踏み出すうえで必要な視点と、プロジェクトの実施を容易にするための既存プラットフォームやガイドを活用する方法について、事例を紹介しながら述べる。

市民科学を「自分ごと」にする

市民科学を始めるにあたって、知識、資材、技術、組織、資金がないことを懸念する人もいる。しかし、市民科学を始めるにあたって最も貴重なのは人の資源、すなわち市民である。市民科学における「市民」とは、自然や生き物が好きな人、科学に関心がある人、教育の経験を持っている人、課題を持っている人、社会や人のためになりたいと思っている人、DIY や IT の技術がある人、集まる場所を提供できる人、ネットワークを持っている人、自然と日々かかわる仕事をしている農業者、漁業者、林業者など多様な経験や能力を持った人々である。これらの人々がすでに行っていることやこれから行いたいことに市民科学（研究、教育、課題解決）を用いる・追加できることを示し、市民科学を「自分ごと」であるという理解を導くことが肝要である。

たとえば、今まで行ってきた活動を市民科学の視点から見直し、客観性を高めるために科学的なエビデンスを収集するアプローチを取り入れることは大きな意義がある。また、その情報を発信・共有することにより、個人や組織と連携し、さらなる展開や広がりのあるプロジェクトへとレベルアップできる。実現したいが漠然とした夢にとどまっている人は、市民科学のプロセスを用いることにより、具体的な目標を設定し、目標を達成する方法を定め、楽しみながら学ぶことが可能となる。

同じ目的を持つ人が、出会い、つながり、お互いから学んでいけるのが市民科学である。その一例として、米国の１人の高校生が見出した河川の汚濁が、流域全体の共創型の市民科学に発展し、行政も巻き込んだ流域全体の環境改善を可能にした２つの事例を紹介する（Disney, *et al.*, 2006; 小堀, 2020 b）。

●●●●●●●●●●●●●●●●●●●●●●●

高校生の水質調査から始まった流域全体の環境改善

発端は 1993 年にさかのぼる。地元の高校生が、米国北部のアルカディア国立公園内を流れるスタンレーブルック川（流域面積 378 ha）で、地元と観光客に人気の海水浴場の近くの河川で水質の調査を行い、水質汚染の指標である糞便性大腸菌数が異常に高いことを見出した。その後、海水浴場で５件の感染症の発生が報告されたことがきっかけとなり、市民ボランティアがモニタリング調査を行った。ボランティアらは、流域全体を９地区に分け、各区域内の河川とその周辺環境で、糞便性大腸菌数、栄養塩、堆積物、毒性物質、熱源の５つの汚染源について調査し、流域全体では 71 か所で汚染源があることがわかった。

そのためプロジェクトでは、関係者（土地所有者、近隣の市民団体、町、地元の請負業者、企業、国立公園局）に調査結果を含む勧告書を提出した。勧告書では、汚水の排出流路の変更、土壌の流失防止、堆肥用コンポストの設置場所の変更、堆肥杭の移動、肥料と農薬の使用量の削減、私設下水管と浄化システムの修復などの改善案が提案された。これらの改善案は科学的なデータによる根拠に基づいていたため、行政をはじめ関係組織によって、その多くの改善策が実施された。

●●●●●●●●●●●●●●●●●●●●●●●

プロジェクトにより、地域住民は、自分たちの日常生活や何気ない行為が流域全体と河口の海辺の水質の悪化を招いているとの認識を共有できた。この事例で特定されたような汚染源は、日本の多くの河川でも見られるが、行政の職員だけで突き止めるのは困難である。この事例は、市民の強みを活かした市民科学の成果と評価できる。

もう1つは、日本の行政の施策の行き詰まりを、市民科学の導入により新たな展開へと方向転換した最近の事例である。

● ●

市民が担う生物季節調査

2020年10月、気象庁は70年近く実施してきた生物季節観察を大幅に縮小することを決定した（気象庁大気海洋部, 2020）。気象庁の生物季節観察は1953年以来、北海道から沖縄の気象台を中心とした全国の気象官署で、統一した基準による植物34種目と41の現象（開花日・発芽日・紅葉日）、動物の23種目と24の現象（鳥や昆虫等の初鳴日・初見日など）を記録してきた。しかし、2021年3月より6種目9現象の植物のみについて実施し、動物観測は全面的に廃止することを発表した。動物観測の中止の主な理由は、観察場所で対象種が見つけられなくなったことであった。

しかし、気象庁の生物季節のデータは国際的にも貴重で、高く評価されてきた。そのため日本生態学会など26の学術団体は、共同して変更の要望書を気象庁に提出した。本書で紹介した著者らによる温暖化が生物季節に与える影響に関する研究は、江戸時代の和暦と近年の気象庁の生物季節データを比較することにより可能となった。また、温暖化と生物季節の共同研究を長年実施してきた著者らを含む日本、米国、韓国の研究者は、気象庁の生物季節のデータの意義と継続の要望、市民科学による手法の導入などを提案した（Doi *et al.*, 2021）。これらのさまざまな要望を受けて、気象庁は発表を変更する異例の決定をし、観測を環境省、国立環境研究所との新たな連携と市民科学を取り入れることを再発表した。

● ●

この事例のように、行政の多様な組織や部署は、市民科学を「みんなごと」にすることで、新たな展開や市民科学の裾野を広げることに貢献できる。

市民科学で自分の“居場所”を見つける

▶既存のプロジェクトに参加する

日本ではまだ市民科学プロジェクトは少ないが、すでにある市民科学プロジェクトに参加するのは容易で、市民科学を自分の「居場所」にするのはよい方法である。すでに紹介したゲーム機能を持つアプリに参加したり、川ごみの定量化のプロジェクト、スマホを用いた生き物や外来種しらべなど、関心のある既存の市民科学のプロジェクトに参加してみるのもよい。

第2章で紹介した「セーフキャスト」のプロジェクトでは、2011年の福島第一原発事故から数日後に東京の数人のDIYのグループが主体となって、放射線レベルを測定したい人にガイガーカウンターを提供し、その後はDIYによる放射線量測定の簡易装置を自分で組み立てる情報を提供した。参加者は、装置を自宅に設置することで、放射線量のベースラインや変動幅を知ることができる。また、測定装置をマイカーに取りつけ、走行した広い範囲の放射線量を測定し、セーフキャストにデータを送信し、データの共有も可能とした。なかにはお寺の住職がお寺の軒先に装置を設置し、定点観測を継続しているという報告もある（Irwin, 2019）。

▶集まりの“場”を提供する・つくる

個人やグループでアイデアを共有し、新たなプロジェクトを開始、企画するには、現実的な“場”も必要である。行政の地域センター、まちづくり協議会、大学の地域交流センター、学校、公民館、自治会館、町内会館、企業が提供するオープンスペースなど、多様な場所を利用することが可能である。

たとえば東京都文京区では、地域との接点がない個人を対象として、その人の関心事について対話し、同じ問題意識を共有する仲間を見つける場を提供している。参加者は地域・社会課題に関する情報や地域社会への関心を深め、異なる強みを持つチームや行政との対話や協働によって、活動を実践する支援を行ってきた。2013年に開始した「新たな公共プロジェクト」では、4年間で60以上の地課題解決の事業・活動が誕生した（佐藤・広石, 2018）。現在、活動は文京区社会福祉協議会が運営する「フミコム」や活動者の相互支援を行うためのネットワークに引き継がれている。「フミコム」では、フミコムcafeやフミコム朝活による場の提供、学生（学校）や企業とのネットワーク会議、講座やイベントの開催、文京区提案公募型協働事業の募集を行っている（佐藤・広石, 2018）。この例では対象は文京区内での活動に限定されてい

➡地域連携ステーション フミコム　https://fumicom.tokyo/

るが、このような場を活用して新たな市民科学のプロジェクトを開始してみるのもよい。

横浜市青葉区のたまプラーザには、横浜市と株式会社東急が提供している「WISE Living Lab さんかく BASE」が設置されている。次世代郊外まちづくりのために産官学民の多様なステークホルダーが地域課題を発見・抽出・共有し、課題解決方法を議論し、社会実装していく場である。(http://sankaku-base.style/)。目的に合う活動であれば無料で使用できる。

東京都市大学「二子玉川夢キャンパス」は、夢を「さがし」、「であう」、「ためす」ための場である。ものづくりや実験ができ、自由な発想と創造により、枠を超えて挑戦できる環境が整っている。都市大学の学生・教職員と連携することが条件となっているが、だれでも利用でき、テーマや地域による縛りがない。

コロナ禍により、人のつながりや活動が制限されたのを機に、オンラインの活用の場も広がっている。

市民科学を社会の「みんなごと」にする ——市民科学の主流化

現代は、変革が求められている歴史的な転換期と言える。百年に1回といわれる感染症のパンデミックは現在社会が抱える課題を浮き彫りにした。野生生物と自然との向き合い方、日常の暮らしや働き方についての変革が迫られている。また、人間活動の拡大は地球全体に甚大な影響を与えている。温暖化や生物多様性の損失などは複雑な問題群で、その背景には複数の直接的および間接的な原因があり、従来の要素還元的な解決策では目に見える効果は期待できない。

既存の考えや視点を超えて、人と人、人と自然、人とモノ・技術との新たな関係を組織内と組織外で築くには、市民科学を「みんなごと」とすることで、新たな創造なイノベーションが可能となる。自治体は自分たちの責任や仕事と思っていることに市民科学を導入することで、多くの市民のデータや知恵

➡ **WISE Living Lab さんかく BASE**　https://sankaku-base.style
➡ **二子玉川夢キャンパス**　https://yumecampus.tcu.ac.jp

を激甚災害の軽減のための詳細なハザードマップマップの作成、透水性や貯留機能の高い場所の特定などに活かすことができる。また、企業が広い面積の緑や屋上ビオトープも持っている場合もあるが、社員は知らないことが多い。このような貴重な企業緑地を市民に開放し、生き物の豊かさを調べてもらえば、地域の宝にもなる。

市民科学は、組織内外で協働して、新たなことを学んでみる、考えてみる、試してみる、変えてみることを、楽しく行えるアプローチである。変革が求められている時こそ、これらを実践するチャンスでもある。市民科学を組織の皆の関心事、事業や企画の主流に据えることで新たな変革へとつなげる試みを実践してほしい。

今あるプラットフォームを活用して市民科学を始めよう

市民科学プラットフォームとは、既存のデータ収集用アプリケーションやデータ分析用のサービスのことである。すでに開発されている優れたプラットフォームを使用して、自分の組織や目的に合ったプログラムを作成することが可能である。ここでは、世界的に広く使われている生物観察のためのプラットフォームと野外のデータを地理情報とともに収集できるプラットフォームとその活用事例を紹介する。

▶ iNaturalist

第１章で紹介したように、iNaturalist というプラットフォームはさまざまなプログラムで活用されている。ここでは世田谷区とパラオで著者らがかかわった事例を挙げる。

世田谷区では、2019 年に世田谷区の生物多様性戦略「生きものつながる世田谷プラン～生きもの元気！ひとも元気！」を策定した（世田谷区みどりとみず戦略担当部みどり政策課, 2017）。戦略では、９の目標を掲げ、目標を先導的に進めるための４つのリーディングプロジェクトを立ち上げた。その１つが「世田谷生きもの会議」である。さまざまな主体が連携し、情報を共有し、生きもの調査を行うことを目的としている。2020 年に開始した生きもの調査の一環として、iNaturalist を用いた「生きものモニタリング」を実施した。

➡世田谷生きもの会議　https://www.city.setagaya.lg.jp/mokuji/

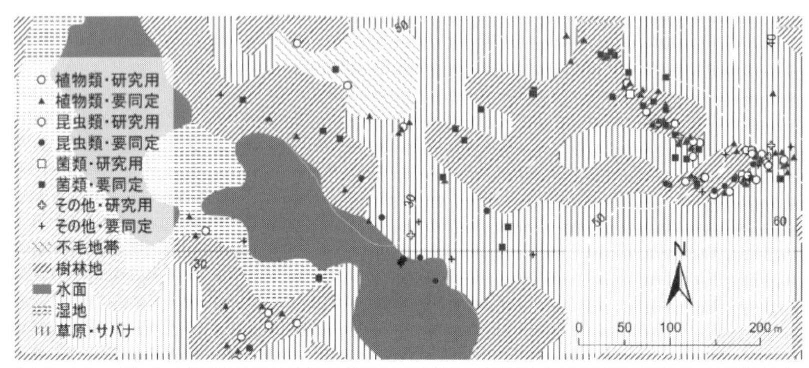

図 7-10　パラオ共和国の自然保護区での市民科学による調査の結果の可視化したマップ（小堀ら, 2020a を引用し筆者が編集）

著者らが協力し、参加者に iNaturalist の使い方をレクチャーし、近隣の公園で観察を実施してもらった。

図 7-9　パラオ共和国でのスマホを用いた生物調査の様子

パラオでは、著者ら日本の研究者と、アメリカの研究者、パラオ現地の組織とともに、国際連携による「Citizen Science of Wildlife in Palau」プロジェクトを実施した。パラオにあるガードック自然保護区（Ngardok Nature Reserve）を対象地として、高校生や地域住民などに参加を呼び掛けた。

iNaturalist はオンラインのプラットフォームなので、スマホを持っていない参加者には、スマホを持つ参加者とグループで参加してもらうことになった（**図 7-9**）。それでも、55 種（研究用に資するデータ）、177 の観察記録が寄せられた（小堀ら, 2020 a）。観察された分類群では、植物が最も多く、菌類、昆虫類が続いた。とりわけ、ラン科は植物界の 52％を占め、IUCN レッドリストに記載されている種も観察されている。他方、小堀ら（2020 a）は、同定された記録は全体の 25％にとどまったことも指摘した。

パラオでの iNaturalist の活用の経験から、iNaturalist がスマホさえ持っていればだれでもどこでも動植物を観察できること、よりよいデータを集めるためには写真の撮り方や記録の残し方に工夫や慣れが必要なことがわかった。スマホは、日本では高齢者や子どもも持つようになり、先進国から後進国までどの地域でも普及しているツールである。また、iNaturalist は日本を含む 40 以上の言語で提供されており、種の名前も多くが現地での呼び名に対応している。

▶ ArcGIS Survey 123

ArcGIS Survey123 は、世界的な地理情報システム（GIS）メーカーである Esri が開発した GIS データ収集プラットフォームである。

現地調査で集めた種々のデータを位置情報とともに記録するためには、読図と位置情報の把握、データ管理が必要である。しかし、ArcGIS Survey123 では、利用者はあらかじめ設定された調査項目にスマホで回答し、位置情報とともに投稿するだけでよい。主催者は ArcGIS Survey123 のライセンスを獲得し、テンプレートを活用して調査項目を入力し、調査フォームを作成する。これにより、データ収集、管理、参加者の訓練などを簡易化することができる。

著者らは、2017 年から継続して、ArcGIS Survey123 を利用した多摩川中流域の河川敷で外来種の分布を調査するプロジェクトを実施してきた。対象地域は多摩川と野川の合流地点である。この地域で見られる、代表的で見分けやすい外来植物 6 種について、その個体群の高さ、幅、面積などを測定し、その結果を ArcGIS Survey123 の調査フォームに入力してもらう。

図 7-11 は 2019 年 10 月の台風 9 号により浸水した調査地域の台風 1 年後の 2020 年秋の結果を示す。外来種は台風以前と同様の分布を示した。すなわち、コンクリート護岸である多摩川区間では、アレチハナガサが優占し、ついでヘラオオバコが見られたが、自然護岸に近い野川区間においては、アレチウリが優占し、次いでオオブタクサ、アメリカセンダングサが見られ、両河川で著しい違いが見られた。また、両河川の合流地点では、両河川の種が混合していた。これらの主な外来種の分布は、台風前とほぼ同様であったた（咸ら, 2020）。

ArcGIS Survey123 の特徴は、その汎用性の高さである。位置情報を必要とするデータであれば、外来種の調査、不法投棄の調査、ロード

➡ **ArcGIS Survey123**　https://www.esrij.com/products/survey123/

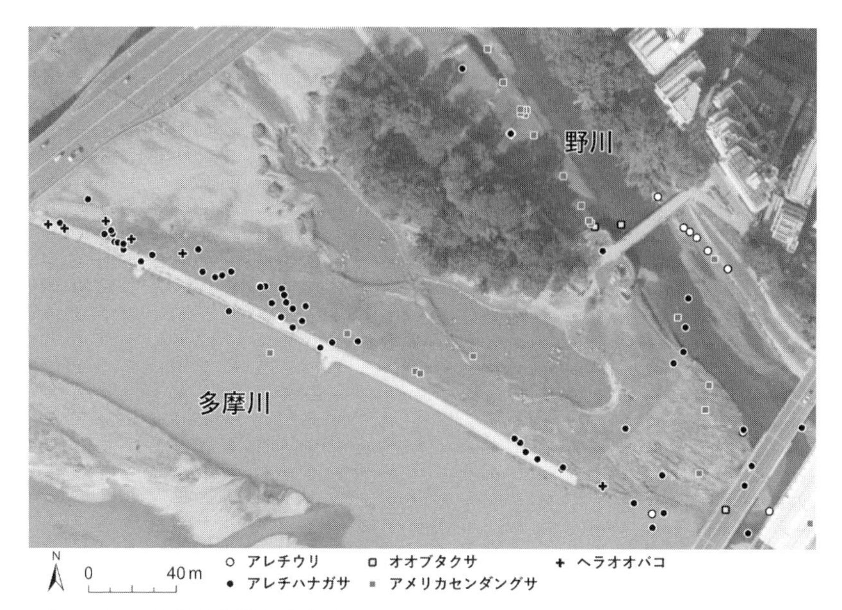

図 7-11　6 種の外来植物の分布（咸ら, 2020 に基づき作図）

キルの調査など、どんな市民科学プロジェクトにも応用することができる。また得られたデータは簡単にマッピングすることができ、GIS 上での専門的な分析も可能である。

第 7 章 引用文献

Aristeidou, M., Scanlon, E. & Sharples, M. 2017. Profiles of engagement in online communities of citizen science participation. *Computers in Human Behavior* **74**: 246–256.

Borda, A., Gray, K. & Fu, Y. 2020. Research data management in health and biomedical citizen science: practices and prospects. *JAMIA Open* **3**(1): 113-125.

Disney, J.D. & Steele, Z. 2006. The Stanley Brook Watershed survey report. Mount Desert Island Water Quality Coalition.

Doi H., Higuchi H., Kobori, H., Lee. S & Primack,B.R. 2021. Declining phenology observations by the Japan Meteorological Agency. *Nature Ecology & Evolution* **5**: 886–887.

FORCE11. 2016. The fair data principles.〔邦訳：NBDC 研究チーム. FAIR 原則.〕

Ernst, J.A., Monroe, M.C. & Simmons, B. 2009. Evaluating your environmental education program: A workbook for practitioners. North American Association for Environmental Education (NAAEE).

咸泳植・有賀康博・小堀洋美. 2020. 市民科学による多摩川下流域の外来植物群落の分布と季節変動調査. 日本環境学会第46回研究発表会.

咸泳植・小堀洋美・岸本慧大. 2021. 多摩川と野川下流域における洪水攪乱前後の外来植物群落の比較：市民科学を事例として. 日本環境学会第47回研究発表会.

池内有為. 2015. 研究データ共有の現在：異分野データの統合とデータ引用，日本のプレゼンス. 情報管理 **58**(9): 673–682.

Irwin, A. 2018. Citizen science comes of age. Nature, No PhDs needed: how citizen science is transforming research. *Nature, News Feature* **567**(7746): 31.

Kishimoto, K. & Kobori, H. 2021. COVID-19 pandemic drives changes in participation in citizen science project “City Nature Challenge” in Tokyo. *Biological Conservation* 255: 109001.

気象庁大気海洋部. 2020. 生物季節観測の種目・現象の変更について. https://www.jma.go.jp/jma/press/2011/10a/20201110oshirase.pdf（2021年7月2日最終閲覧）

小堀洋美. 2020a. インターネットを活用した市民科学のイノベーション：スマホを用いたプロジェクトの実践方法とその事例. 水環境学会誌 **43**(11): 401–404.

小堀洋美. 2020b. 市民科学を自分事として実践しよう. 月刊下水道 **43**(3): 60-64.

Kobori, H., Dickinson, J.L., Washitani, I., Sakurai, R., Amano, T., Komatsu, N., Wataru Kitamura, Takagawa, S., Koyama, K., Ogawara, T. & Miller-Rushing, A.J. 2016. Citizen science: a new approach to advance ecology, education, and conservation. *Ecological Research* **31**: 1-19.

小堀洋美・桜井良・北村亘. 2014. 私有地の緑を活かしたコミュニティづくり－横浜市の「みどり税」を活用した行政・地区・大学との協働による試み. 環境情報科学 **43**(1): 34-39.

小堀洋美・戸金大・Faustino・O. Lally, T.・岸本慧大. 2020. 国際連携によるパラオ共和国でのWEBを活用した種の多様性の市民科学プロジェクトの展開. 日本環境学会第46回研究発表会.

小松直哉. 2015. 日本における生物多様性保全のための市民科学の評価と改善に関する研究. 東京都市大学大学院環境情報学研究科博士学位論文.

小松直哉・小堀洋美・横田樹広. 2015. 大都市近郊の住宅地域における生態系管理のための市民科学の活用. 景観生態学 **20**(1): 49-60.

小松直哉・小堀洋美・北村亘・小河原孝生. 2016. Web機能を用いた市民科学による個人住宅の生物調査の解析. 環境情報科学 **44**(4): 51-56.

New Zealand Goverment Department of Conservation. 2020. Towards a Predator Free New Zealand: Predator Free 2050 Strategy. New Zealand Goverment.

NPO法人生態教育センター. 2018. お庭の生きもの調査：第9回（2018年度）調査のご報告. http://www.wildlife.ne.jp/ikimono/report/2018_report.pdf（2021年7月2日最終閲覧）

Phillips, T.B., Ferguson, M., Minarchek, M., Porticella, N. & Bonney, R. 2014. User’s guide for evaluating learning outcomes in citizen science. Cornell lab of Ornithology.

Phillips, T., Porticella, N., Constas, M. & Bonney, R. 2018. A framework for articulating and measuring individual learning outcomes from participation in citizen science. *Citizen Science: Theory and Practice* **3**(2): 3.

Pocock, M.J.O., Chapman, D.S., Sheppard, L.J. & Roy, H.E. 2014. Choosing and Using Citizen Science: a guide to when and how to use citizen science to monitor biodiversity and the environment. Centre for Ecology & Hydrology. Retrieved from https://www.ceh.ac.uk/sites/default/files/sepa_choosingandusingcitizenscience_interactive_4web_final_amended-blue1.pdf

桜井良・松田奈帆子・丸山哲也・高橋安則. 2012. 栃木市大柿における獣害対策モデル地区事業の事前評価：ロジックモデルの作成と応用. 野生鳥獣研究紀要 **38**: 22–28.

桜井良・小堀洋美. 2015. 大学生の自然環境保全活動に対する意識と参加意欲. 環境情報科学 **44**(3): 73-78.

Sakurai, R., Kobori, H., Nakamura, M. & Kikuchi, T. 2015. Factors influencing public participation in conservation activities in urban areas: A case study in Yokohama, Japan. *Biological Conservation* **184**: 424–430.

桜井良・小堀洋美・中村雅子・菊池貴大. 2016. 住民のコミュニティへの関与度や愛着が緑化意欲に与える影響. 環境科学誌 **29**(3): 149-158.

佐藤真久・広石拓司. 2018. ソーシャル・プロジェクトを成功に導く 12 ステップ. みくに出版.

Schade, S. & Tsinaraki, C. 2016. Survey report: data management in citizen science projects. Publications Office of the European Union.

世田谷区みどりとみず戦略担当部みどり政策課. 2017. 生きものつながる世田谷プラン～生きもの元気！ひとも元気！生物多様性地域戦略～ .

Shwe, K.M. 2020. Study on the data management of citizen science: from the data life cycle perspective. *Data and Information Management* **4**(4): 279–296.

Tweddle, J., Robinson, L., Roy, H. & Pocock, M. 2012. Guide to Citizen Science: developing, improving and evaluating citizen science to study biodiversity and the environment in the UK. Natural History Museum and NERC Centre for Ecology & Hydrology for UK-EOF.

横浜市環境創造局緑アップ推進部みどりアップ推進課. 2019. 地域緑化計画・活動状況（牛久保西地区）. https://www.city.yokohama.lg.jp/kurashi/machizukuri-kankyo/midori-koen/midori_up/3ryokuka/chiikimidori/ryokuka/ushikubonishikeikaku.html（2019 年 9 月 6 日最終閲覧）

Wiggins, A., Bonney, R., LeBuhn, G., Parrish, J. K. & Weltzin, J.F. 2018. A science products inventory for citizen-science planning and evaluation. *BioScience* **68**(6): 436–444.

Wiggins, A., Bonney, Ri., Graham, E., Henderson, S., Kelling, S., Littauer, R. LeBuhn, G., Lotts, K., Michener, W., Newman, G., Russell, E, Stevenson, R. & Weltzin, J. 2013. Data management guide for public participation in scientific research.

Wilkinson, M.D., Dumontier, M., Aalbersberg, IJ.J., Appleton, G., Axton, M., Baak, A., Blomberg, N., Boiten, J.-W., Bonino L., Santos, d.S., Bourne, P.E., Bouwman, J., Brookes, A.J., Clark, T., Crosas, Dillo, M.I., Dumon, O., Edmunds, S., Evelo, C.T., Finkers, R., Gonzalez-Beltran, A., Gray, A.J.G., Groth, P., Goble, C.,

Grethe, J.S., Heringa, J., Hoen, P.A.C., Hooft, R., Kuhn, T., Kok, R., Kok, J., Lusher, S.J., Martone, M.E., Mons, A., Packer, A.L., Persson, B., Rocca-Serra, P., Roos, M., van Schaik, R., Sansone, S.-A, Schultes, E., Sengstag, T., Slater, T., Strawn, G., Swertz, M.A., Thompson, M., van der Lei, J., van Mulligen, E., Velterop, J., Waagmeester, A., Wittenburg, P., Wolstencroft, K., Zhao J. & Mons, B. 2016. The FAIR guiding principles for scientific data management and stewardship. *Scientific Data* **3**: 160018.

Zoellick, B., Nelson, S.J. & Schauffler, M. 2012. Participatory science and education: bringing both views into focus. *Frontiers in Ecology and the Environment* **10**(6): 310-313.

【Webサイト】（末尾の日付は最終閲覧日）

23andMe. About Us: 23andMe Media Center. https://mediacenter.23andme.com/company-2/about-us/.（2021年3月8日）

23andMe. Research Consent Document. https://www.23andme.com/about/consent/.（2021年3月8日）

地域連携ステーション. https://fumicom.tokyo/.（2021年7月2日）

Department of Conservation. https://www.doc.govt.nz/nature/pests-and-threats/predator-free-2050/.（2021年7月2日）

esriジャパン. ArcGIS Survey123. https://www.esrij.com/products/survey123/.（2021年7月2日）

iNaturalist. https://www.inaturalist.org/home.（2021年7月2日）

NPO法人生態教育センター. お庭の生きもの調査. http://www.wildlife.ne.jp/ikimono/.（2021年5月30日）

Predator Free 2050 Limited. https://pf2050.co.nz/.（2021年7月2日）

東京都市大学二子玉川夢キャンパス. About us 夢キャンパスとは. https://yumecampus.tcu.ac.jp/about/.（2021年7月2日）

WISE Living Lab さんかくBASE. http://sankaku-base.style/. 2021.07.02

世田谷区みどり政策課. 世田谷生きもの会議. https://www.city.setagaya.lg.jp/mokuji/sumai/010/003/005/d00165176.html.（2021年7月2日）

第８章　市民科学の課題と将来に向けて

市民科学は世界各地でイノベーションを起こしている。情報技術の発達の後押しもあり、今後もさらに活躍の場は広がっていくだろう。一方、これまでに紹介したように、市民科学には弱点もある。ある側面では大きな成功を収めた実践にも、問題点は残っている。本章では、それにどのように対応していくかを検討する。また、変革の時代にあたり、将来の市民科学についても展望する。

ここまで、国内外のさまざまな事例を紹介しながら、市民科学が科学･教育･社会に大いに貢献していること述べた。さらに市民と社会の多様な組織が協働して市民科学に参画することで、科学の見える化、科学の社会化や多様なイノベーションを起こすことができること、その意義や方法についても述べてきた。しかし、すべての状況で市民科学を適用するのが望ましいわけではない。市民科学の利点と欠点を十分に理解せずに実践して期待した成果が得られなかった事例も多数ある。これらの事例を十分に検討することで、プロジェクト改善に向けた貴重な学びが得られる。本書で優れた事例として取り上げた事例でも、取り上げた視点では成功事例と評価されても、他の側面では課題を抱えている場合もある。

最終章である本章の前半では、市民科学をさらにレベルアップし、将来にわたって持続させるための日本の課題と世界の課題を整理するとともに、その対応策について提案する。後半では、世界規模の新たな社会の変革の時代を迎え、市民科学の今後の可能性について展望する。

1. 日本の市民科学の課題と対応策

市民科学が抱える課題は、国や地域、その文化的背景、かかわる分野や主体によって千差万別で、抱える課題もさまざまである。本節では、日本の市民科学が抱える共通の課題とその対応策について述べる。

社会への浸透

日本では、科学、教育、社会課題の解決を同時に行うことを目指した市民科学が、社会であまり認知されていないという現状がある。したがって、緊要な課題は市民科学を社会に浸透させることである。その方策として第７章で、市民科学を「自分ごと」とすること、組織内及び社会の多様な組織が市民科学を「みんなごと」にすることの重要性を述べた。ここでは、市民科学の裾野を広げるための具体的な方策を提案する。

▶市民科学とSDGs

第１に、社会全体で取り組むべき緊要で共通のテーマを取り上げ、その中から自分や自分の所属する組織の強みを活かした市民科学を開始し、**組織内外の連携**や**多くの人がかかわる機会を増やす**ことである。

そのテーマの１つとしてSDGs（持続可能な開発目標）が挙げられる。SDGsは、現在の持続不可能な社会を持続可能で多様性を尊重し「だれ一人取り残されない」包摂性のある社会を実現することを目指し、2015年に国際連合の全加盟国（193か国）が採択した、世界共通目標である。それを実現するための17の目標と169のターゲット、さらに232の指標に加え、達成年（2030年）も定められている。SDGsは普遍性（すべての国が行動する）、包摂性、参画型（すべてのステークホルダーが役割をもつ）、統合性（社会・経済・環境に統合的に取り組む）を重要なアプローチとして取り上げており、市民科学のアプローチと極めて類似性と親和性が高い。

市民科学には、これらのアプローチに加え、科学的な手法を用いて透明性を高め、ともに学びながら協働、共創することが組み込まれている。各人、各組織の活動や運営に新たな複数のSDGs目標やターゲットに取り組み、イノベーションへとつなげてこそ意味がある。企業は、市民科学の柔軟で多様なアプローチを事業や経営戦略へと組み込むことでさらなる組織内の変革やイノベーションを起こすことができる。自治体は施策の実現に市民科学を取り入れることで、透明性や信頼性を高めることができる。

▶複合的アプローチの強みを活かす

第２に、温暖化や生物多様性の損失など、現代社会が直面している複雑な問題群を解決するには、従来の方法では難しいという点が挙げられる。第２

章で述べたように、欧米の市民科学の特徴の１つは、ほとんどの市民科学のプロジェクトは**複数の目標を掲げている**（Wiggins & Crowston, 2015）ことである。その内容は、科学、モニタリング、教育、保全、管理、活動、行動、発見、資源管理、再生・復元など、広範囲の活動を統合するアプローチである。このような分野横断型で柔軟な市民科学の取り組みは、**複雑な問題群を同時解決する**のに有効である。日本でも、個人及び多様な組織で、地域的及びグローバルな課題解決に市民科学の統合的なアプローチを用いることで、市民科学も裾野を広げることが可能となる。

たとえば新型コロナウイルスへの対応においては、政府や自治体が作成するコロナ禍での「安全」のための行動指針や、人々が「安心」のために行動することは、「信頼」があってはじめて可能となる。信頼は、行政による科学的なエビデンスに基づいた説明責任や日頃の十分なコミュニケーションによって醸成される。行政は市民科学のアプローチで安心と安全とともに信頼を得ることができる。

環境団体の抱える課題

日本のNGOを含む環境団体は、その活動の歴史も長く、貴重な実践も多数あるが、多くの課題を抱えてもいる。その課題を整理した論文は少ないが、桜井と著者らは、関東を拠点に継続的に活動している国内の市民科学プロジェクトの４実施団体の企画者に構造化インタビューを行った（桜井ら, 2014）。聞き取り内容は活動内容、参加者、得られた効果、データの活かし方、市民調査を行ううえでの課題などの項目とした（桜井ら, 2014）。その結果、市民調査の利点としては、身近な自然への理解の広がりや深まり、保全への意識の変化、新たな調査方法の開発等が挙げられた。一方、複数の団体で共通する以下の課題が明らかにされた。

▶参加者の維持

活動を行っていくうえでの問題点として、参加者の高齢化と若年層の参加の少なさが挙げられている。参加者の固定化と組織の世代交代が進んでいないことがその背景にある。限られた年齢層のみの参加や会員の固定化により、観察者バイアスの増大、新規のプロジェクトの開発やデジタル化への迅速な対応の遅れなどが懸念される。現在の多くのプロジェクトは、定年退職後の余暇時間がある元気な高齢者にとっては参加しやすいが、時間的な余裕がない若年層には参加しにくい。多くの若年層の興味を惹き、休日の趣味や楽しみとなるよう、市民科学プロジェクトを設計する必要があろう。そのためには、学生、主婦・主夫、家族などのターゲットに適した**内容、時間帯の設定**や**募**

コラム 8-1　ビッグデータによる新たな保護地域（OECM）の評価

生物多様性のビッグデータは、生物多様性に関する国際目標の手法の有効性を評価する方法としても期待されている。

生物多様性の損失は地球レベルで急速に進行しており、2022 年に開催予定の第 15 回生物多様性締約国会議（COP15）では、2030 年までに生物多様性の損失をゼロにする目標として「30by30」が注目されている。「30by30」とは、陸域の面積と海域の面積の各々 30% を保護地域とする野心的な目標である。

保護区の設定は、生物多様性を保全するうえで基本的な方法であり、保護区の面積や保護区をどこに作るかについては多くの議論がなされてきた。「生物多様性」の言葉の生みの親であるハーバード大学教授であったエドワード・ウイルソン（Edward Wilson, 2021 年逝去）は、『Half-earth: our planet's fight for life』で、生物多様性を保全するために、著書のタイトルどおり地球上の面積の 50% を保護区にすることを提案した。

しかし、現実には、公的な保護地域を 30% に拡大する「30by30」は容易ではない。そのための新たな方策として提案されている手法が、OECM（Other Effective area-based Conservation Measures）である。OECM とは「民間等の取組により保全が図られている地域や保全を目的としない管理が結果として自然環境を守ることにも貢献している地域」である。OECM には、①都市部の公園や緑の多い宅地、②里地里山、③社寺林や工場緑地など多様な場所が含まれ、市民科学が実践されている多くの場所も対象地となる。

しかし、「30by30」と OECM の有効性を国レベルで示す十分な科学的な根拠は乏しく、実効性を疑問視する声も上がっている。

４章と８章で紹介した J-BMP の研究グループでは、生物多様性のビッグデータを活用して、日本の「30by30」の生物多様性の保全効果、従来の公の保護地域の拡大と OECM の有効性の評価を行った（Shiono *et.al.*, 2021）。その結果、**図Ⅰ**に示すように、2020 年までに公の保護地域が 20% に拡大したことで、すでに維管束植物・脊椎動物種の相対絶滅リスクが４割弱減少していることが示された。さらに今後の 2030 年までの 10 年間では、国有林を

集方法にするなどの柔軟な対応が求められる（桜井ら,2014）。

若者層の市民科学への定着を図る新たな方策としては、**学校教育**に取り入れ、若いうちから科学教育の一環として導入することが望ましい。現在小中学校で取り組まれている、生徒の主体性を尊重したアクティブ・ラーニングや、

対象とした公的保護地域のみを拡大した場合のリスク低減効果はわずかであったのに対して、OECMのリスク低減効果は30%近くを占めた。また、**図Ⅱ**に示されている保全の優先度が高い国内地域は、里山や都市の民有地で、これらの土地での希少種の保全措置が重要であることも指摘された。そのため、農林業者、市民、民間企業による、身近な自然を保全する活動、すなわち市民科学の主体者が、日本の生物多様性を未来に引き継ぐための大きなポテンシャルと使命をもつことが明らかとなった（久保田, 2021）。

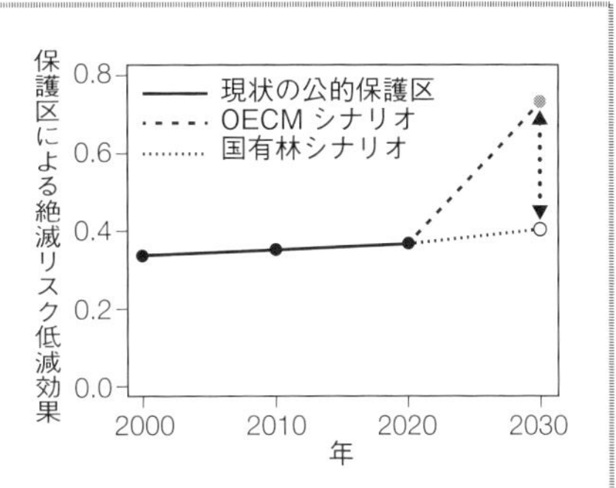

図Ⅰ　今後の保護区の拡大に伴う生物絶滅リスクの低減効果（Shiono *et al*., 2020 を筆者が改変）

この論文の成果は、環境省が日本でOECMを実施する際の科学的な根拠を与えた。次期の日本の生物多様性国家戦略ではOECMを大きな柱と位置づけ、OECMの名称は日本人にも分かりやすい“自然共生エリア”（仮称）として、優れた地域を認定するために基準作りが進められている。

図Ⅱ　日本全土の保全優先度の地図
出典：日本の生物多様性地図化プロジェクト Web サイト（https://biodiversity-map.thinknature-japan.com/）

OECMは、従来の公の保護地域では対象とされてこなかった貴重な環境を適切に評価する方策で、分断されている既存の保護地域の間をOECMでつなぎネットワーク化することにより、生態系の健全性を回復することが期待されている。

新たな学習指導要領に導入された高校の「理数探求」や「地理総合」などに市民科学のアプローチを取り入れ、地域社会と連携した実践を行うことも有効な方策であろう。

▶規模が小さいこと

市民科学プロジェクトに参加している人数が少ないことが、小松により指摘されている（小松, 2015）。小松が調査した日本と米国の 2 か国での 20 のプロジェクトでは、アメリカの多くのプロジェクトで年間 1～2 万人が参加しているのに対し、日本では最大でも 2,500 人程度であった（小松, 2015）。また、一方井によれば、多くのオンライン市民科学プロジェクトは研究者や個人で運営されており、運営のために多くの時間を割くことができない状況がある（一方井, 2020）。市民科学プロジェクトの運営環境、参加する機会のいずれにおいても、規模の大きいものがあまりないことが課題である。

全国規模のプロジェクトや高頻度に調査が必要なプロジェクトなどでは、参加者が多いほど科学的意義を持つ。多くの市民がかかわることで、調査対象に対する社会的な関心の向上にもつながる。そのためには、市民科学プロジェクトの実施主体に多くの個人、企業、団体にかかわってもらい、運営に関する役割を分担することや、多くの参加者層に適した**複数の宣伝手法を用いる**ことが有効だろう。

また、**同様のミッションを持つ団体と連携**することにより、大きな団体と同じ成果を上げることも可能である。ミッションが明確で、特に地元を基盤として活動してきた組織は、地元を超えた連携や情報の開示には消極的なことも多い。たとえば河川の活動では、同じ河川でも上流、中流、下流ごとに活動団体があり、お互いに連携していない例が多くみられる。しかし、継続性や地域の課題解決のうえでも、広域的なつながりや協働は必要になる。そのために市民科学のプラットフォームを共有することで、情報、手法、成果の双方向での共有な基盤を持つことが可能となる。河川の例では、支流と本流を含む流域治水の視点を視野に入れた活動や水質調査などの手法の標準化などは、市民科学のアプローチを取り組むことで、情報の共有化や課題の広域的に有効だろう。

▶データの質

データの質は、市民科学にとって最も本質的な課題である。桜井らは、データの精度そのものだけでなく、市民科学プロジェクトで得られたデータが行政やその他の組織から信頼されていないこと、プロジェクトの主催者自身も精度に自信を持てないことを指摘している（桜井ら, 2014）。しかし、すでに第5章で述べたように、十分に設計された市民科学プロジェクトでは、データの精度は科学研究に利用可能なレベルに到達できるといえる。市民科学プロジェクトのデータに主催者自身が自信を持ち、外部のデータ利用者から信頼を得るようにするためには、**科学的なデータ収集方法**を取り入れ、厳格なデータ管理を実施し、客観的に評価することが重要である。いずれも、第5章や第7章で紹介したように、市民科学の基礎的なプロセスを取り入れることである。主催団体に科学的な知見や技術を持つ専門家が不在である場合には、**研究者や専門知識を持つ研究機関、博物館、企業などと協働**することも重要である。

▶科学研究への参加

小松が日本と米国の各10例の市民科学プロジェクトを比較したところ、得られたデータを活用して、米国では合計762報、日本では合計48報の論文が出版されていた（小松, 2015）。市民科学においても、プロジェクトの企画の段階で、科学的に意義のあるテーマを設定することは重要である。科学者の協力も得て**査読論文としてまとめる**ことは、主催者をはじめとしたプロジェクトの科学的知識や技術を高めることや、プロジェクトの意義が広く認められることにつながる。また市民科学では、貴重な時間とエネルギーを提供してくれた市民への謝辞や、共創型プロジェクトで論文作成をともに行った市民を共著者にすることは、市民の継続的参加や研究への意欲を高めるうえでも意義がある。

インターネットなどの情報ツールの活用

日本の市民科学プロジェクトは、欧米と比べて、ICTを活用した市民科学の事例が極めて少ない。欧米では、この分野の取り組みは30年前から開始されている。日本では情報科学技術は進展しているが、社会での実装が欧米や諸外国と比べて遅れていることがコロナ禍により顕在化した。

市民科学の分野も例外ではない。情報ツールやオンラインを用いた市民科学の意義は、日本ではまだ十分に知られておらず、その認知度を高めることが早急な課題と言える。スマホを用いた市民科学は、情報世代の若者への市民科学への参加を促し、大規模なデータの収集も可能となる。また、得られたデータを集約して活用するためには、デジタル上でデータベースを構築することが不可欠である。特に都道府県や国など広範囲にわたるプロジェクトでは、投稿されたデータをインターネット上に蓄積することで、リアルタイムに情報の公開、データの一元化、マッピングなどができ、関係者間での情報共有が容易になる。その結果、プロジェクトの有効性の評価、地域特性の評価、過去のデータとの比較、他地域との比較など、多様な活用が可能となろう。

支援の必要性

市民科学の底上げを図るには、以下の多様な支援が必要となる。

第１に、市民科学の質を保証するために、研究者や大学などの**研究組織、**関連する**学会などが研究面で協力・協働する**ことである。市民科学を企画段階で科学的に意義のあるテーマを設定するときや適切な手法を選択するとき、データの解釈や結果を市民が発表するとき、優れた結果を学会発表や学術誌に投稿するときなどに、研究面での支援は欠かせない。市民が研究者や研究機関に相談できる開かれた場や支援のプラットフォームなどの創設が望まれる。

第２に、市民や参加者の参加意欲や学習効果を高めるための**人材育成**が必要である。方策として、参加者のニーズに合った教材開発、指導者養成のための講習会、地域での講習（学習）会、成果の報告会の開催などが有効であろう（桜井ら, 2014）。また、インターネットを活用した大規模なプロジェクトの場合には、企画者と参加者との双方向の情報交換が可能なSNSの活用が挙げられている。これらの方法により、参加者は専門家から生物の同定についてのアドバイスを受けたり、専門家は参加者のレベルを上げるための生涯学習の場としての活用ができよう。

第３に、公的機関、財団などによる市民科学への**助成制度や助成金による支援**も欠かせない。日本の環境団体は専属スタッフの人数が少ない場合が多い。事業を継続的に実施するために必要な資源や人材を担保できる助成金、政府による市民科学分野への支援なども今後の重要な課題である。

2. 世界の市民科学の課題

欧米では1990年ごろから、ICTとオープンサンエンスの進展により市民科学はその質と量ともに飛躍的に進展を遂げたが、日本と共通の課題も抱えている。本節では、世界で市民科学を進展させる視点から、課題とその改善策を検討する。

データの偏り

科学者が得たデータも、地球レベルで見ると、地理、時間、生物の分類群などに偏りがあることが知られている。一方、情報ツールを用いた大規模で長期的な市民科学のプロジェクトで収集されたデータは、研究者によるこれらの偏りを補完できると期待されている。

しかし、市民科学にも特有にみられるデータの偏りがある。Webを用いた大規模なデータ収集のアプリやその参加者は欧米に偏っていることから、地理的には欧米のデータが多く、アジア、アフリカ、中南米のデータは少ない。また、市民による生物のモニタリング調査は、海域よりも陸域で行われる機会が多いため、陸域で目につきやすい生物や分類群のデータが多い。さらに都市域での情報収集や市民科学のイベントが多いため、データも都市域に偏る傾向がある。

これらのデータの偏りは、得られる科学的な知見にもバイアスが生じる懸念がある。たとえば、温暖化が生物に与える影響の評価は、データ数の多い北半球の高緯度地域の知見を反映する評価となるリスクがある。現在では、第5章でも述べたように、これらのバイアスを補正するモデリング手法が開発されている。情報量の偏りを考慮して科学的知見を得る手法、データの誤差に対処する方法、現存するデータからより多くの情報量を引き出す方法などを活用がすでに開発されているので、これらを活用するのが望ましい（天野, 2017）。また、市民科学の企画者は、なるべくデータのバイアスが生じないプログラムの設計、手法や修正するアプローチに配慮する必要がある。

市民の科学研究プロセスへの関与

市民科学は、科学研究のプロセスへの市民の参加の程度によって分類されている。２章で確認したように、現在では、データ収集や調査のみに参加する「貢献型」のプロジェクトが圧倒的に多い。データ収集に加えてデータの整理や成果の発表など研究のプロセスに参加する「協働型」や、テーマの設定、情報収集、データの解析など科学研究のすべてのプロセスにかかわる「共創型」はまだ少数である。今後は、地域の多様な市民が、地域の防災、街づくり、野生生物や外来種の被害軽減などさまざまな場に対応する機会が増えると予想される。そのため、市民が多くの科学研究プロセスに参加できる「協働型」や、主催者と対等な立場でプロジェクトを実施できる「共創型」の市民科学プロジェクトを増やすことで、科学的な手法や科学的な根拠に基づいた提案の機会を増やすことができる。

情報ツールを用いた市民科学の課題

情報ツールを用いたオンラインのプロジェクトは、地球上のどこからでもいつでも参加できるため、参加人数が多く、大規模の調査ができる。しかし、３章で述べたように単純な内容のプロジェクトが多く、精緻な内容のプロジェクトが少ないことが懸念される。また、現場での体験を通じた五感での学びや自然体験を通じた新たな発見や気づき、参加者が実体験を共有することなどが十分にできない点が課題である。情報ツールを用いたプロジェクトをイベントとして開催するなど、オンラインと対面式を同時に実施するハイブリッドのイベントを増やすことが望ましい。また、オンラインの強みを活かして、参加者同士、研究者や主催者との体験の共有や意見交換をSNSで気軽にできるメリットを活かすこともできる。

プログラム評価に関する課題

現在の市民科学プログラムの評価は、科学的な成果に重点が置かれており、参加者に焦点を当てたものが少ない。市民科学プロジェクトでは、多様な年齢や多様な関心をもつ市民が参加するため、プログラムを企画する際には、参加者の関心や興味に関する事前の評価、プログラムの実施期間中の参加者の学びや課題の評価、プログラム終了後の短期及び長期の評価を通じて、参加者に関する多面的な評価をすることが今後の課題である。これらの評価は、市民のニーズの的確な把握や参加者のモチベーションを上げることにも役立ち、市民科学のプロジェクトの持続性の観点からも、今後評価手法の充実を図ることが求められる。

成果の政策決定への反映

最近では、市民科学の結果を行政施策や政策決定に反映することの重要性が、市民科学の関係者だけでなく、社会的にも認識されている。EU ではその傾向が顕著である。研究者の研究と比較して、市民科学では地元の身近な環境汚染、自然エネルギーの開発・利用や地域活性化などが対象となることが多く、得られた成果を市町村レベルでの具体的な政策につなげやすいと期待されている。しかし実際には、市民科学の成果を行政や実務者が取り上げて成果を上げた事例は多くはない。

市民科学のプロジェクトを主導する団体は、どのような行政施策が国際的、国内、地元の政策として取り上げられているかについて調べ、これらのニーズが高いテーマを選択することで、市民科学の研究と政策間のギャップを埋め、双方の相乗効果を高めることができよう。

たとえば、温暖化と生物多様性は緊要な対応が求められる地球規模の環境問題である。EbA（生態系を活用した適応策、Ecosystem-based Adaptation）は、気候変動による悪影響を減少させるための適応戦略として生物多様性や生態系サービスを利用する方策で、保全、持続可能な管理や生態系修復の方策が含まれており、市民科学プロジェクトへの展開も可能である（Convention on Biological Diversity, 2018）。

また、グリーンインフラ（Green Infrastructure）は、自然環境や生態系が持つ資源や恵みを活用して、地域から地球レベルの持続可能な社会・経済・生態を支えることのできる社会資本や土地利用計画である（グリーンインフラ研究会ら, 2017）。各国の行政計画にも組み込まれているため、グリーンインフラの具体的な行政施策を市民科学のプロジェクトに組み込むことは新たな課題解決にとっても有効である。たとえば、都市での内水氾濫を軽減するための雨庭（地上に降った雨水を直接下水道に流さず、一時的に貯め、地中に浸透させる構造を持った緑地）の自宅や公園への設置は、緑の持つ透水性や貯留機能をどう改善するかを明らかにする科学的なデータの収集に役立つ。これは、新たな市民科学の手法を広げるうえでも有効な方策であろう。

さらに、行政主導の市民科学プロジェクトは、市民がデータを提供する貢献型が多い。協働型や共創型プロジェクトを増やすことで、市民科学の研究と政策間のギャップを埋める努力が求められる。

データ使用の倫理とプライバシー

市民科学のデータは多くの場合オープンアクセスなため、本来の意図とは異なる目的のために悪用される場合がある。たとえば、ケニアの野生動物のリアルタイムのマッピングデータは密猟者によって悪用されるリスクがある。また、アプリを介したヘルスモニタリングの市民科学や人々に医療情報の投稿を求める市民科学などは、健康に関する個人の情報が目的外で利用される恐れがある。これらの課題を解決するために、事前のリスク回避の方法を定めておく必要がある。SciStarterなどプライバシー保護に配慮したプラットフォームを活用する方法もある。

3. 市民科学の未来を展望する

市民科学そのものは長い歴史を持っているが、市民科学という新たな言葉の登場により、市民科学に託されたミッションが明確となり、また、市民科学の最終ゴールである科学の「見える化」と「社会化」は、地域や国による格差はあるが、実現しつつある。今後の情報技術と科学のオープンデータ化は加速度的に進展することが予測されるため、これらの活用により、市民科学の多様性と裾野はさらに広がると期待される。本節では、今後の市民科学について、研究、教育、イノベーション、国際連携の視点から展望する。

研　究

▶科学者と市民の役割の融合

『The Rightful Place of Science: Citizen Science（科学のあるべき居場所：市民科学）』の著書エリック・ケネディ（Eric Kennedy）は、市民科学の理想の姿として、「市民はデータの収集以上の貢献をし、研究者はデータを使用する以上のことをなすことである」と述べている（Cavalier & Kennedy, 2016）。今の市民科学の状況をみると、すでにこの理想の姿に近づいていると言えよう。

それを早めたのは、SNSなどによって、研究者と市民科学者の距離が急速に縮まったことが大きい。両者が情報を交換し、お互いの課題について学び合い、協働できるようになり、科学者と市民との新たな関係づくりが可能となったためである。市民科学は、科学者と市民がともに、世界についてより深く知る方法を編み出した。今後は、さらに多くの人、地域、分野でこの新たな関係は加速するだろう。しかし、自然科学分野、特に人文・社会科学の分野では、市民科学と向き合って、科学、教育、課題解決を協働で実施してくれる研究者は少数である。研究者への市民科学への参加を促すためには、市民科学に参加ができる研究環境の整備、業績評価のあり方、助成金の支援に加え、市民科学は自らの研究、教育、社会貢献の価値を高める手法であることを多くの研究者に知ってもらう努力を継続していく必要がある。

▶市民科学のデータの強み

現在の全球的なデータは、衛星画像、航空写真、ドローン空撮などを用いたリモートセンシング技術によって取得が可能となった。しかし、これらの空中からのデータだけでは正確は情報を得るには十分でなく、地上からの現地データが必要となる。そこで、市民科学の出番となる。

市民科学プロジェクトの7割は生物多様性に関するプロジェクトであり、この分野での市民科学の貢献は大きい。市民科学のプロジェクトの10%は、すでに紹介したGBIF（p. 13）へデータを提供しており、GBIFの動物のデータの70%は市民科学プロジェクトから得られている（Chandler *et al.*, 2017）。GBIFは、世界の生物多様性情報を共有し、誰でも自由に閲覧できる国際ネットワークであるため、市民科学のデータの公開ツールとインセンティブを改善することで、将来的には市民科学がさらに世界の生物多様性のデータ蓄積に貢献し、生物多様性の研究と保全に活用されると予測される。

現在のGBIFの市民科学によるデータは地域による偏りが著しい。GBIFのデータのうち市民科学によって得られたデータの割合は、北米では58.0%、欧州では34.2%と高い割合を占めるのに対し、オセアニアでは5.2%、アジアでは0.8%、アフリカでは0.5%を占めるに過ぎない（Copas, 2018）。研究者が提供するデータも同様の偏りが大きい。今後は、GBIFのネットワークを世界へ拡大し、市民と研究者の協力で、地域差を改善することで、生物多様性の基礎情報の収集を加速できるであろう。

▶マクロ生態学の飛躍的進展とその活用

近年、生物多様性のビッグデータを活用したマクロ生態学は飛躍的な進展を遂げた。その結果、膨大な生物分布情報の整備と情報の可視化が可能となった。生物多様性の分布情報が明らかにされると、各々の生物の地理的分布とその経時的な変化、保全計画や保全策の有効性の定量的評価、将来予測を科学的なエビデンスに基づいて行うことができる。生物多様性の抱える課題解決や生物多様性の保全に果たす役割は極めて大きい。

ここでは、世界に先駆けて国レベルの生物多様性情報を収集し、可視化した事例として、琉球大学の久保田康裕研究室と同研究室が企業化した㈱シンクネイチャーの「日本の生物多様性地図化プロジェクト：Japan Biodiversity Mapping Project (J-BMP)」(https://biodiversity-map.thinknature-japan.com)のWebシステムを紹介する。本プロジェクトは2020年に公開され、誰でも活用できる。システムを構築するに当たっては、日本に分布している全維管束植物、陸域の全脊椎動物（哺乳類・鳥類・爬虫類・両生類・魚類）とイシサンゴの種分布を網羅的に把握した。この作業には膨大な時間を要する（久保田, 2020a)。生物多様性地図の基になっている情報は、学術論文、生物標本、環境アセスメントなどの調査報告書、地方自治体の市町村史や地域の郷土史に付録している生物リスト、行政機関が実施した生物分布に関するセンサス記録など、膨大な情報源から取得されている。

これらの分布情報は、そのまま地図に使用できない。分布記録の間違い（バグ）を除くスクリーニング作業、複数の和名は標準和名と学名に統一し、種の分布は1kmスケールの精度での解析に落とし込める情報かを判断する必要がある。研究チームは、現在ではこれらの作業を可能な限り自動化するシステムを開発し、作業効率性を高めているが、情報収集には10年以上の地道な努力の積み重ねがあった。これらの生物多様性のビッグデータから、国土全体の生物多様性を可視化できる地図（**口絵5**）を完成させた（https://note.com/thinknature/n/n1a6b73a5710a)。この地図では、①在来種数、②レッドデータブック記載種数、③地域ごとの進化的特異性、④観察情報の充足度、⑤保全優先度に関する情報、⑥生物多様性保全や生態系サービスへの影響が懸念される様々なリスク情報を、1km × 1kmのスケールで示している。Webサイトでは、ユーザーが関心のあるレイヤーを任意に選択し、表示することができる。

この地図は、一般の市民が自分の身の周りの生物、外来種、優先して保全すべき里山などの情報を瞬時に見ることが可能である。さらに、市民が生物多様性に親しみを持ち、理解を深めてもらうことを意図して、日本の 47 都道府県の生物多様性の特徴と保全利用計画に関する分析結果（保全カード）とその説明も記載されている（久保田, 2020b）。これらの情報を通じて、自分の地元、ゆかりのある地域、通っている学校の校区などの生物多様性について知り、また、現在行っている市民科学の現状把握や保全が必要な場を選択し、新たな市民科学プロジェクトを開始する機会も提供してくれる。

研究チームでは、行政機関、環境 NGO、民間企業への情報提供や分析サービスも開始している（久保田, 2020a）。5 章で紹介した企業の「5 本の樹」計画はその一例である。また、コラム 8-1 で紹介するように、次期の生物多様性条約締約国会議で焦点となる新たな保護地域の考え方を日本で実装する際の科学的な根拠も提供している。

さらに、研究グループでは、J-BMP の空間解像度をさらに超高解像度化する計画を進めている。現場で得られた生物多様性ビッグデータを人工衛星情報と統合することにより、人工衛星情報を植生タイプや生物種数情報に翻訳する試みで、人工衛星を運用した即時的な生物多様性モニタリングが可能になる。野外の生物観察を基盤としたフィールド科学と宇宙科学が融合され、科学者と市民が融合する夢が現実になろうとしている（https://www.u-ryukyu.ac.jp/news/23999/）。

教　育

▶新たな教育の場

市民科学は、多様性に富む市民に、研究者や多様な組織と連携することで問題解決能力を高める学びの場を提供しており、予測不可能で変化が激しく、複雑で曖昧な社会（VUCA*1 社会）の生涯教育として優れている。また、正規の学校教育に取り入れることで、生徒・学生は自らの課題発見から出発して、

＊1　VUCA（ブーカ）：変動性（Volatility）、不確実性（Uncertainty）、複雑性（Complexity）、曖昧性（Ambiguity）の頭文字に由来する語で、将来の予測が困難な状況を指す。

教科・領域固有の知識や考え方を統合した学びを身につける機会ともなる。市民科学は、生徒・学生が、「自分ごと」として考える力を養う、新たな時代に必要な知識の伝達以上の学びを提供する教育の機会となろう。

▶ STEM 教育と STEAM 教育

第1章では、米国の大学のチアリーダーが組織した“リケジョ”が実践している STEM 教育を紹介した（p. 24）。STEM 教育は、科学、技術、工学、数学の分野が複雑に関係する現代社会の問題を、各分野・領域固有の知識や考え方を統合的に働かせて解決する手法としての特徴を持っている。その目的を達成するうえで、市民科学の分野横断型特性を活かした実践は大きな意義を持っている。STEM 教育の目的の1つは、科学・技術分野の経済的成長や革新・創造に向けた人材育成である。またもう1つは、小学生から高校生を対象とし、市民としてのリテラシーを育成することである。

STEAM 教育は、STEM に Liberal Arts（A）を加えた、文理の枠を越えた学びを意味し、現実社会の問題を創造的に解決する学習を進めるうえで、Liberal Arts の考え方に基づいて、自由に考えるための手段を含む、美術、音楽、文学、歴史にかかわる学習などを取り入れることを目指す。STEAM の「A」の範囲を、芸術、文化、法律、生活、政治を含めるさらに広い定義も提案されている。「みんながかかわる」市民科学は、STEM 教育、STEAM 教育を、社会教育、生涯学習、学校教育に実装するためのアプローチとして期待できる。

▶ オンライン教育

オンラインを活用した市民科学の登場により、参加者の学習にも変化が生じている。オンラインによる市民科学プロジェクトは、国境を越えて幅広い地域から参加できるのがメリットである。インターネットやスマホの普及により、学校へのアクセスが難しい生徒への学びの機会を増やし、また、富による教育の格差を縮めることで、SDGs の“だれ一人取り残されない”教育を推進する力となろう。

スマホを用いた市民科学の中には、文字が読めないコンゴ共和国の女性たちが森林での密猟や不法伐採のマップ作成プロジェクトに参加している例がある。参加者が収集したデータはロンドン大学（University College London）でマップ化され、その情報は地元の環境保全や政策に活かされている（Bonney, 2014）。

一方、オンラインを活用した市民科学は学習機会がランダムで自由度が高いため、学習効果を評価することは難しい。オンラインによる市民科学の学習効果を評価した論文は2013年以降に発表されているが、どのような効果があるかはまだ十分に調査されていない（Aristeidou & Herodotou, 2020）。今後はオンライン市民科学の長所と短所を理解し、社会的な学習プロセスやカリキュラムを強化することで、市民科学の学びのレベルアップを期待できる。

イノベーション

市民科学のイノベーションの推進は、今後多様な手法を用いてさらに活発化することが期待できる。その推進に特化した組織もあり、また、新たな挑戦すべき分野や課題も増えている。

スウェーデンのイノベーション機関であるVinnovaは、プロジェクト「RRI Tools」を立ち上げ、チャレンジ主導のイノベーション（Challenge Driven Innovation）により、市民科学の研究とイノベーションに対して資金提供をすることを使命としている。資金調達モデルでは、基礎となる次の３つの原則を適用している。

①政策の問題に優先順位をつけ、課題志向のアプローチを用いる

②個別の分野や組織に重点を置くのではなく、複数分野のアプローチを採用する

③ユーザーの視点をイノベーションの出発点とする

これらの原則は、今後市民科学にさらなるイノベーションを起こすうえで参考になる。また、これらの実現により協働型や創生型の市民科学が増えることが期待される。

「RRI Tools」のアプローチは、市民科学から得られた情報やデータを、自然資源の管理、環境の復元、グリーンインフラによるイノベーションに適用できる。これらのイノベーションを通じて、私たちの暮らし・社会・経済は生態系や生物多様性がもたらす多くのものに支えられており、持続可能な人間社会は持続可能な生態系・生物多様性がなくては成り立たないことを改めて知る機会ともなるであろう。

➡ **RRI Tools**　https://rri-tools.eu/

新型コロナウイルスのパンデミックは、人が野生動物との接し方、自然との向き合い方、新たな社会の在り方について、改めて問い直す機会ともなった。新興感染症の発生の根本的な原因は、地球規模での人間活動の拡大による森林伐採などの自然破壊により、野生生物の生息空間と人の暮らしの距離が縮まったことにある。人で流行する感染症の60％は人獣共通感染症（ズーノーシス）が原因となっており、新たな感染症がパンデミックを引き起こすリスクは高まっている。今後は、動物、人、生態系の健康を１つと捉え、バランスよく健全にあるべきとの考え方（One World, One Health）が必要であり、その推進には市民科学は大きな貢献をすることが期待されている。

国際連携

今後さらに市民科学を進展させるためには、多様な国際レベルの連携やネットワークを形成することが必要である。市民科学のデータ収集、データの活用手法のさらなる標準化や、オープンアクセスの推奨、そのための国際基準の作成、言葉の障壁の軽減による世界共通プログラムの普及などの課題解決には、さらなる国際連携や協力が必要となろう。たとえば、米国とスコットランドの環境保護関連の政府機関は、日常業務に市民科学を取り入れているが、これらの手法を今後、国際社会で共有されることが望ましい。

国連環境計画は、市民科学を使用して環境をモニタリングすることで、環境課題を解決する国際プロジェクトを開始している。またEUは、800億ユーロのHorizon2020研究及びイノベーションプログラムで、市民科学にさまざまな資金提供をしている。世界に市民科学の学会（協議会）は米国、EU及びオーストラリアにあり、３つの組織は国際的な連携を開始した。さらなる研究者や学会による国際連携は、市民科学のデータの質の保証、新たな教育手法の開発、プログラムの評価手法などの国際標準化や課題を専門家と市民が協働するハブとしての役割を果たすことが期待できる。

第８章 引用文献

天野達也. 2017. 保全科学における情報のギャップと３つのアプローチ. 保全生物学研究 **22**: 5-20.

Aristeidou, M. & Herodotou, C. 2020. Online citizen science: A systematic review of effects on learning and scientific literacy. *Citizen Science: Theory and Practice* **5**(1): 1-12.

Bonney, R., Shirk, J.L., Phillips, T.B., Wiggins, A., Ballard, H.L., Miller-Rushing, A.J. & Parrish J.K. 2014. Next steps for citizen science. *Science* **343**: 1436-1437.

Cavalier, D. & Kennedy, E.B. 2016. The Rightful Place of Science: Citizen Science. Consortium for Science, Policy & Outcomes.

Chandler, M., See, L., Copas, K., Astrid M.Z. Bonde, A.M.Z., Bernat Claramunt López, B.C., Danielsen, F., Legind, J.K., Masinde, S., Abraham J. Miller-Rushing, A.J., Newman, G., Rosemartin, A. & Turak, E. 2017. Contribution of citizen science towards international biodiversity monitoring. Biological *Conservation* **213** : 280-294.

Convention on Biological Diversity. 2018. Report of the conference of the parties to the convention on biological diversity on its fourteenth meeting.

Copas, K. 2018. Citizen science contributions to GBIF-mediated data. *In*: ecker, S., Haklay, M.E., Bowser, A., Makuch, Z., Vogel, J. & Bonn, A. Citizen Science. CL Press.

グリーンインフラ研究会・三菱 UFJ リサーチ&コンサルティング・日経コンストラクション. 2017. 決定版！グリーンインフラ. 日経 BP.

一方井祐子. 2020. 日本におけるオンライン・シチズンサイエンスの現状と課題. 科学技術社会論研究 **18**: 33-45.

小松直哉. 2015. 日本における生物多様性保全のための市民科学の評価と改善に関する研究. 東京都市大学大学院環境情報学研究科. 博士論文.

久保田康裕. 2020a. 生物多様性の保全利用計画をビッグデータ分析で革新する. 國立公園 **783**: 21-25

久保田康裕. 2020b. 生物多様性ビッグデータを活用した自然環境の保全利用技術の高度化. 國立公園 **784**:18-21.

久保田康裕. 2021. ポスト 2020 生物多様性枠組の保全計画 ビッグデータを基にした保護地域と OECM の実効性評価. 國立公園 **794**: 24-27.

桜井良・小堀洋美・関恵理華. 2014. 市民科学の課題と可能性：市民調査団体への聞き取りから. 日本環境学会誌 **40**(1): 45-48.

Shiono, T., Kubota, Y., Kusumoto, B. 2021. Area-based conservation planning in Japan: the importance of OECMs in the post-2020 Global Biodiversity Framework. *Global Ecology and Conservation* **30**: e01783.

Wilson, E. O. 2016. Half-earth: our planet's fight for life. Liveright Publishing Corporation.

Wiggins, A. & Crowston, K. 2015. Surveying the citizen science landscape. First Monday **20**(1).

【Web サイト】（末尾の日付は最終閲覧日）

GBIF. https://www.gbif.org/.（2021 年 6 月 30 日）

日本の生物多様性地図化プロジェクト. https://biodiversity-map.thinknature-japan.com（2022 年 2 月 7 日）

RRI Tools. https://rri-tools.eu/
生物多様性ビッグデータで日本の生き物分布を見える化：バーチャル・ミュジアム（デジタル TEPIA）にて展示. hpps://www.u-ryukyu.ac.jp/news/23999/（2022 年 2 月 2 日）
生物多様性を見える化するアプリ J-BMP. https://note.com/thinknature/n/nc195b3a4530c（2022 年 2 月 7 日）
横浜市. 地域緑化計画書（牛久保西地区）. https://www.city.yokohama.lg.jp/kurashi/machizukuri-kankyo/midori-koen/midori_up/3ryokuka/chiikimidori/ryokuka/ushikubonishikeikaku.files/0018_20180823.pdf（2022 年 2 月 4 日）

特別寄稿

市民科学の未来

エイブラハム・ミラー・ラッシング

自然史博物館と市民科学

エリザベス・R.・イルウッド

市民科学の未来

エイブラハム・ミラー・ラッシング
小堀洋美 訳

この30年間は、新しいテクノロジーの進展によって人々が参加しやすくなり、市民科学の長い歴史の中でも、急速な成長が見られた。現在では、科学者、政府、非営利団体が市民科学の持つ高い価値を認識している。今日、市民科学によって得られたデータは、生物多様性、汚染、及び気象の世界的なモニタリングにとって欠くことができない存在となっている。市民科学のボランティアは、特に天文学、生命医学研究、及び環境正義*の分野で重要な貢献をしている。市民科学が科学と社会に果たす役割は今後数年から数十年にわたってさらに大きくなると考えられる。ここでは、市民科学の将来に大きな影響を与える4つの分野について取り上げる。

1. テクノロジー

技術の進歩により、多くの科学的測定器や装置は、小型化し、持ち運びが容易になり、市民科学プロジェクトでも使いやすくなっている。また、コンピュータの計算能力の拡大により、科学者は画像や音声を含むより多くの種類のデータを分析でき、利用しやすくなっている。市民科学のボランティアは、「DIY（do-it-yourself）科学」を通じてこれらの進歩にも貢献している。DIY科学のボランティアは、新しいツールや手法を開発し、既存のものを改良し、科学研究に貢献している。たとえば、大気質センサーは、現在では市民にとって手頃な価格になり、組み立てや変更が容易になったため、より多くの人々が自宅、学校、企業の近くで大気質をテストできるようになっている。実際、米国の環境保護局（US EPA）では、市民科学者や技術開発者などにとって有

---

* **環境正義**：だれでもが、安全な環境で暮らせ、人種、出身国、所得の違いに関係なく、社会的に公正に扱われる必要性を示す概念。

用な大気センサーに関する情報専用の Web サイトを開設している。

より多くの市民科学データが利用可能になるにつれて、より多くの科学者が新しいコンピューティング能力を使用して、何百万もの市民科学の観測、画像、及び音声ファイルを分析し、一連の科学的な疑問や質問に答えている。市民科学データは、これまで以上に強力となった衛星ベースのセンサーやその他の自動センサーによって収集されたデータと組み合わせることで、さらにその価値を高めることが可能となっている。市民科学のボランティアは、これらのデータ（多くの場合、画像や音声）を評価したり、分類したり、コンピュータがまだ解決ができない対象を特定することで、これらのデータに付加価値をつけることも可能である。これらの大規模なデータセットの分析は、世界中の生物多様性の記録を劇的に増加させている。また、国連の持続可能な開発目標（SDGs）の主要な目標にも貢献している。これらの技術のさらなる進歩は、市民科学とその応用の成長を促進するのに役立つと考えられる。

2. 地域の課題への取り組み

技術の進歩は、コミュニティ主導の市民科学を進展させるうえでも役立っている。コミュニティのメンバーは、地域の問題に対処するために独自の市民科学プロジェクトを企画している。具体的な地域の問題として、汚染源の特定と排除、農業技術の改良、公衆衛生の改善などが挙げられる。これらの地域の問題は、地域住民の生活や環境に劇的な影響を与える可能性があるが、多くの場合、小規模または日常的すぎて専門の科学者の興味を引くことが少なく、また政府機関はそれらに対処する能力がない場合がある。そのため、これらの問題に取り組むために、地域住民自ら組織づくりを行っており、地域コミュニティによる科学活動の事例が増えている。たとえば、ニューヨーク州トナウォンダの住民は、地域の産業施設に関連する大気質について懸念し、大気質をサンプリングするために組織を立ち上げた。その結果、州は汚染を減らすために施設の修理と運用の変更を行う必要性に迫られた。今日で

➡**米国環境保護局の大気センサー情報サイト**　https://www.epa.gov/air-sensor-toolbox

は、このようなコミュニティ科学プロジェクトを促進するための組織が作られている。たとえば米国地球物理学連合のThriving Earth Exchangeは、科学者、コミュニティリーダー、スポンサーを結びつけて、天然資源、気候変動、自然災害に関連する地域の課題を解決するのに役立っている。コミュニティ市民科学プロジェクトは、森林管理、公衆衛生、生態系の回復などの地域の問題に対処するために、市民科学と先住民の知識との関係を強化している事例も見られる。

3. ボランティアへのメリット

テクノロジーと社会科学からの新しい洞察は、市民科学プロジェクトが、市民にとっての楽しみ、学び、その他の成果をさらに増すために活用できる。たとえば、自動化されたアルゴリズムとマッピングにより、ボランティアは観察と結果についてより迅速なフィードバックを得ることが可能になっている。たとえば、ボランティアが市民科学アプリiNaturalistを使用して生物種の写真を撮ると、アプリは人工知能を使用して種名を即座に提案してくれる。現在では、多くの市民科学アプリがボランティアが収集したデータを地図上にすぐに表示してくれ、また、ボランティアがグラフを作成したり、自分の地域や世界中の他の場所で他の人と観察を比較することを可能にしている。

社会科学に関する組織は、ボランティアが参加する動機、プログラムから獲得したいもの、そして市民科学プロジェクトからどう学ぶかなどについて、市民科学の主催者が理解できるようサポートしている。社会科学のアプローチは、主催者がボランティアのニーズを満たし、学習成果を達成するためのプログラムを設計するのに役立っている。学習効果への配慮は、学生が市民科学プロジェクトに参加する場合に特に重要である。ただし現時点では、社会科学分野による市民科学への応用はまだ初期段階にある。今後この分野が成熟するにつれて、ボランティアのニーズと利益を満たすために市民科学プロジェクトの設計が大幅に改善される可能性があり、それは市民科学プロジェクトがボランティアの募集と維持に成功するのに役立つ可能性がある。

4. 持続可能性

持続可能性は、市民科学プロジェクトが直面する主要な課題である。効果的な市民科学プロジェクトを維持するためのインフラとスタッフを維持するには費用を要する。しかし、多くのプロジェクトは短期の助成金による資金運用に依存しており、一貫した長期の財政支援が不足している。しかし、政府は、科学と政策の目的を達成するための市民科学の価値を認識するようになり、そのために多くの資源を投資し始めている。ただし、これらの投資はまだ初期段階である。米国と欧州連合（EU）の政府機関は、市民科学の戦略的計画を発表したが、これらの計画が進むにつれて、投資は増加する可能性が高い。安定的に投資がなされるようになれば、より多くの市民科学プロジェクトは持続可能性を担保できるようになる。

市民科学への輝かしい展望

市民科学の未来には大きな希望がある。しかし、私たちはまだ、市民科学から得ることができる科学的洞察と社会的利益のほんの一部しか得ていない。市民科学には、すでに何百万人もの人々が参加しているが、それでも大半の人々には認知されていない。より多くの科学者と市民科学ボランティアが市民科学の有用性に気づき、関与するようになるにつれて、進歩と成長が続く可能性がある。取り組むべき科学的問いや社会的課題に不足があるわけではない。市民科学の可能性はほぼ無限と言えよう。

Abraham Miller-Rushing 博士

米国国立公園局市民科学運営委員会委員、メイン州アカディア国立公園サイエンスコーディネーター。世界で最初の市民科学の学会（市民科学協会：CSA）の創立メンバーでもあり、市民科学の総説、歴史、社会貢献にかかわる多数の研究業績がある。アカディア国立公園では、来園者が参加できる多彩な市民科学プログラムを企画し、その成果を公園運営にも活かしている。

自然史博物館と市民科学

エリザベス R. イルウッド
小堀洋美 訳

市民科学については最近注目すべき動きがある。米国では市民科学を「コミュニティサイエンス」(https://nhm.org/community-science-nhm/why-community-science) と改名する自然史博物館が増えている。その理由は、「Citizen (市民)」という用語は特定の場所での個人の法的地位を意味し、一部のコミュニティメンバーを除外すると受け取られる懸念があるためである。そのため、すべてのコミュニティメンバーを含めることを明確に示す、「コミュニティサイエンス」の用語が好まれるようになってきた。この記事では、他の章との統一性をはかるために「市民科学」の用語を用いる。

1. 自然史博物館の役割

自然史博物館 (Natural History Museum) は、独自な方法を用いて、来館者と広範な地域社会に市民科学にかかわる機会を提供し続けてきた。アメリカ国立自然史博物館の鳥類学者フランク・チャップマン (Frank Chapman) は1900 年、米国で最も長期間に実施されている市民科学プロジェクトであるオーデュボン協会のクリスマスバードカウントを提案した (Chapman, 1900)。これは、クリスマスには鳥を殺すことを競うのではなく、鳥の観察数を競うことを提案したするプロジェクトで、以来 120 年継続されている。

チャップマンは、他の博物館とは異なる自然史博物館の重要な役割として、動植物を収集し、その標本を博物館コレクションとして収蔵していることを挙げている。これらのコレクションを利用するのは主に科学者である。自然史博物館のもう 1 つの重要な役割は、これらのコレクションを中心とした展示企画により、一般の人々が自然史について学ぶ場を提供しすることである。加えてここ数十年、自然史博物館の役割はさらに拡大し、オフサイトのイベントや活動と一般市民が市民科学を通じて研究に貢献するための支援を行うようになっている。

2. 市民科学企画団体としての重要性

自然史博物館は市民科学の企画団体として極めて望ましい特性を持ち、そのことが自然史博物館での市民科学プロジェクトを成功へと導いている。

自然史博物館での成功の要因の１つは、一般の人々の関心を高めるための、確立された長い伝統を持っていることである。展示を通じて、一般の人々とつながるデザイン（設計）がなされている。自然史博物館は、数十年、時には何世紀にわたり、市民科学の重要な要素であるコミュニティと深いつながりをもってきた。来館者と地域コミュニティのメンバーは、市民科学プロジェクトを通じて、自然史博物館及び館とかかわりのある科学者の研究に貢献することができる。自然史博物館の職員は科学コミュニケーションにも精通しており、市民科学にとって重要な教育的な経験の支援も行っている。

もう１つの成功の要因は、分類学の専門性にある。自然史博物館の分類学者は、収集された植物、動物、菌類、化石、鉱物などのサンプルの種類や種を特定し、他の種との関係を理解するように訓練されている。収集は依然として自然史博物館の中核をなしているが、分類のスキルは標本の収集に依存しない研究の基盤でもある。科学者は、iNaturalistやeBirdなどのオンラインの市民科学プロジェクトは、標本に匹敵する重要な種の出現記録データを提供していると考えている。つまり、自然史博物館のコレクションと観察データの両方が、特定の場所で特定の日付に種が生存していた証拠となるため、種とその生態学の長期的な研究に用いることができる。

第三の要因は、市民科学への制度的支援である。自然史博物館は、大学や政府機関などの研究ベースの機関と比較して迅速で柔軟な対応ができる。そのことが、長期的な市民科学プロジェクトの実施や市民科学部門の確立を可能にしてきた。自然史博物館が主導し、最も成功した市民科学プロジェクトには、博物館による研究、コレクション、教育、及び他部門（Ballard *et al.*, 2017）との直接的なコラボレーションが含まれている。以下に米国とヨーロッパでの自然史博物館の特性を活かした、オンラインプロジェクトの優れた

図1　ロサンゼルス自然史博物館のラ・ブレア・タール・ピット市民科学プロジェクト「化石ハンター」の実施風景（写真提供：Elizabeth Ellwood）
学生と小学生が、微化石の仕分け作業を行っている。

モデルを紹介する。

1）米国の自然史博物館の成功事例

フィールド博物館、スミソニアン国立自然史博物館、ノースカロライナ自然科学博物館、ロサンゼルス自然史博物館、サンディエゴ自然史博物館カリフォルニア科学アカデミーなどでは、国内で最も活発な市民科学プログラム

米国の自然史博物館の市民科学サイト

フィールド博物館　https://www.fieldmuseum.org/our-events/community-science
スミソニアン国立自然科学博物館　https://www.si.edu/volunteer/citizenscience
ノースカロライナ自然科学博物館　https://naturalsciences.org/research-collections/citizen-science
ロサンゼルス自然史博物館　https://nhmlac.org/community-science
ロサンゼルス自然科学博物館 都市自然研究センター　https://nhmlac.org/research-collections/departments/urban-nature-research-center
サンディエゴ自然史博物館　https://www.sdnhm.org/education/community-science/
カリフォルニア科学アカデミー　https://www.calacademy.org/citizen-science

を企画・管理してきた。プログラムの多くは地域を対象としている。しかし、「eMammal」プロジェクトでは、ノースカロライナ自然科学博物館やスミソニアンの科学者が協力して実施しており、複数の自然史博物館の協力や国際的な協力により実施されているプロブラムもある（Schuttlerら, 2019）。

ロサンゼルス自然史博物館・都市自然研究センター（UNRC）では、センターの専門家は、市民の科学者と協力して都市の生物多様性を調査している。特に、新種の発見（例：Hartop *et al.*,2016）、外来種の分布拡大（例：Vendetti *et al.*, 2018）や保全に大きな貢献してきた（Ballard *et al.*, 2016）。また、ロサンゼルス自然史博物館の科学者は、ラ・ブレア・タールピット（同市内にある天然アスファルトの池）の更新世の食物網の研究を市民科学のプロジェクを実施している（**図1**）。このプロジェクトによって、タール（アスファルト）の池に閉じ込められた過去の哺乳類、鳥類などを含めた多数の化石が発見されている。

2）ヨーロッパの自然史博物館の成功事例

ヨーロッパの事例として、ロンドン自然史博物館、ベルリンのフンボルト博物館、パリのドール国立博物館、ヘルシンキのフィンランド自然史博物館、イタリア、グロッセートのマレンマ自然史博物館などが挙げられる。

特にロンドン自然史博物館では、bioblitz、生物多様性の調査、人工光による生物への影響のモニタリングや顕微鏡スライドの転写などの多様なプロジェクトを実施している（**図2**）。この革新的なアプローチは、同館併設の英国の生物多様性センター（アンジェラマーモントセンター）の開設につながった。またOPAL（the Open Air Laboratories project、野外実験室）プロジェクトは、

ヨーロッパの自然史博物館の市民科学サイト

ロンドン自然史博物館　https://www.nhm.ac.uk/take-part/citizen-science.html
フンボルト博物館　https://www.museumfuernaturkunde.berlin/en/museum/participate/citizen-science
ドール国立博物館　https://naturalsciences.org/research-collections/citizen-science
フィンランド自然史博物館　http://www.luomus.fi/en/participate
マレンマ自然史博物館　https://www.museonaturalemaremma.it/citizen-science/
英国生物多様性センター　https://www.nhm.ac.uk/take-part/centre-for-uk-biodiversity.html

同館を含む英国の多数の機関が協力して、長年にわたり生物学的及び環境モニタリングを実施してきた（Davies *et al*., 2011）。OPAL は、若者が博物館の市民科学に参加することで得られる「知識、実践、及び機関」についての研究も先導してきたパイオニアでもある（Ballard *et al*., 2016）。

3）自然史標本の活用

インターネットを活用したプロジェクトでは、オンラインプラットフォームを介して自然史博物館の研究に一般市民を巻き込んでいる（**図3**）。たとえば、Notes from Nature、スミソニアン転写センター、Hebonautes と DigiVol のプロジェクトは、一般の参加者が標本ラベルなどの手書き情報をデジタルデータ化して、自然史標本の画像に追加するプロジェクトである。参加者のタスクは、転写、形態学的測定、生物季節学的注釈などで、研究活動に直接かかわっている。WeDigBio（Worldwide Engagement for Digitizing Biocollections）は、毎年開催されているグローバルな転写イベントで、毎年４日間、グループによる研究目標に向けて共同で取り組んでいる（Ellwood *et al*., 2018）。このアプローチは、個人が包括的で多様なグループを形成することにより、生物多様性科学の進歩を促進している。

自然史の標本は依然として、データを検証する際の黄金律（判断基準）であり、自然史博物館の心臓部である。市民科学は、市民が博物館の科学的な研究に貢献する機会を拡大し、最先端の生物多様性科学の広い範囲の研究を促進している（Sforzi *et al*., 2018）。市民による観察と博物館が所蔵する標本データとの協働による協調は、データ収集のスケールとスピードアップにより、生物多様に関する最も困難が課題に対し最も効果的かつ効率的な方法となっている（Spear *et al*., 2017）。市民科学プロジェクトの直接的な研究の意義に加えて、参加者は自然史コレクションの標本を提供する支援も行っている。

自然史標本に関するプロジェクト

Notes from Nature https://www.zooniverse.org/organizations/md68135/notes-from-nature
スミソニアン転写センター https://transcription.si.edu/
Hebonatures http://lesherbonautes.mnhn.fr/
DigiVol https://volunteer.ala.org.au/
WeDigBio https://wedigbio.org/

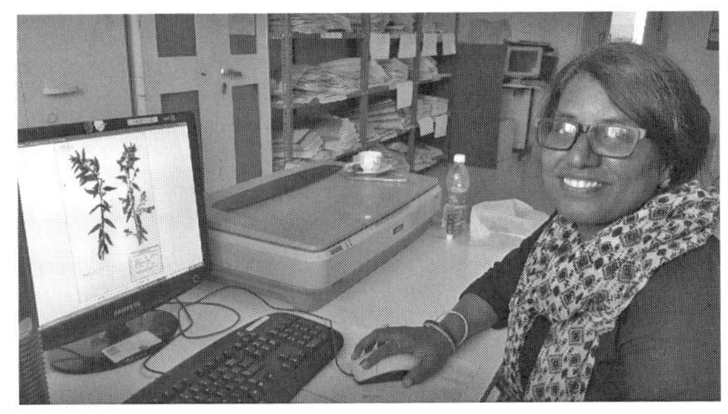

図 3　WeDigBio 転写イベントの実施（撮影／Noorinusa Begum 氏）
インドのバンガロールにある国立学際医療科学技術大学の薬草植物園で実施した参加者。

そうすることで、市民は収集のスキルを学び、博物館コレクション内の最近の記録の展示の改善にも役立っている。したがって、自然史博物館と市民科学者は相互に有益なパートナーである。

Elizabeth R. Ellwood 博士

カリフォルニア州ロサンゼルス郡自然史博物館研究員、フロリダ自然史博物館の iDigBio のコミュニケーション・マネジャー。iDigBio では、科学者と市民が Web で利用できる生物標本データと画像収集を促進する国レベルの活動を行っている。市民科学、保全教育活動に加え、温暖化が生物季節に与える影響を米国、アジア、日本を対象として解析した多くの研究業績がある。

引用文献

Ballard, H.L., Robinson, L.D., Young, A.N., Pauly, G.B., Higgins, L.M., Johnson, R.F. & Tweddle, J.C. 2017. Contributions to conservation outcomes by natural history museum-led citizen science: examining evidence and next steps. *Biological Conservation* **208**: 87-97.

Chapman, G. 1900. A Christmas bird-census. *Bird-Lore* **2**(6): 192.

Davies, L., Bell, J.N.B., Bone, J., Head, M., Hill, L., Howard, C., Hobbs, S.J., Jones, D.T., Power, S.A., Rose, N. & Ryder, C. 2011. Open air laboratories (OPAL): A community-driven research programme. *Environmental Pollution* **159**(8-9): 2203-2210.

Ellwood, E.R., Kimberly, P., Guralnick, R., Flemons, P., Love, K., Ellis, S., Allen, J.M., Best, J.H., Carter, R., Chagnoux, S. & Costello, R. 2018. Worldwide engagement for digitizing biocollections (WeDigBio): The biocollections community's citizen-science space on the calendar. *BioScience* **68**(2): 112-124.

Hartop, E.A., Brown, B.V. &d Disney, R.H.L. 2016. Flies from L.A., The Sequel: A further twelve new species of *Megaselia* (Diptera: Phoridae) from the BioSCAN Project in Los Angeles (California, USA). *Biodiversity Data Journal* **4**: e7756

Schuttler, S.G., Sears, R.S., Orendain, I., Khot, R., Rubenstein, D., Rubenstein, N., Dunn, R.R., Baird, E., Kandros, K., O'brien, T. & Kays, R. 2019. Citizen science in schools: students collect valuable mammal data for science, conservation, and community engagement. *Bioscience* **69**(1): 69-79.

Sforzi, A., Tweddle, J., Vogel, J., Lois, G., Wägele, W., Lakeman-Fraser, P., Makuch, Z. & Vohland, K. 2018. Citizen science and the role of natural history museums. UCL Press.

Spear, D.M., Pauly, G.B. & Kaiser, K. 2017. Citizen science as a tool for augmenting museum collection data from urban areas. *Frontiers in Ecology and Evolution* **5**: 86.

Vendetti, J.E., Burnett, E., Carlton, L., Curran, A.T., Lee, C., Matsumoto, R., Mc Donnell, R., Reich, I., & Willadsen, O. 2018. The introduced terrestrial slugs *Ambigolimax nyctelius* (Bourguignat, 1861) and *Ambigolimax valentianus* (Férussac, 1821) (Gastropoda: Limacidae) in California, with a discussion of taxonomy, systematics, and discovery by citizen science. *Journal of Natural History* **53**: 1607-1632.

本書で紹介した市民科学プロジェクト，プラットフォームなど

（記載順）

プロジェクト

ツール，プラットフォーム

ポータル，組織等

おわりに

多様な市民がかかわる市民科学は、科学の社会化や見える化を通じて、社会にイノベーションを起こす大きなポテンシャルを持っている。歴史の大きな転換期を迎え、個人や社会も今まで通り（business as usual）ではない変容が求められている。その中で多様な関心や才能を持った市民が、市民科学を自分ごと・みんなごととして捉え、新たな時代に挑戦するためのアプローチとして、また、汎用性の高いツール（道具）として、大いに活用してほしいと願っている。

市民科学の強みは、本書で述べたように、どんな課題、分野、テーマとも親和性があることである。「市民科学×マンホール」がすでに高い人気を誇るように、小学校で「市民科学×私のクラスのSDGs」、わが町の「市民科学×壁面緑化」など、新たな発想で、身近なところから、始めてほしい。

分野統合型、多様な組織の連携による共創型の市民科学は始まって間がない。特に日本では、これからが市民科学の本格的なスタートとなるであろう。現在の日本の市民科学は、市民科学に関する研究、知識、実践事例が分散しており、その全体像が捉えられていない状況にある。本書は、市民科学の意義、世界と日本の市民科学の歴史、研究に基づいた実践手法、優れた実践事例を多様な切り口で整理することにより、世界と日本の市民科学を包括的に捉えることを意図した。

本書を通じて、市民科学の強みと弱みを知り、市民科学で達成したい目標を定め、計画を立て、実践し、問題点に気付き、それを改善するPDCA（Plan、Do、Check、Action）のプロセスを積み重ねることによって、市民科学をみんなで育てていくことが重要になろう。その際に多様な人、場所、組織をつなぎ、実践をサポートする中間支援組織を育てることも必要となろう。市民科学の中間組織を今から新たにつくるだけでなく、既存の多様な組織がその役割を担えるであろう。NPO、エリアマネジメント、街づくり協議会などである。

本書の執筆の際に、市民科学の新たな事例を調査し、可能な場合にはインタビューや現場を訪問してきたこと、また、それらを紙面で紹介させていただくことは、楽しい作業であった。しかし、紙面に限りがあり、本書では紹介できなかった事例も多数ある。また、私が知らない優れた過去の事例や現在進行中の事例が全国に多くあると思われる。これからの事例について知り、色々な機会を捉えて紹介させていただきたいと考えている。貴重な情報をお持ちの方は著者らが運営する一般社団法人生物多様性アカデミー（http://bda.or.jp/wp/?page_id＝35）へお知らせいただけると幸いである。

著者

著者紹介

小堀 洋美（こぼり ひろみ）

東京都市大学特別教授・名誉教授、日本環境学会会長、一般社団法人生物多様性アカデミー代表理事。日本女子大学大学院修士課程、農学博士（東京大学）。東京大学海洋研究所海洋微生物部門職員、米国カリフォルニア大学生物学部および分子生物学部客員研究員などを経て、1997年より武蔵工業大学（現 東京都市大学）助教授、2003年より同教授、2016年より同特別教授。

〔主な著書〕『地球環境保全論』（和田武との共著、創元社、2021）、「Japan: Citizen science as a mechanism for creating urban sustainability」（『Urban environmental education review』所収、Cornell University Press、2017）、『A Threat to Life：The Impact of Climate Change on Japan's Biodiversity（分担執筆、IUCN、2000）、『保全生物学のすすめ—生物多様性保全のための学際的アプローチ　改訂版』（R. プリマックとの共著、文一総合出版、2008）など多数。

市民科学のすすめ
「自分ごと」「みんなごと」で科学・教育・社会を変える

2022年4月30日　初版第1刷発行

著●小堀洋美（こぼりひろみ）

発行者●斉藤　博
発行所●株式会社　文一総合出版
〒162-0812　東京都新宿区西五軒町2-5
電話●03-3235-7341
ファクシミリ●03-3269-1402
郵便振替●00120-5-42149
印刷・製本●モリモト印刷株式会社

定価はカバーに表示してあります。
乱丁，落丁はお取り替えいたします。

ISBN 978-4-8299-6533-7　Printed in Japan

NDC407　A5判　148 × 210 mm　276 p.